国家出版基金项目
NATIONAL PUBLICATION FOUNDATION

"十四五"国家重点图书出版规划项目
国家出版基金资助项目

# 中国德育研究大系

## 中国传统德育研究

总 主 编 | 檀传宝
本册著者 | 唐爱民 等

长江出版传媒 | 湖北教育出版社

**图书在版编目（CIP）数据**

中国传统德育研究 / 唐爱民等著. -- 武汉 : 湖北教育出版社, 2023.12
（中国德育研究大系）
ISBN 978-7-5564-5984-1

Ⅰ. ①中… Ⅱ. ①唐… Ⅲ. ①德育－研究－中国 Ⅳ. ①G41

中国国家版本馆CIP数据核字(2023)第191477号

ZHONGGUO DEYU YANJIU DAXI · ZHONGGUO CHUANTONG DEYU YANJIU

**中国德育研究大系 · 中国传统德育研究**

出品人　方　平
责任编辑　黄佑志　　责任校对　李庆华　　封面设计　荆棘设计
版式设计　刘静文　　责任督印　刘牧原

出版发行　长江出版传媒　430070　武汉市雄楚大道268号
　　　　　湖北教育出版社　430070　武汉市雄楚大道268号
经　　销　新华书店
网　　址　http://www.hbedup.com
印　　刷　湖北新华印务有限公司
地　　址　武汉市硚口区长风路31号
开　　本　710mm×1000mm　1/16
印　　张　23.5
字　　数　321千字
版　　次　2023年12月第1版
印　　次　2023年12月第1次印刷
书　　号　ISBN 978-7-5564-5984-1
定　　价　126.00元

# 总　序

重视道德教化、以伦理组织社会，是中国传统文化的显著特点。① 新中国成立后，中国共产党继承并发扬了这一优良传统，先后提出了“德育为首”②“德育为先”③ 等命题，并从“落实立德树人根本任务”④ 的战略高度来定位德育的崇高地位和神圣使命。这既为中国当代德育研究提供了良好的政治条件和社会氛围，也对德育研究提出了迫切的期望和最高的要求。

不同于古代的经验型教育，包括德育在内的现代教育早已是一种以科学研究为基础的专业性实践活动。而德育研究作为一种严肃的学术活动，其目的正在于揭示德育问题、探寻德育规律、建构德育理论，从而引领德育实践。中华人民共和国成立以来，我国德育研究直面社会现实需要，关怀学校德育实践，取得了许多重要成就。70 余年的当代中国德育研究大致经历了批判化改造、灾难性停滞、科学化探索、人性化追求和本土化建构五个不同历史阶段。总体上看，中国德育研究不断拓展研究领域，不断深

---

① 梁漱溟．中国文化要义［M］．上海：上海人民出版社，2005：20－21.

② 江泽民．在庆祝中华人民共和国成立四十周年大会上的讲话［J］．党建研究，1989 (8)：2－12.

③ 教育部关于整体规划大中小学德育体系的意见［J］．中华人民共和国教育部公报，2005 (6)：25－29.

④ 习近平．决胜全面建成小康社会 夺取新时代中国特色社会主义伟大胜利［M］．北京：人民出版社，2017：45.

化研究主题，已经初步建立了富有中国特色和时代精神的德育理论体系。

## 一、新中国德育研究不断发展的历史脉络

中国很早就有礼仪之邦的美名。在传统中国社会，道德、政治、教育三位一体，相互为用。几千年的中华文明史，伦理道德、道德教育或道德教化占据了相当重要的位置。

辛亥革命推翻清朝专制统治建立中华民国之后，国人开始了建立新道德的伦理努力和教育尝试。共和国的主体是公民，而公民需要相应的公民道德，公民教育因而是民主政治制度建立的基石。五四运动在呼唤“德先生”（DEMOCRACY）、“赛先生”（SCIENCE）的同时，也没有忘记还有一位“莫先生”（MORALITY）。中国共产党的创始人之一陈独秀先生就曾指出，只有伦理的觉悟才是最后的觉悟。在此背景下，民国时期的德育研究有一定程度的开展，出版了不少著作。① 同一时期高校的教育系，也开设了德育原理（训导原理）等课程。有论者据此认为，现代德育论开始在中国建立起来。②

随着 1949 年中华人民共和国成立，中国政治、教育、教育研究都进入了新的时代。③ 社会主义制度的建立，在根本性质与根本方向上提出了告别传统道德、传统德育的新要求，理所当然地要求建立自己的德育理论与德育体系。迄今为止，新中国德育研究历经风风雨雨 70 多年，大体以 1978 年改革开放为界，分为“前三十年”和“改革开放四十年”两个大的

---

① 主要有：蒋拙诚．道德教育论［M］．上海：商务印书馆，1920；吴俊升．德育原理［M］．上海：商务印书馆，1935；姜琦．德育原理［M］．重庆：杓庵书屋，1944.

② 檀传宝．学校道德教育原理［M］．北京：教育科学出版社，2000：16；郑金洲，瞿葆奎．中国教育学百年［M］．北京：教育科学出版社，2002：288.

③ 陈元晖．中国教育学七十年［J］．北京师范大学学报，1991（5）：52－94.

历史时期。若进一步细分，则有五个重要历史阶段：批判化改造（1949—1966 年）、灾难性停滞（1966—1976 年）、科学化探索（20 世纪 70 年代末至 80 年代）、人性化追求（20 世纪 90 年代）和本土化建构（2000 年至今）。

## （一）德育研究的批判化改造（1949—1966 年）

1949 年，新中国成立。中华人民共和国，这个新生的人民政权、社会主义国家，在根本性质上与封建专制社会、资本主义社会存在本质差别。这从根本上决定了必须对那个半殖民地半封建的旧中国进行脱胎换骨的改造。新生的人民政权、新中国的领导人也从不避讳这一点。毛泽东在《论人民民主专政》中明确指出要对反动阶级实行专政，即强制性改造；对人民则用民主的方法，进行教育和改造。[①] 在这样的历史背景下，新中国要建立自己的德育理论与德育体系，首要任务就是改造旧的教育体系，特别是改造旧思想。1949 年 12 月，教育部召开了第一次全国教育工作会议，讨论新中国的教育方针和对旧教育进行改造的问题，强调“把改造思想作为理论学习的直接目的”[②]。

那么，用什么来改造？改造的底气从何而来？

当然是用社会主义思想来改造，用马列主义毛泽东思想来改造。教育的目的是“以社会主义思想教育学生，培养他们成为社会主义社会全面发展的成员”[③]。改造的底气来自共产党领导的中国革命的巨大成功。在大革命时期、土地革命时期、抗日战争时期、解放战争时期，只要是建立了新的革命政权的时期，就有新的道德标准产生，就把整个旧的风俗习惯基本上改变过来。正如徐特立所说：“中国在帝国主义和封建统治下的社会状

---

① 毛泽东选集：第四卷［M］. 北京：人民出版社，1991：1468－1482.

② 冯刚，沈壮海. 中华人民共和国学校德育编年史［M］. 北京：中国人民大学出版社，2010：5.

③ 中央人民政府政务院关于改进和发展中学教育的指示［J］. 人民教育，1954（7）：16－17.

况总是土豪劣绅、土匪盗贼、流氓地痞等，横行乡里，民生不安，国家衰败……大革命，土地革命，到抗日的民族革命，凡是改变了社会关系的地区，即实行了减租减息平分土地以及发扬起广大人民民主的地区，于是社会习惯和个人道德也就来了历史上空前的大转变：犯法作乱的人，很少看见；烟赌盗贼，不禁自绝；以至夜不闭户，一切坏分子都变成劳动者。”[①]这种新旧社会的巨变，新旧社会关系的巨变，带来了社会风气的根本好转，带来了个人脱胎换骨的改造。徐特立还对此进行了理论总结，即社会决定人的好坏、善恶。他强调，这种社会决定人性论是符合马克思主义的，因为马克思说“人的本质不是单个人所固有的抽象物”，而是“一切社会关系的总和”。[②]

德育改造的目的是弘扬共产主义道德，培养共产主义新人，根本方针就是学习苏联的共产主义道德教育。“学习苏联的教育理论和教育经验也是必要的和正确的，……是我们刚开始在全国建设社会主义的时期的必要步骤和有效的方法。”[③]当时被介绍到中国的苏联的道德教育是这样的：一是对劳动采取共产主义的态度，即“劳动是一种荣誉的物事，是一种光荣的物事，是一种勇敢和英雄主义的物事”，而剥削阶级认为劳动是辛苦的、耻辱的；二是培养苏维埃爱国主义精神，即“爱祖国、爱人民、爱光荣的共产党及其领袖——列宁、斯大林，养成随时为祖国的幸福牺牲一切的精神”；三是集体主义的教育，“所谓集体，并不是许多同样的儿童一种简单的机械结合，而是儿童的各种活动建立在同志爱和友爱的基础上”。[④]在“一边倒”的学习苏联的方针下，克鲁普斯卡娅、加里宁、凯洛夫等人的理论被介绍到中国，并风靡一时。

---

① 徐特立. 论国民公德：上［J］. 人民教育，1950 (3)：17 – 19.

② 马克思恩格斯选集：第一卷［M］. 北京：人民出版社，2012：135.

③ 陈元晖. 中国教育学七十年［J］. 北京师范大学学报，1991 (5)：52 – 94.

④ 王雁冰. 介绍“苏联的新道德教育”［J］. 人民教育，1950 (4)：67 – 70.

在这一历史阶段，德育理论批判改造的对象主要有两个方面：一是彻底批判中国封建社会的传统道德。因为“无产阶级忠于祖国、忠于人民、忠于党、忠于社会主义事业的道德原则是‘从无产阶级斗争的利益中引伸出来的’”[①]。二是彻底批判以杜威为代表的西方资产阶级的德育思想。因为“杜威关于道德的理论，是帝国主义时期资产阶级用以确立善恶标准和规范人类行为的罪恶工具，是资产阶级统治人民思想意识的理论武器”[②]。“杜威关于道德教育的理论是荒谬而反动的。……是一些资本主义国家进行道德教育的指针；而且就我国而论，由于过去教育深受杜威的影响，……存在着杜威理论的残余毒素；所以对于杜威的道德教育论给以彻底的批判……”[③]

比德育理论、学术上的批判更为猛烈的是舆论上对思想界的批判浪潮。1951 年批判电影《武训传》,1954 年批判胡适,1955 年批判胡风反革命集团,1957 年反右派斗争,1963 年批判母爱教育。在一浪高过一浪的批判浪潮中，德育改造逐渐演变成德育领域的阶级斗争，从而为十年“文革”期间德育及其研究的灾难性停滞埋下了伏笔。

在批判旧世界的同时，也有许多建立共产主义、社会主义道德教育理论的努力。在对社会主义新道德以及中国特色教育路径的探究中，徐特立、王焕勋、黄济、胡守棻等一批教育研究者投入了道德教育的研究。1957 年出版的胡守棻编著的《中小学共产主义道德教育的内容和方法》，可以视为这种努力的突出代表。该书共分四章：第一章说明什么是道德（承认道德是人们共同生活及其行为的标准和规则，特别强调道德是社会意识形态之一），什么是共产主义道德（其阶级本质是工人阶级的道德，是从无产阶级斗争利益中引申出来的，同时也代表着全体劳动人民的利益，“它是

① 阎长贵．必须坚决摒弃封建道德：从忠孝谈起［J］．哲学研究，1963 (6)：16 － 25 + 15.
② 滕大春．批判杜威的道德论［J］．哲学研究，1957 (4)：60 － 72.
③ 滕大春．批判杜威关于道德教育的理论［J］．河北天津师范学院学报，1957 (1)：1 － 11.

人类历史上最高类型的道德”“它是未来全人类的道德”[①]），共产主义道德教育的意义和任务是什么。第二章介绍中小学共产主义道德教育的内容（爱国主义、国际主义、爱劳动和公共财物、自觉纪律、集体主义精神、坚强意志与性格）。第三章讲共产主义道德教育的方法。第四章说明各种道德教育的相互联系，以及如何创造性地运用道德教育方法。

## （二）德育研究的灾难性停滞（1966—1976 年）

1981 年党的十一届六中全会通过的《关于建国以来党的若干历史问题的决议》明确指出，“实践证明，‘文化大革命’不是也不可能是任何意义上的革命或社会进步”，而是一场“给党、国家和各族人民带来严重灾难的内乱”。2021 年《中共中央关于党的百年奋斗重大成就和历史经验的决议》也明确指出，十年内乱“使党、国家、人民遭到新中国成立以来最严重的挫折和损失，教训极其惨痛”。

由于德育所具有的突出的特殊性，“文化大革命”对新中国的德育事业来说当然更是灾难，学校教育饱受摧残，德育完全沦为“阶级斗争”的简单工具。正如有研究者指出的那样：无情批判、战斗的“革命道德”取代了讲究温良恭俭让的传统道德；人与人之间关爱、诚信、友善等千古流传的道德准则被推翻，团结友爱、助人为乐和勤勤恳恳为人民服务的美德，被斥为缺少阶级观念；公正无私、实事求是、诚实正直的德行，被诬为缺乏革命斗争精神；学校德育对学生提出的那些道德要求，诸如礼貌谦虚、尊长爱幼、遵纪守法及文明行为等，不仅被认为是无关痛痒的“小德”，而且被指为“资产阶级之德”“修正主义之德”。[②]

这一时期德育的一个突出特点是否定个性、否定独立思考，反对个人

① 胡守棻．中小学共产主义道德教育的内容和方法［M］．上海：新知识出版社，1957：7.

② 蒋制心，张嘉馥．德育概念运用上的混乱应该结束［J］．兰州学刊，1980 (3)：89－91＋96.

奋斗，倡导禁欲主义。青少年在思想汇报或介绍学习“毛选”的心得体会时，都以自己个人的情感、需要和利益为鞭挞的内容，主张“灵魂深处爆发革命”“狠斗私字一闪念”,把“无欲”“无我”奉为至高的道德大加宣传。[①]奉行没有“小我”的禁欲主义道德原则被认为是无产阶级道德的本质特点。由于个人的合理利益被完全否定，极端的国家第一、集体至上的观点泯灭了青年一代的主体意识，个人的独立思考被全然否定。

憎恨教育、斗争教育、禁欲教育造成了教育的非人性化。德育事业也因此遭到了严重的破坏。这表现在：其一，师生关系严重扭曲。中国师道尊严的教育传统被推翻，学生在肉体上毒打老师、在精神上羞辱老师的案例层出不穷。有研究指出，中学教师受到的冲击比小学教师大，大部分批斗教师的事件发生在中学。[②]其二，阶级观点在学生群体之间制造了对立。家庭出身不同的学生、注重学习成绩的学生和追求政治积极的学生之间形成矛盾与对立。其三，在这样一种教育氛围中，学生们是非混淆。在教育与生活中，同情心不再被肯定，善良不再被肯定；无情被误认为革命的坚定性，野蛮被错看作革命者应有的勇敢。一种畸形的情感和道德观形成。

这一时期德育如果说有什么“理论成果”，那就是“阶级斗争德育论”的形成。其主要内容是：

第一，强调道德是阶级的道德，阶级性是道德的本质属性。在阶级对立的社会，“道德始终是阶级的道德”[③]。

第二，教育是为阶级斗争服务的，是阶级斗争的工具。“教育从来就是阶级斗争的工具，我们从不讳言我们的教育是无产阶级斗争的工具，必

---

① 孙少平.十年“文革”时期学校德育的实践特征及其异化[J].现代教育论丛，1998 (6)：17 - 20 + 16.

② 于珍.“文革”时期农村基础教育的面相：一项口述史的研究[J].中国校外教育，2014 (21)：56 + 87.

③ 畅广元.“知、仁、勇”是为“复礼”服务的反动道德[J].陕西师范大学学报(哲学社会科学版)，1974 (1)：39 - 43.

须为无产阶级的政治服务。为了在与资产阶级争夺下一代的斗争中取得胜利，把儿童培养成为共产主义事业的接班人，我们就必须对他们加强无产阶级的阶级教育，抵制剥削阶级思想对他们的侵蚀。”①

第三，学校德育的根本任务是培养无产阶级道德，提高学生的社会主义觉悟。“学生社会主义觉悟的提高，共产主义道德的养成，无产阶级世界观的树立，主要是德育的任务。德育主要是以社会主义、共产主义思想来武装学生的头脑，培养学生的无产阶级的道德品质。”②

第四,学校德育的内容尽管有多个方面,但核心是阶级观点的教育。“归结起来，就是对学生进行马克思列宁主义、毛泽东思想的教育，使学生具有无产阶级的阶级观点、革命观点、群众观点、集体观点和劳动观点……核心就是阶级和阶级斗争的观点。”③

第五，阶级教育的具体内容：其一，使学生具有阶级和阶级斗争的基本认识；其二，让学生了解阶级斗争的历史；其三，使学生了解社会主义时期阶级斗争的实际，增加不断革命的思想；其四，让学生认识国际工人运动和民族解放斗争的情况；其五，教育学生学习、继承和发扬无产阶级的革命精神，培养革命的品质和作风；其六，帮助学生学习运用阶级观点和阶级分析的方法来观察问题，提高阶级觉悟。④

第六，阶级斗争一抓就灵，阶级斗争也是学校德育工作的好方法。由于现实生活中普遍存在着阶级斗争，一小撮阶级敌人企图腐蚀青少年，所以，“发现一条规律，就是学生的思想反复，总是同南京路上阶级斗争的风浪息息相关”⑤。总之，阶级斗争是一门主课，忆比教育（回忆旧社会的

---

① 曾尚友．掌握儿童特点，加强阶级教育［J］．江苏教育，1965 (2) : 10 － 12.

② 何辛．学生阶级教育在德育中的地位和内容［J］．学术研究，1964 (1) : 48 － 52.

③ 同②.

④ 同②.

⑤ 上海市培光中学党支部．毛主席哲学思想指导我们做好学生思想工作［N］．文汇报，1972 － 12 － 01.

苦难，对比新社会的成就与人民的幸福生活）是一种基本方法，参加现实的阶级斗争是基本途径，学习马列和毛主席著作是学校主导性的课程安排（低年级学习语录，中年级学习马列和毛主席的部分著作和章节，高年级通读《毛泽东选集》和马列部分著作），最终目的是把学生培养成为反修防修的战士。[①]

## （三）德育研究的科学化探索（20世纪70年代末至80年代）

1976年，“文化大革命”结束。在经历了短暂的徘徊之后，党的十一届三中全会决定冲破长期的“左”的错误的严重束缚，把全党的工作重点和全国人民的注意力转移到社会主义现代化建设上来，由此导致了德育价值观的转折，即由德育“为阶级斗争服务”转变为德育“为社会主义现代化建设服务”[②]。

从教育学界来看，人们最初是通过否定“文革”、反思“文革”来寻找教育发展的方向的。潘懋元先生曾经谈到，“文革”结束后，我国教育界在反思时，提出要研究、探索教育规律，因为“文革”的教训就是不尊重教育规律。[③]理所当然地，要做好德育工作，就必须尊重德育规律，按德育规律办事。这就是当时理解的德育科学化的内涵。因此在德育理论界，对德育过程规律的探寻成为研究的热点。几乎所有的德育理论研究学者，

---

① 大寨大队党支部．加强党的领导，把学校办成无产阶级专政的工具［M］//瞿葆奎．教育学文集·德育．北京：人民教育出版社，1989：352－359.

② 鲁洁，班华．德育理论在科学化轨道上前进［J］．教育研究，1988（12）：6.

③ 潘懋元．对高等教育若干问题的思考［J］．西北工业大学学报（社会科学版），2018（2）：26－30.

如鲁洁[①]、班华[②]、郭文安[③]、李道仁[④]、涂光辉[⑤]等都先后参与了德育过程规律的研究，仅《教育研究》就先后发表了30余篇相关论文。由此，德育过程规律研究成为改革开放之后我国德育理论研究的第一个高峰，研究内容涵盖德育过程的概念、本质、特点、结构、要素、基本矛盾，中国古代的德育过程思想，苏联的德育过程理论等，特别是把德育过程与人的思想品德形成过程区分开来，把有目的的德育影响与自发的社会影响区别开来。

从目前已有的总结反思改革开放初期德育研究的著述来看，改革开放初期对德育过程理论研究的意义与价值被大大低估了。总体上看，这一研究表达了尊重德育规律、追求德育科学的雄心；表达了不甘心智育第一、德育第二的现实窘境；与当时的学科制度化活动相互促进，促使德育原理成为一门独立的学科（以1989年胡守棻主编的高等院校教材《德育原理》出版为标志）。当时所研究的问题，事实上奠定了德育学科的理论基础，引发了对德育本质、德育功能、德育人性化的研究，具有建构独立的德育学科的建设性价值，并具有德育原理的奠基性价值。

当然，这一阶段德育研究的主题还包括德育与个性发展、德育目标的依据与层次性、德育内容序列化、德育方法科学化等。

---

① 鲁洁．德育过程初探［J］．教育研究，1981 (2) : 56－60；鲁洁．试评我国古代教育家有关德育过程的论述［J］．南京师大学报（社会科学版），1980 (3) : 21－25.

② 班华．思想品德教育过程［J］．教育研究，1980 (3) : 78－83.

③ 郭文安．试论青少年学生的德育过程［C］//北京师范大学教育系资料室．德育过程论文选编，1983 : 23－40.

④ 李道仁．试析德育过程的基本规律［J］．教育研究与实验，1984 (1) : 32－38.

⑤ 涂光辉．试论德育过程的基本规律［J］．湖南师院学报（哲学社会科学版），1984 (3) : 8－12.

## （四）德育研究的人性化追求（20 世纪 90 年代）

以人为本是教育的基本逻辑。鲁洁曾经指出："总结……近 10 年来（1988—1998 年——作者注）德育理论的发展，便会发现一个明显的趋势，那就是一方面德育理论继续在科学化的轨道上前进，另一方面表现出人性化倾向，而且二者正在逐渐走向整合。"[①] 班华也曾撰文论述了新世纪德育的人性化走向。[②]

20 世纪 90 年代，德育研究在科学化探索之后，之所以出现人性化的追求，原因是多方面的。

第一，源于从计划经济向市场经济或者商品经济转型所带来的冲击，中国人的人格要求由计划经济下的单位人、被动人、集体人，转向主体人、自由人等。[③] 这是现实生活的需要，是最根本的需要。学术研究的转向是对这种社会现实和社会实践的表达和回应。

第二，源于德育理论界对道德、道德教育本质与功能的创新性认识。鲁洁提出，"道德教育是一种超越"，"道德教育不是对现实的行为与关系的复制与重现，而是按照某种超越于现实的道德理想去塑造与培养人，促使人去追求一种理想的精神境界与行为方式"。[④] 道德不全部是、不纯粹是规定、限制人自己的力量，也是人探索、认识、肯定、发展和创造自己的力量。

第三，源于思想界和学术界关于人道主义的论争，使人和人的主体性成为哲学的主题。人性化是对教育的本质、人的本质认识的提升，是对把

---

① 王啸，鲁洁．德育理论：走向科学化和人性化的整合［J］．中国教育学刊，1999 (3)：17 － 21.

② 班华．德育理念与德育改革：新世纪德育人性化走向［J］．南京师大学报（社会科学版），2002 (4)：73 － 80.

③ 同①.

④ 鲁洁．道德教育：一种超越［J］．中国教育学刊，1994 (6)：2 － 8.

人的本质完全归结于阶级性，把个人完全看作社会的工具、集体的工具的阶级人性论的反对。

因而，在这个时期，“人是主体”的教育思想得以确立，主体性德育思想应运而生。主体性德育认为道德教育应以培养学生主体性道德人格为目标，以人的内在需要为动力，把价值引导与自主建构相结合，在活动与交往中生成主体性道德人格。①

这个时期，不仅追求德育的人性化，同时也追求德育的现代化，二者相互交织。教育要现代化，德育也要现代化。②学者们批判指出了当时学校德育的低效及无效问题，试图在借鉴西方德育理论与德育实践的基础上勾画出现代德育的理想特征。鲁洁、王逢贤主编的《德育新论》（1994 年）、班华主编的《现代德育论》（1996 年）以及戚万学、杜时忠编著的《现代德育论》（1997 年）等著作或教材，均试图围绕现代德育构建、促进德育现代化的中心议题发力突围。而活动德育论③、情感德育论④、德育美学观⑤等当代中国德育理论的创新与建构也使中国德育研究开始呈现出百花齐放的局面。与此同时，在德育现代化话语的召唤下，西方道德教育的理论与

---

① 肖川．主体性道德人格教育［M］．北京：北京师范大学出版社，2002：152 － 183.

② 班华．近十年来德育思想现代化的进展［J］．教育研究，1999 (2)：18 － 22.

③ 戚万学．活动道德教育论［M］．南京：南京师范大学出版社，1994; 戚万学．活动道德教育模式的理论构想［J］．教育研究，1999 (6)：69 － 76.

④ 朱小蔓．情感教育论纲［M］．南京：南京师范大学出版社，1993; 刘慧，朱小蔓．多元社会中学校道德教育：关注学生个体的生命世界［J］．教育研究，2001 (9)：8 － 12; 朱小蔓．情感德育论［M］．北京：人民教育出版社，2005.

⑤ 檀传宝．德育美学观［M］．太原：山西教育出版社，1996; 檀传宝．让德育成为美丽的风景：欣赏型德育模式的理念与操作［M］. 合肥：安徽教育出版社，2006; 檀传宝．美学是未来的教育学：德育世界的探寻［M］．上海：华东师范大学出版社，2015.

实践，如道德认知发展理论[①]、价值澄清理论[②]、建构主义德育理论[③]等也被大量引介到中国，成为中国德育人性化、现代化理论与实践探究的思想资源与历史镜鉴。

## （五）德育研究的本土化建构（2000 年至今）

经过 20 多年的改革开放，当历史的车轮跨入 21 世纪时，我国的经济、社会、教育、文化都发生了巨大的变化，德育理论也进入了一个多元化发展的新时期。这是因为：第一，德育理论经过科学化与人性化两个阶段的积累，已经有了比较深厚的基础。第二，世纪之交的基础教育改革为德育理论研究提供了难得的机遇与广阔的舞台（生活德育论大有用武之地）。第三，随着大量的、多样性的西方德育思想、德育理论的引进，我国德育理论研究也在不知不觉中融入了多元化的趋势。第四，社会转型的文化冲突、文化危机导致各种文化思潮的兴起，"这也直接影响了德育理论流派的产生与交替"[④]。

在这一时期，中国德育研究不断回应本土性需要，走上了本土化建构的道路。典型表现有三个方面：

第一，推进中华优秀传统文化研究。经过 20 世纪 80 年代、90 年代的理论储备，复兴中华优秀传统文化已经势不可挡，并从底层走向政策、从理论走向实践，成为主导学校德育的一股重要力量。研究者多认同中华优

---

① 郭本禹．道德认知发展与道德教育：科尔伯格的理论与实践［M］．福州：福建教育出版社，1999；岑国桢．吉利根对道德认知发展理论的修正［J］．心理科学，1992 (4)：33 − 37 + 66.

② 冯增俊．价值澄清德育理论述评［J］．海南师院学报，1992 (3)：28 − 33 + 43.

③ 肖川．建构主义学习观与学校德育［J］．教育导刊，1998 (Z2)：36 − 37；肖川．建构主义与道德教育中的灌输［J］．河北师范大学学报（教育科学版），1999 (4)：10 − 15.

④ 叶飞，檀传宝．改革开放 30 年德育理论发展脉络探析［J］．教育研究，2009 (1)：19 − 24 + 85.

秀传统文化是中国人的精神家园，在西方强势文化风靡世界的时候，必须要坚持走文化自主路线。[①]有论者认为，2014年教育部颁布《完善中华优秀传统文化教育指导纲要》，意味着中国的德育指导思想实现了结构性变革，即由2010年之前受马克思主义和社会主义道德一元指导的局面，调整为一种复合型建构性的德育指导方针。[②]一些研究者致力于从传统文化中发掘现代道德教育的资源，探讨全球化进程中具有中国本土特色的道德教育。如认为传统道德可贵之处在于其强调精神，道德教育的中国形态应该是精神形态，而非西方的理性形态；强调伦理与天理良知相通，而非理智狡黠的算计。[③]或认为传统"天人合一""仁民爱物"道德观可生发出现代生态道德教育思想。或认为传统道德蕴含丰富的生命教育意识、德性教育传统可资利用，可以将传统美德中的感恩教育、孝道教育、自强教育、责任教育作为突破口，开拓新德育。[④]或主张在教育理论研究中，应以整体的、多视角的范式来实现对中国传统道德文化的多层次、立体式开发与利用，而非简单的、分割的碎片式继承。[⑤]

第二，加强社会主义核心价值观教育。社会主义核心价值观凝聚着社会价值共识，吸纳了世界先进思想，中华优秀传统文化是社会主义核心价值体系建构的前提与基础。社会主义核心价值观明确而完整地回答

---

① 鲁洁．应对全球化：提升文化自觉［J］．北京大学教育评论，2003 (1)：27－30.

② 张亚月．德育的历史性变革：从政治认同走向社会认同［J］．中国青年研究，2016 (8)：35－40.

③ 樊浩．道德教育的"'精神'形态"与"中国形态"［J］．教育研究，2013，34 (2)：44－53.

④ 沈建华．传统文化视角下青少年道德教育的活化和链接［J］．教育研究，2015，36 (11)：25－29＋48.

⑤ 易连云．传统道德教育研究的范式转换［J］．教育研究，2010，31 (4)：30－33.

了“教育之道”，表达了中国学校教育的价值立场。[①] 对于教育来说就是要解决好学生的人生价值取向问题。培育和践行社会主义核心价值观需要从理论引领、舆论宣传、文化熏陶、实践养成和制度保障五个维度入手。[②] 社会主义核心价值观应通过具体化、日常化、形象化和生动化的形式引导学生自觉认同。[③] 社会主义核心价值观融入学校教育，应立足于优秀德育教材的开发、高水平师资队伍的建设、德育话语体系的合理转换及德育方式的多元创新。有论者指出，把社会主义核心价值观融入教材，要掌握三种逻辑，即知识逻辑、生活逻辑和教育逻辑，打通三个世界，即符号世界、意义世界和生活世界。[④]

第三，立足于中国学校德育实践场域的多种德育理论应运产生。20 世纪 80 年代以来，中国经济高速增长，取得了举世瞩目的经济奇迹。然而，也产生了环境污染、道德滑坡、贫富悬殊、官员腐败诸多问题。德育研究者们冷静审思伴随着现代化进程而泛滥的经济主义、唯科学主义、极端个人主义、工具理性至上及人类中心主义等谬误[⑤]，凸显生活、情感、生态、制度等过去被忽视、压抑或被边缘化的主题，由此形成了多种德育理论“百花齐放”的可喜局面。除了上一时期出现的活动德育论、情感德育论、德

① 杜时忠，曹树真．社会主义核心价值观“进教材”的教育学探索［J］．教育研究，2015，36 (9)：34 − 39.

② 王琰．将社会主义核心价值观融入高校立德树人全过程的五个维度［J］．思想理论教育导刊，2015 (1)：124 − 127.

③ 靳玉军．论社会主义核心价值观教育的实践要求［J］．教育研究，2014，35 (11)：4 − 7 + 15.

④ 同①.

⑤ 鲁洁．教育的返本归真：德育之根基所在［J］．华东师范大学学报(教育科学版)，2001 (4)：1 − 6 + 65.

育美学观继续活跃之外，这一时期新产生的主要德育理论有生活德育论[①]、公民教育论[②]、制度德育论[③]等。

综上所述，新中国成立以来，“前三十年”的德育研究伴随新民主主义革命胜利之后的喜悦与自信，力图改造旧道德、旧德育。它以革命者的姿态，否定中国传统道德文化与德育思想，否定西方近现代德育理论与德育模式，“一边倒”地学习苏联思想、政治与道德体系、教育经验与教育理论，也尝试在德育理论建构上追求中国特色。“文化大革命”期间，由于错误地估计了国内外形势，错误地坚持无产阶级专政条件下“继续革命”的理论，强调“阶级斗争”，最终导致学校德育沦为阶级斗争的工具，德育理论的发展也处于完全停滞的状态。

以改革开放为始的“后四十年”的学校德育研究，则在解放思想的旗帜下，乘改革开放的东风取得了重要进步。其重要原因，一是彻底反思、批判并否定错误的教育理论，二是大胆学习借鉴外国德育研究成果。反思与批判中，最根本的教训就是两条：一是不尊重教育规律；二是不尊重人，

① 鲁洁．德育课程的生活论转向：小学德育课程在观念上的变革［J］．华东师范大学学报（教育科学版），2005 (3)：9 － 16 + 37；鲁洁．生活・道德・道德教育［J］．教育研究，2006 (10)：3 － 7；高德胜．生活德育论［M］．北京：人民出版社，2005；高德胜．生活德育简论［J］．教育研究与实验，2002 (3)：1 － 5 + 72.

② 檀传宝，等．公民教育引论：国际经验、历史变迁与中国公民教育的选择［M］．人民出版社，2011；李萍，钟明华．公民教育：传统德育的历史转型［J］．教育研究，2002 (10)：66 － 69；万明钢．论公民教育［J］．教育研究，2003 (9)：37 － 43.

③ 杜时忠．制度德性与制度德育［J］．教育研究与实验，2002 (1)：38 － 43；刘超良．制度德育论［M］．武汉：湖北教育出版社，2007；杜时忠．制度何以育德？［J］．华中师范大学学报（人文社会科学版），2012，51 (4)：126 － 131 + 4；杜时忠．人文教育与制度德育［M］．合肥：安徽教育出版社，2013；杜时忠，张敏．国家道德即德育［J］．教育研究与实验，2013 (1)：7 － 10；张添翼，杜时忠．再论制度何以育德［J］．教育研究与实验，2018 (5)：12 － 15 + 25；杜时忠．德育十讲：制度何以育德［M］．武汉：华中师范大学出版社，2019；杜时忠，张添翼．三论制度何以育德［J］．教育学报，2020，16 (4)：20 － 29.

否定教育主体性。对前者的反思，产生了探索教育规律、德育规律，追求德育科学化的思潮，典型表现就是对德育过程规律的研究；对后者的反思，引燃了主体性教育、主体性德育思潮。大胆学习借鉴外国德育研究成果，则给德育研究带来了最新研究信息、理论想象力和世界眼光。当然，当代中国德育研究并不满足于反思过去，更期待未来，不仅借鉴，更追求创新。它既客观理性地批判，更热情洋溢地建设，那就是追求并建构现代化、科学化、人性化的德育理论，并在本土德育理论建构方面收获了累累硕果。毫无疑问，这四十来年是中国德育研究突飞猛进、全面进步的时期，是中国德育学术发展历史上最好的时期。

## 二、新中国德育研究的重要成就、局限与发展逻辑

新中国德育研究走过了 70 多年不平凡的历程，在思想产出、学科建设、人才培养、实践引领等方面都取得了显著成绩。德育研究获得了独立的学科地位，初步建立起具有明确研究对象、体现时代精神的德育理论体系。与此同时，德育研究也面临着十分严峻的时代挑战，存在着知识体系比较陈旧、研究方法比较单一、原创性成果十分稀少等亟待解决的问题。

### （一）德育研究的重要成就

#### 1. 德育研究获得了丰硕的理论成果

新中国成立以来，在 70 多年的理论探索中，不同思想的交锋让中国德育理论研究不断取得进步。在德育研究中实际上存在两种学术争鸣：一种表现为历史性的反思，另外一种表现为同一时期不同理论观点的竞争、交流，最终促成了百花齐放的繁荣局面。特别是 20 世纪 90 年代以来，中国德育研究在不长的时间内，围绕德育本质、德育功能，以及德育与个体、

德育与社会生活的关系等主题开展了有影响力的学术争鸣，彰显了德育研究的学术魅力，提升了德育研究的科学品质，提高了德育研究的学术声誉。

与学术争鸣相伴而生的，是我国德育研究在科学化、人性化论述上的新进展，先后出现了主体德育论、活动德育论、情感德育论、德育美学观、生活德育论、公民教育论、制度德育论等多种德育理论主张。它们从不同的视角出发，运用多种方法，对学校德育乃至社会道德现象和问题进行了深入的研究，各成一家之言，并以各自的方式力图影响和变革学校德育实践。它们深化了我们对德育的认识，丰富了德育理论体系，促进了德育研究的繁荣。

### 2. 德育研究取得了独立的学科地位

德育逐渐从教育学的一个研究领域，分化发展成为一个独立的二级学科。人们一般在两种意义上使用“学科”一词：一是依学问性质而划分的知识门类，如物理、化学等；二是学校教学的科目，如语文、数学等。无论在哪一意义上，德育科学研究，尤其是“德育原理”，都已经成为教育学体系中一门相对独立的重要分支学科。其主要理由有三：

首先，德育学科是关于德育的学术知识体系，既有明确的研究对象（德育现象或德育问题）[①]，也具备了相应的研究方法（虽无特有的研究方法，但社会科学常见、通用的方法或移植于其他学科的特色方法似乎足以支持德育学科的研究需要），还形成了自己的理论体系。

其次，德育学科是教育学科中的一类教学内容。在高等院校，特别是师范院校或者教育学院中，“德育原理”“德育论”或“德育学”是作为一门课程广泛开设的，德育学科作为一个教学科目是普遍的社会事实。

---

① 班华．略论德育论学科对象与任务的几个问题［J］．教育科学研究，2007 (4)：5 － 9；班建武．“十一五”期间德育学科发展的回顾与总结［J］．教育科学研究，2011 (7)：67 － 75.

最后，德育原理内部，也正在形成一个可观的分支学科群，包含德育主体论[①]、德育过程论[②]、德育课程论[③]等，以及与其他学科交叉而产生的德育心理学[④]、德育社会学[⑤]等。这样，德育原理不仅从教育学母体中分化独立出来，而且成为一个拥有众多分支学科的独立学科群，其学科地位和学科特色日益彰显。

德育研究成为独立的学科体系的突出标志，是德育原理形成了相对完整的理论体系：一是思想观念体系，如道德是可教的，品德发展及道德教育是有规律可循的，德育的本质是一种超越，以道德的制度培养道德的人等；二是概念范畴体系，如道德、品德、德育，直接德育、间接德育、隐性课程意义上的德育，以及品德形成、德育过程、德育实效等；三是教材结构体系，目前已经相对稳定，大体分为"学科总论""理论基础""实践应用"等几大部分，具体展开为德育学科论、德育本质论、品德发展论、德育目的论、德育过程论、德育课程论、德育方法论、德育环境论、德育管理论、德育评价论、德育比较论等。

经过 70 多年的努力，我国建立了自己的德育理论体系。值得一提的是，这不是通过全盘否定中国传统德育文化和接受西方德育理论而实现的，而是更加理性地对待中国传统德育文化和世界先进德育理论。许多学者都主张要实现传统德育的创造性转化，包容、自信地借鉴国外德育理论，从单向度地盲从外国德育理论，到提出教育研究、德育研究的中国化，建立具有中国风格、中国气派的德育理论。

---

① 肖川．主体性道德人格教育［M］．北京：北京师范大学出版社，2002; 于光．德育主体论［M］．北京：中国社会科学出版社，2010.

② 范树成．德育过程论［M］．北京：中国社会科学出版社，2004.

③ 佘双好．现代德育课程论［M］．北京：中国社会科学出版社，2003.

④ 韩进之，王宪清．德育心理学概论［M］．上海：上海人民出版社，1986.

⑤ 鲁洁．德育社会学［M］．福州：福建教育出版社，1998.

### 3. 德育学科的社会建制逐渐完备

综合经典和现代学科分类理论，可以认为：一门学科的独立或成熟，两个方面标准或条件最为重要：一是专业化的知识建构，如明确的研究对象、行之有效的研究方法和严谨的理论体系；二是制度化的社会建制，如专门的研究机构、专业性的研究共同体、专业研究期刊，以及专门人才培养等。德育学科在制度化建设上从无到有、从弱到强，显示出德育研究得到了越来越多的社会支持和越来越高的社会认可。

70 多年来，中国德育研究共同体日益壮大（2017 年全国专业德育研究者有 70 人左右，关注德育研究的专业研究者约有 500 人[①]），不仅成立了全国性的德育论专业委员会（现为“全国德育学术委员会”）等专业学术团体，而且一些大学还建立了多个专门德育研究机构，如教育部人文社科重点研究基地南京师范大学道德教育研究所、北京师范大学公民与道德教育研究中心、华中师范大学道德教育研究所等，还出现了多种专业期刊，如《中国德育》《中小学德育》《班主任之友》《班主任研究》等。此外，在全国众多的教育学术刊物中，也有为数不少的德育栏目，发表大量的德育研究论文。在德育研究专业人才培养方面，我国从 20 世纪 80 年代开始招收硕士生、博士生，目前已经形成了一个由学士、硕士、博士和博士后构成的完整德育人才培养体系，目前在校研究生约为 1500 人。这既是德育学科兴旺发达的标志，更是德育学科持续发展的根本支撑。

### 4. 德育研究提升了对于德育实践的影响力

我国德育研究有强烈的实践取向，并体现出鲜明的时代特征。“直面社会现实、关怀德育实践，是 40 年来中国德育学科发展最重要的理论品格。

---

① 刘峻杉，平和光．知识生产视角下我国德育研究的特征与展望［J］．全球教育展望，2017，46 (9)：61 － 72 + 85.

从 20 世纪 80 年代对于基础道德重建的呼吁、世纪之交对于新世纪挑战的思考，到近年对于社会主义核心价值观教育、国际理解教育等议题的集中关注，中国德育理论工作者均及时回应了当代社会对于德育实践变革的迫切需要……”①

德育研究者积极参与国家德育决策，指导中小学德育改革。如主持修订义务教育阶段国家德育新课程标准、主编德育教材、开展学校德育诊断、推动教师德育专业化、通过大学与中小学合作（U–S 协同）推进学校德育深度变革等。在德育理论研究的推动之下，我国学校德育正在发生可喜的变化：由过度政治化的强制灌输式的德育逐步走向科学化、人性化、生活化的德育，由追求不食人间烟火的圣贤道德转变为追求社会正义和社会关怀的现代伦理，从封闭式德育走向开放性德育，从学校德育的教育孤岛走向学校、家庭、社会相互支持的合力德育。

### （二）德育研究的现存局限

新中国德育 70 多年的发展，在取得长足进步的同时，也存在一些亟待突破的局限。这集中表现在：

#### 1. 德育研究的学科视野相对封闭

道德现象与道德行为是复杂的，是多学科的研究对象。道德理论研究者往往强调道德是社会行为，忽略道德行为的多学科基础，导致对于哲学、伦理学的研究关注较多，而对生物学、心理学、人类学、社会学、经济学、政治学等相近学科关注较少，对于语言学、美学、艺术等跨学科领域对人类道德行为研究成果则更为陌生。一个明显的证据是，尽管对于哲学、伦理学的新进展相对敏感，但德育研究者也仍然未能敏锐地把握当前人文社

① 檀传宝，陈国清．改革开放 40 年我国德育学科建设的探索与进步［J］．中国教育学刊，2018 (10)：28－34.

会科学研究范式的转换，对于道德哲学和伦理学、政治学研究中的权力批判和语言转向等还比较漠视。

权力批判的目的是要揭示道德与权力之间的联系，将道德从压制性的意识形态中剥离出来，以防权力借助道德之名畅通无阻。许多研究者批判道德专制与道德灌输，然而其批判的语言依然是大而化之的宏大叙事，未能深入地揭示与批判微观领域中权力运行规则，诸如借用道德之名所实施的隐蔽的性别偏见、歧视、压制以及不平等。哲学和伦理学研究的语言转向,强调思维必须通过语言符号体现,思想的内容受制于说话的方式。同样，研究道德教育问题必须依凭语言来进行，研究所用的概念不清会带来理论混乱。如有人支持道德的相对性，有人反对道德相对主义，有人赞扬消费文化的好处，有人批判消费主义的害处，但道德的相对性与道德相对主义、消费文化与消费主义之间的本质区别是什么，其界限该如何准确划分，则缺乏必要的语言学澄清。对语言缺乏审视，限制了理论研究者之间的对话与交流，使得许多德育理论研究无奈地成了研究者们的“自说自话”。

### 2. 德育研究的方法论基础相对薄弱

许多德育理论研究者仍然坚守着哲学思辨范式，尤其是受规范伦理学的影响，以直线性演绎逻辑为主，缺乏复杂性、动态性及整体性思维方式，德育研究的方法论基础相对薄弱。表现在：第一，大量研究直接套用哲学、伦理学、政治学的术语与理论来诠释德育问题，对于理论的教育适切性缺乏反思；第二，德育研究注重对道德规范进行合理性论证，轻视批判性思维的培育，也轻视个体道德内化的生成过程；第三，道德哲学—主体维度的研究偏重于道德认知，对于道德情感的研究则相对薄弱。①

此外，许多德育研究者往往忽视也窄化了实证研究，习惯于运用问卷

---

① 孙学功．道德情感研究综述［J］．哲学动态，1998 (1)：17－19.

调查去“处理”复杂的德育问题，而对于批判主义与诠释主义视角下的质性研究则相当陌生。与之相对，一些研究者已经用高质量的研究成果证明，质性研究的两种方法——人种志研究和扎根理论，都是可以较好地从经验中通过归纳来建构理论的方法，它们既保留了理论的系统性，又不阉割教育事实的丰富性。

### 3. 对重大现实问题缺乏道德审视

“道德教育是整个共同体的事业……进而，它对我们有双重意义。它指教育在某种程度上是道德的，所有计划和实施着的教育都努力将所有与道德相关的内容包括在内；它指这样一种教育，旨在提升受教育者的伦理理想，使得他们能够持续地与他人道德地相遇。”① 因此学校教育的伦理基础理应包括自由、公正、民主、关怀、幸福等基本道德价值。这些基本价值不仅是教育哲学、政治哲学的研究领域，更应是道德教育研究者思考的重大问题。德育理论研究有义务追问什么样的教育是道德的，如何以道德的方式培养道德的人，依循这个思路，道德教育研究者对现实的反思和批判力度是不够的。

在教育制度领域，道德教育研究者需要思考如何突破教育制度科层化、等级化、工具理性化的桎梏，将学校建设成为道德共同体以及民主生活共同体②；在教育政策领域，道德教育研究者应审视教育政策的正当性，审视政策制定的程序正义与实质正义③；在教育改革方面，道德教育研究者应批判反教

---

① 诺丁斯．关心：伦理和道德教育的女性路径［M］．武云斐，译．北京：北京大学出版社，2014.

② 金生鈜．为什么要塑造学校的道德文化：学校作为一个道德共同体的再道德化思考［J］．西北师大学报（社会科学版），2005 (4)：71 － 75.

③ 杜时忠，张添翼．教育制度和教育政策的伦理属性及其实现［J］．中国教育科学（中英文），2017 (4)：91 － 105.

育行为的伪改革，将教育的道德标准作为重要的维度纳入评价指标之中①。

此外，我国德育研究还存在一些“痼疾”。比如，不少研究者习惯于做当下教育政策的简单诠释，而损害了德育研究应有的科学品质，其结果是德育概念的大而不当、名实不符等问题至今悬而未决。依据我国学校教育的制度安排，德育的外延远远超出道德教育，不仅包含了政治、思想、道德、心理、法治五大内容，而且教育政策上强调的所有不属于智育、体育、美育的教育任务都会归于“德育”名下。为了迁就这一现实，德育原理教科书只好宣称我国的德育是“大德育”。然而在实际的德育研究中，无论是德育理论的建构、德育规律的阐述，还是德育过程的展开，以及学生品德发展规律的论述等，实质内容仍然主要是道德教育而没有包括政治教育、思想教育、心理教育和法治教育。②德育概念理解“守一而望多”③的原则落实，仍然任重道远。

### （三）德育研究发展的学术逻辑

上述成绩与不足同时存在，其中原因值得深思。人文社会科学与研究物质世界、强调事实与规律的自然科学不同，有其自身的学术逻辑，即以人文世界、社会世界为研究对象，关注价值与意义，注重呼应时代精神、回应时代挑战，强调研究活动的社会历史和人文精神属性。德育研究本质上属于人文社会科学研究，有其内在的学术逻辑，有其内部独特的矛盾和困惑要去面对和解决。在学科信念上，是学科独立与学科依附之间的拉锯；在价值取向上，是集体主义与个人主义的博弈；在发展路径上，是西方化与本土化的此消彼长；在研究方法论上，是人文主义与科学主义的融合。

---

① 吴康宁．教育改革成功的基础［J］．教育研究，2012，33（1）：24－31.

② 张忠华．论中国特色的德育概念之研究［J］．现代大学教育，2008（3）：86－92＋113.

③ 檀传宝．学校道德教育原理［M］．北京：教育科学出版社，2000：4－5；檀传宝．德育原理［M］．北京：北京师范大学出版社，2017：4－5.

### 1. 德育研究的学科信念：学科独立与学科依附之间的拉锯

在教育学的众多二级学科之中，德育研究的政治从属性特别明显。这一特征可能与其研究对象的政治属性有着重要的关联。德育最突出的特点之一是深受政治影响，因为道德与政治之间具有千丝万缕、密不可分的亲缘关系，有的道德要求本身就是意识形态的要求。从理论上讲，道德教化、道德教育是政治实施的基石。[①]在我国传统政治思想中，“修身”一直是“治国”与“平天下”的逻辑起点。今天，“培养什么样的人”依然是教育的核心问题，它决定道德教育的走向。因此，道德教育不应也不可能摆脱政治的影响。

然而，德育研究作为揭示德育问题、探索德育规律的科学活动，毕竟不能直接混同于政治上意识形态的宣传工作，不能满足于对现行政策的简单解释和论证。故如何保持学科的相对独立性，这成为道德教育学者们努力的一个重要方向。鲁洁曾经指出：“……基础性的工作，就是努力把德育作为一门学问来研究它，既不是对党和政府的政策的诠释，也不是直观经验的描述。”[②]

改革开放以来，道德教育研究经历了三次重大的主题转换，其中对人的关切一直是不变的价值诉求与研究基点。[③]德育研究者以其对人的关切、对人性的呼唤来建构学科的独立性，来促进学科的原创性。主体性德育、欣赏型德育、生活德育、情感德育、制度德育、公民教育等理论都是围绕着德育的现代化与人性化而进行理论建构的，它们响应了时代精神，试图将德育从政治的附庸变成为人的德育、属人的德育。尽管各自使用的术语

---

① 任剑涛. 道德与中国传统政治的合法性［J］. 华中师范大学学报(人文社会科学版)，2005 (1)：27－34.

② 鲁洁. 回望八十年：鲁洁教育口述史［M］. 北京：教育科学出版社，2014：233.

③ 胡金木. 改革开放以来道德教育研究主题的回顾分析［J］. 江苏教育研究，2009 (4)：16－18.

不同，但它们的追求完全一致。第一，反对道德教育的专制化、唯知识化、唯理性化，希冀道德教育促进人的完整发展、促进人的美好生活；第二，德育理论研究更多地关注儿童，特别是儿童的解放，更多地借鉴现代道德心理学的研究成果，更多地关注儿童的道德发展与道德学习；第三，追求道德理性、道德自主和道德宽容，而反对道德强制、道德绑架和道德高压。

### 2. 德育研究的价值主线：集体主义与个人主义的博弈

中国德育研究面临的一个理论难题是在社会日趋多元的环境下，如何重构道德价值，并形成道德共识。新中国成立以后，共产主义、集体主义道德观实际上延续了中国传统伦理观中的整体主义（由家族血缘伦理转到集体组织伦理），如重义轻利、重群轻己的道德价值观。之后，集体主义教育在学校教育实践中产生了异化，否定了个人合理欲望及追求个人幸福之行为存在的价值。[①] 改革开放后，随着市场经济对个人利益的肯定、保障及刺激，义利关系发生了重大的变化与重组，即大众意识形态推崇义利并举，甚至重利轻义。这一过程持续了数十年，使得学校德育面临一个复杂的社会道德环境。社会主义核心价值观的提出，在某种意义上可以看作义利关系重组过程的阶段性完成，自此义利并重、群己和谐应该成为主导的价值观。

在义利关系和群己关系的转型中，道德价值观逐渐突破了传统价值观，走向多元。诺丁斯的关怀伦理的引入[②]，不仅符合中国重视人际关系的传统，而且其充满人性关怀的笔触也填补了康德、涂尔干、杜威理论中忽视个人情感的缺陷，成为教育理论的润滑剂。并且，诺丁斯所代表的女性主义伦理学，对过于注重理性与公正伦理的男性主义伦理学提出了挑战，引入了

---

① 杨建朝．从虚假到真实：集体主义教育反思［J］．教育学报，2011，7 (5)：41 － 47.

② 侯晶晶，朱小蔓．诺丁斯以关怀为核心的道德教育理论及其启示［J］．教育研究，2004 (3)：36 － 43; 孙彩平．在道德关系建构中生成德性：析诺丁斯道德教育的新理念［J］．比较教育研究，2003 (9)：6 － 10.

道德教育的性别视角，进一步推进了道德教育理论的多元化。21世纪以来，随着社会发展不平衡矛盾的凸显，大众对社会公平的呼声渐高。在这种背景下，罗尔斯的社会正义理论产生了广泛的影响。[①]至此，德育理论界基本达成了价值共识，即推崇康德式的道德自由与罗尔斯式的社会正义、涂尔干式的理性权威、杜威式的教育民主与诺丁斯式的教育关怀。自由、正义、理性、民主、关怀已经成为德育学者共同的价值追求，这与整个中国社会转型中的时代精神是相符合的。

### 3. 德育研究的路径选择：西方化与本土化的此消彼长

中国现代化进程包括现代教育发展中始终有一组基本的矛盾，即如何处理传统文化与现代文化之间的冲突，如何在东方文化与西方文化之间进行取舍。

自五四新文化运动直至整个20世纪90年代，传统文化都被视为落后文化、黑暗文化而被攻击、被批判。于是，教育现代化的目标一度是科学化与民主化，其过程是不断舍弃传统文化，不断学习、引进和复制西方文化教育。[②]21世纪以来，随着经济全球化过程中民族主义的复兴、后现代哲学思想对西方中心主义和后殖民主义的挑战，世界各国的文化自觉与本土化需求变得越来越强烈和深刻，传统文化复兴成为必然的趋势。现代化不是西方化、一元化，而是本土化、多元化。这一趋势同样表现在德育理论研究中。德育理论研究者开始自觉地反思全球经济和信息一体化带来的价值多元与文化多元对道德教育的冲击[③]，批判现代化对人精神需求的漠

① 罗尔斯．正义论［M］．何怀宏，何包钢，廖申白，译．北京：社会科学出版社，1988；赵敦华，江立成．罗尔斯的正义说［J］．求索，1994（2）：66－68；姚大志．罗尔斯正义理论的道德基础［J］．江海学刊，2002（2）：37－42.

② 杨东平．艰难的日出：中国现代教育的20世纪［M］．上海：文汇出版社，2003：4.

③ 黄书光．全球化时代的学校德育思考［J］．思想·理论·教育，2002（2）：3－7.

视，自觉地肩负起道德教育研究应承担的社会责任与文化使命。德育研究者业已形成的共识是：德育现代化必然立足于中国大地，必然包含传统文化教育的现代转型，也必然包含德育理论本土化的探索。[①] 当前对传统德育资源的挖掘，对优秀传统道德文化的重新阐述，对中国特色的德育理论的探索，均属于德育理论本土化的自觉尝试。

### 4. 德育研究的方法转换：人文主义与科学主义的融合

纵观中国德育研究的主题，经历了从学科本位、主义本位到问题本位的发展历程。20 世纪 80 年代，德育理论研究的重点是探索德育规律，推动学科独立。20 世纪 90 年代，德育理论大量借鉴西方哲学流派和社会思潮，同时，德育各分支学科也开始萌芽，如德育社会学、德育文化学等。及至 21 世纪，聚焦于德育问题的研究更多了，特别是关于德育实效、德育课程、德育改革等实践命题的研究，问题导向得到了前所未有的强调。

从学科本位、主义本位到问题本位，这一过程背后也体现了德育研究方法论的转换。学科本位、主义本位侧重于哲学思辨，主要的研究方法是逻辑演绎，即用某一哲学理论的视角来看德育问题，将其基本原理推至德育研究，其思维方式是整体的、人文的，关涉很多问题，并不聚焦于特别具体的教育实践问题。而以问题为本位的研究，则聚焦于一个个具体的德育问题的解决，常常不拘泥于教育学科，而是用多学科的视野来研究，从而凸显了德育研究的跨学科性质[②]；或者运用实证研究的方法对问题存在的频率、后果进行揭示，用定量研究方法尤其是以问卷法为主、访谈法为辅来揭示德育问题成为一种普遍的做法；或者用行动

---

① 易连云．全球共同利益视阈下的中小学德育课程改革思考［J］．教育学报，2018，14 (1)：45 – 50.

② 戚万学，唐爱民，韩笑．改革开放 40 年德育理论研究的主题及进展［J］．教育研究，2018，39 (10)：20 – 31.

研究来验证德育理论的效用，用质性研究方法对教育现象的精神意味做更深入、立体的揭示。总体看来，目前中国德育研究在方法论上正在努力超越简单的“主义”与“问题”的二元对峙，逐步走向人文主义与科学主义的深度融合。

以上，我们在回望70多年中国德育的发展历程的基础上，努力总结了中国德育研究的历史、成就与不足以及德育学术发展的基本逻辑。“缺什么，补什么。”这一历史的全面总结，尤其是现存局限的分析，其实已经构成了对未来中国德育研究发展应有趋势的严肃探讨。

当然，任何理论研究从来都不可能没有实体性研究对象或者研究的“质料”。对中国德育研究未来发展方向更为准确的把握，当然还需要从对于新时代中国社会的发展方向以及由这一方向所决定的中国德育发展的逻辑中去获得进一步的深入理解。也就是说，只有清晰了解新时代中国需要有什么样的德育，我们才能更为明晰也更为脚踏实地回答新时代中国德育研究应有的努力方向。

## 三、时代逻辑的转换与中国德育事业及德育研究应努力的方向

2017年，党的十九大宣布“中国特色社会主义进入新时代”，我国社会主要矛盾已经转化为“人民日益增长的美好生活需要和不平衡不充分的发展之间的矛盾”。[①] 与此相应，新时代的中国德育如何为切实解决“人民日益增长的美好生活需要和不平衡不充分的发展之间的矛盾”作出应有贡献？进一步说，依据新时代的发展逻辑，我们需要什么样的德育实践、德育研究？对于这些时代之问题作出全面、认真的回答，实乃新时代中国德

① 习近平．决胜全面建成小康社会　夺取新时代中国特色社会主义伟大胜利［M］．北京：人民出版社，2017：11.

育理论工作者必须承担的重要历史使命。

### （一）新时代教育发展逻辑的重要转换

由于改革开放以来中国社会经济的长足发展，我们已经进入了一个“物质丰裕的时代”，而这无疑是新时代教育发展逻辑转换的物质基础。

我们可以 2019 年的经济发展指标为例。这一年，中国有两项发展指标特别具有划时代意义：一是人均 GDP 首次超过 1 万美元（国家统计局的数据显示，2019 年中国人均 GDP 达到 10276 美元[①]）；二是城乡居民平均恩格尔系数（居民食物支出占家庭生活总支出的比重）首次降到 30% 以下（国家统计局的数据显示，2019 年全国城乡居民平均恩格尔系数为 28.2%[②]）。

人均 GDP 首次超过 1 万美元、恩格尔系数首次降到 30% 以下，都是了不起的成就，但对于人民的幸福生活而言，平均恩格尔系数显然更为重要。这是因为国家、社会发展的终极目标都是人民生活的改善，而恩格尔系数所直接反映的，正是人民生活水平的高低。虽然横向比较，我们与发达国家尚有不小差距，现实发展的挑战甚多（如基尼系数居高不下），未来发展也未必会一直一帆风顺，但若纵向比较或做大历史的总体考察，我们仍然要承认一个基本的事实——中国已经进入了一个全新的历史发展阶段：几乎所有国民都摆脱了极端贫困、解决了温饱问题、实现了全面小康，国家在整体上已经进入了一个国民物质生活普遍较为富足的新时代——而这一点具有特别重要的历史意义。因为支持各项事业发展的经济基础日益雄厚，所以我们才有可能、有底气达成许多过去可能难以企及的成就。即便还存在教育质量有待提升等诸多挑战，我国教育事业已有长足的发展就

① 据《每日经济新闻》2020 年 1 月 17 日发表的文章，2019 年，中国人均 GDP 首破 1 万美元，GDP 总量与日、德、英、法四国之和大体相当。国家统计局 2022 年 2 月 28 日公布的《2021 年国民经济和社会发展统计公报》显示，2021 年中国人均 GDP 已经达到 80976 元，按当时的年均汇率折算为 12551 美元，已经超过世界平均线。

② 2019 年全国居民恩格尔系数 28.2%　连续 8 年下降[N]. 中国青年报，2020－01－22.

是不争的事实。我们再以 2019 年的数据为例。据有关部门的统计：2019 年，我国九年义务教育巩固率为 94.8%，义务教育普及程度达到世界高收入国家的平均水平；2019 年，我国高等教育毛入学率从 2000 年的 12.5% 提高到 51.6%[①]，高等教育在校学生总规模超过 4000 万人，实现了从大众化向普及化的历史性跨越，中国已建成世界上最大规模的高等教育体系[②]……这些成就，无疑都以改革开放以来国家综合国力大幅度提升从而能够有力支持教育事业的发展为基本前提。以国家对教育的投入为例，2012 年以来，国家财政性教育经费支出连年超越 GDP 的 4%，总规模以数万亿元计[③]。因此，我们完全可以预期，只要国家保持目前的发展势头，不断提升的经济实力、综合国力也必定会在未来支撑中国教育事业的进一步腾飞。

不过，“物质丰裕”的社会对人类发展，尤其是对教育事业的发展的挑战也是空前巨大的。中国教育事业发展从现在开始必须直面的挑战至少来自两个方面：一是教育需求类型的升级；二是社会人口结构的变化。

所谓教育需求类型的升级，指的就是无论受教育者（学生）还是教育者（教师），大家接受和从事教育的动机类型都已经悄然发生范型上的变化。受教育者，以后当然还会继续考虑教育的工具性价值（如获得文凭、找一份好工作），但越来越多的人会从过去接受教育的“饥饿逻辑”（如“跳农门”、找工作等）的控制中逐步摆脱出来，更多地关注通过教育去追求修身养性、实现人生梦想等教育的本体性价值。2020 年，湖南省一位贫困家

---

① 根据美国学者马丁·特罗的研究，以高等教育毛入学率为指标，可以将高等教育发展历程分为精英 (15% 以下)、大众 (15% 至 50%) 和普及 (50% 以上) 三个阶段，当高等教育毛入学率超过 50%，高等教育就进入了普及化阶段。

② 据《2019 年国民经济和社会发展统计公报》，2019 年我国九年义务教育巩固率达到 94.8%。据 2021 年全国教育事业统计主要结果，2021 年我国九年义务教育巩固率达到 95.4%，各种形式的高等教育在学总规模 4430 万人，高等教育毛入学率达到 57.8%。以上数据均不包括我国港澳台地区。

③ 国家统计局数据：2020 年教育经费总投入达 53014 亿元。

庭出生的高分考生不顾网上许多人的劝阻，没有选择更赚钱的金融专业而毅然报考了自己所心仪的考古系，就是一个典型案例。贫困子弟的这一抉择，虽然未必已是普遍现象，但在过去物质匮乏的时代却一定是更难想象的。类似心理需求的变化，在教育工作者身上也呈现出了同样的变化趋势。2015 年河南省一位重点中学教师辞职的理由居然是“世界那么大，我想去看看”，这封“史上最具情怀的辞职信”，当然不是说明教师们以后都不在意薪酬、待遇了，而是意味着在新的历史时期，除了物质上的回报，将会有越来越多的人更倾向于在教育工作、日常生活中寻求生命的安顿、意义的获得。

以上接受、从事教育的动机范型的变化，其实是可以理解的。因为“仓廪实则知礼节，衣食足则知荣辱”（《管子·牧民》）。依据心理学家马斯洛的需要层级理论，当一个人的基础需要获得满足之后，其“优势需要”就一定会转移到对真善美、自我实现等高级需要、超越性需要上去。接受教育、从事教育的心理需求类型变化，或者学习与工作动机类型的变化，正是悄然发生的时代巨变的典型表征之一。就德育而言，获得良好生活所需的道德教养、建构安身立命的价值观念、追求人生的终极意义，同时在社会生活中成为拥有公共参与能力的有尊严的社会主体，对于新时代学习者的重要性将越来越大。

所谓社会人口结构的变化，指的是由于社会经济以及教育事业的迅速发展，我国人口的社会阶层、文化素养等正在悄然发生的结构性变化。首先是中等收入群体（或者中产阶层）的不断壮大。目前中等收入群体有多大，学术界尚有争议，但是改革开放以来中等收入群体迅速发展壮大的趋势，则是大家普遍认可的。而且，只要中国经济、社会继续向前发展，中等收入群体就会不断壮大。中等收入群体，并不只是一个合乎某些财富指标的人群，其突出特征之一就是基本生活问题已经解决，与之相应，心理需要的类型也会随之变革——与获得个体尊严、寻求社会正义等精神需要相关的自由、平等、公正、民主、法治的意识、诉求都会普遍提高。

除了社会阶层结构的变化，还有一项与教育发展直接相关的结构性变化，就是人口文化素养结构的变化——中国受教育人口的比重已经达到前所未有的高度。与新中国成立初期80%以上国民是文盲相比较，九年制义务教育已经全面实现、高等教育进入普及化阶段的中国，其人口文化素养结构——其实就是受教育人口占比已经发生翻天覆地的变化。越来越多的国民接受了良好的基础教育、高等教育，固然是我们时代最伟大的成就，也更有利于国家治理现代化的实现，同时，由于“民智已开”，包括教育治理在内的全部社会治理将面临全新的挑战，也是不言而喻的。我们可以肯定地讲，许多不讲公平正义或“不讲道理”的社会治理与教育治理的旧模式必将越来越不合时宜，而社会主义核心价值观所蕴含的自由、平等、公正、民主、法治等精神，将成为我国公民普遍而真实的现实诉求。近年来一些人们过去习以为常的社会“小问题”常常能在一夜之间就迅速形成重大网络“舆情”，重要原因之一，也在于此。

总之，“中国特色社会主义进入新时代”，或者中国进入“物质丰裕的时代”，都已经让国家教育需求的类型、社会大众的结构发生了重要变化。中国教育只能顺应历史大势，努力做出与时俱进的改革。换言之，新时代教育发展逻辑即将发生重要转换——中国教育实践与理论建设一定要有回应“2019年以后”时代要求的范型之变[①]——以提供优质、公平的教育供给为教育事业发展的基本逻辑。而在德育领域，顺应“物质丰裕的时代”来临的历史大势，我们应该努力做出与时俱进的变革，形成优质、公平的教育供给，至少包括完成在德育主题（内容）、德育形态（形式）两个方面的继往开来与品质提升。

再换言之，依据新时代教育发展的大逻辑，中国德育研究如何为推进德育实践在教育主题（内容）、教育形态（形式）两大转型提供全面、专

---

① 檀传宝.发展范式转型的意味：论“2019年以后”的中国与中国教育应有的变革[J].中国教育学刊，2022(8)：64－69.

业的理论支持，也就势必成为新时代中国德育理论建构责无旁贷的使命。

## （二）新时代必须坚守的德育主题

### 1. 加强基础道德教育——讲求基本人伦与道德教养

人类生活有一个重要且普遍的常识：若日常社会生活不讲基本人伦和道德修养，社会成员行为粗鄙，人际以及家庭、社会关系普遍紧张，何谈美好生活？所以，加强基础道德教育，既是教育领域一个千古不变的旧主题，又是“物质丰裕的时代”亟待应对的新课题。

中国是一个伦理型的文明古国，一直有强调基础道德的传统。孟子有云：“恻隐之心，人皆有之；羞恶之心，人皆有之；恭敬之心，人皆有之；是非之心，人皆有之。恻隐之心，仁也；羞恶之心，义也；恭敬之心，礼也；是非之心，智也。仁义礼智，非由外铄我也，我固有之也，弗思耳矣。”（《孟子·告子上》）“四端”说固然重点讲的是仁义礼智的发端，但也同时强调了基础道德发乎自然的“天理”属性。“父子有亲，君臣有义，夫妇有别，长幼有序，朋友有信”（《孟子·滕文公上》）等“五伦”与天理的自觉结合，强化了基础道德教育的重要性。故古代设立学校，“夏曰校，殷曰序，周曰庠，学则三代共之，皆所以明人伦也”（《孟子·滕文公上》）。“明人伦”等道德教育无疑是学校德育的基础或者根本。

“道德教育是学校德育的根本”①其实也是许多西方教育学家的共识。杜威曾经明确指出：“民主政治热心教育，这是众所周知的事实。”“民主主义不仅是一种政府的形式；它首先是一种联合生活的方式，是一种共同交流经验的方式。人们参与有共同利益的事，每个人必须使自己的行动参照别人的行动，必须考虑别人的行动，使自己的行动有意义和方向，这样

① 檀传宝．道德教育是学校德育的根本［J］．全球教育展望，2001（6）：9－14.

的人在空间上大量地扩大范围，就等于打破阶级、种族和国家之间的屏障，这些屏障过去使人们看不到他们活动的全部意义。”[①] 美国著名的品德教育倡导者里克纳也曾经明确指出：“我们民主的奠基人认为，道德教育是我们民主社会得以存在的关键。”“他们的理由是：民主的政府是由人民当家做主，人民自己对社会的自由与公正承担责任。这意味着人民至少在某种意义上说必须是善良的，他们必须理解民主的道德基础，并为之尽责……”[②] 因此他们的一个共同点就在于他们看到了政治教育虽然重要，但必须建立在最基本和最有效的道德教育基础之上。

对于当代中国社会而言，基础道德教育不仅具有永恒的、理论的意义，而且还具有十分迫切的现实意义。这是因为，物质生活的相对富裕会凸显人们对于精神生活的强烈需求。2014 年，人民论坛问卷调查中心曾经进行过一项有关中国“社会肌体健康”的调查（调查对象 8015 人）。据此形成的分析报告显示，超过八成的受访者认为当前中国社会正处于“亚健康状态”（“若请您为当今中国社会的健康程度打分，从 0 到 10，分值越高越健康，您的打分是？”选择 5 分及 4 分以下的各为 24.4% 和 57.7%），网民们认为最大的“社会病”包括：信仰缺失（55.3%，百分比越高意味着越多人认为这是最大的“社会病”）、看客心态（48.7%）、社会焦虑症（44.5%）、习惯性怀疑（40.4%）、炫富心态（38.9%）、审丑心理（36.5%）、娱乐至死（34.3%）……传统中国是一个乡土社会，特别强调以道德和信仰形成社会规范来规约各种利益主体。但这一调查发现，当今社会有高达 88.0% 的人认同（完全认同、比较认同者分别占 60.2% 和 27.8%）“信仰缺失、道德滑坡”是中国当代社会一种普遍的“社会病”。[③] 基础道德本身及其信仰基础的缺失，恰好与先秦儒家、宋明理学建立的基础道德的“天理”“伦常”的论证逻辑

---

① 杜威．民主主义与教育［M］．王承绪，译．北京：人民教育出版社，1990：92.

② 里克纳．美式课堂　品质教育学校方略［M］. 刘冰，等译．海口：海南出版社，2001：5.

③ 数据来自人民论坛问卷调查中心 2014 年 9 月发布的《当前社会病态调查分析报告》。

以及杜威和里克纳的共识走向了完全相反的方向，同时也反映出了日渐富裕的中国社会在精神层面的饥渴状态以及人民群众心理需求的时代转向。

为了因应新时代社会发展趋势和人民群众的精神需要，2019 年 10 月 27 日，中共中央、国务院印发了《新时代公民道德建设实施纲要》。该纲要开宗明义指出："中国特色社会主义进入新时代，加强公民道德建设、提高全社会道德水平，是全面建成小康社会、全面建设社会主义现代化强国的战略任务，是适应社会主要矛盾变化、满足人民对美好生活向往的迫切需要，是促进社会全面进步、人的全面发展的必然要求"，"要把社会公德、职业道德、家庭美德、个人品德建设作为着力点。推动践行以文明礼貌、助人为乐、爱护公物、保护环境、遵纪守法为主要内容的社会公德，鼓励人们在社会上做一个好公民；推动践行以爱岗敬业、诚实守信、办事公道、热情服务、奉献社会为主要内容的职业道德，鼓励人们在工作中做一个好建设者；推动践行以尊老爱幼、男女平等、夫妻和睦、勤俭持家、邻里互助为主要内容的家庭美德，鼓励人们在家庭里做一个好成员；推动践行以爱国奉献、明礼遵规、勤劳善良、宽厚正直、自强自律为主要内容的个人品德，鼓励人们在日常生活中养成好品行。"对于教育工作者来说，这不仅是对社会发展中道德建设的强调，更是对于基础道德教育最为明确的强调。

基础道德教育既是对儿童道德发展逻辑的尊重，也是完整人格建设逻辑的必然要求。因为儿童总是在与身边人友好相处的日常生活中发展其道德的；而没有基本道德人格建设，任何宏大的社会政治理想、价值观念都会失去其有效生长的起码逻辑基础。强调基础道德教育，既是一个超越时空的永恒、普遍的教育命题，也是当代中国德育直面当代中国社会现实精神需要必须作出的理性回答。

### 2. 开展民主法治教育——协力政治文明建设

"美好生活"一定是共和国每一个公民都拥有人格尊严，合法权利都得到充分保障的生活。因此"不断满足人民对美好生活的向往"，一方面要求大力加强民主与法治建设，建设社会主义政治文明，另一方面则需要扎实开展民主、法治教育，确保公民成为负责任的权利主体、共和国真正的主人翁与建设者。因此，民主与法治教育、社会主义民主政治教育，或者中国特色社会主义的公民教育的开展就是这一美好生活建构的应然之义。

关于人的现代化，美国社会学家阿历克斯·英格尔斯曾经有过精彩的论述。在深入研究西方发达国家现代化进程并考察了第三世界国家现代化发展出现的诸多问题之后，英格尔斯发现：一个国家或企业即使有先进的制度，但如果缺乏能赋予这些制度以真实生命力的广泛的现代心理基础，如果执行和运用这些现代制度的人自身还未从心理、思想、态度和行为上都经历一个现代化的转变，那么就会导致制度的畸形发展甚至失败。再完善的现代制度和管理方式、再先进的技术工艺，也会在一群“传统人”的手中变为废纸一堆。这就是著名的“英格尔斯效应”。因此，英格尔斯断言：“人的现代化是国家现代化必不可少的因素。它并不是现代化过程结束后的副产品，而是现代化制度与经济赖以长期发展并取得成功的先决条件。”①

中共中央、国务院于2019年2月颁布的《中国教育现代化2035》明确指出，要“大力推进教育理念、体系、制度、内容、方法、治理现代化，着力提高教育质量，促进教育公平，优化教育结构，为决胜全面建成小康社会、实现新时代中国特色社会主义发展的奋斗目标提供有力支撑”。而与之配套的由中共中央办公厅、国务院办公厅印发的《加快推进教育现代化实施方案（2018—2022年）》所制定的5年教育现代化总体目标则是：“经过5年努力，全面实现各级各类教育普及目标，全面构建现代化教育制度体系，教育总体实力和国际影响力大幅提升。实现更高水平、更有质量的普及，教育改革发展成果更公平地惠及全体人民，教育服务经济社会发展的能力显著提高，社会关注的教育热点难点问题得到有效缓解，多样化可

---

① 英格尔斯．人的现代化［M］．殷陆君，编译．成都：四川人民出版社，1985：8.

选择的优质教育资源更加丰富，人民群众受教育机会进一步扩大，学习大国建设取得重要进展。”在以上两个文件中，无论是“推进教育理念、体系、制度、内容、方法、治理现代化，着力提高教育质量，促进教育公平，优化教育结构”，还是“教育改革发展成果更公平地惠及全体人民，教育服务经济社会发展的能力显著提高，社会关注的教育热点难点问题得到有效缓解，多样化可选择的优质教育资源更加丰富，人民群众受教育机会进一步扩大”，都说明教育现代化在制度、观念层面均得到了前所未有的强化。这是因为，无论我们的教育现代化在器物层面的进步指标如何亮眼，若教育制度民主与法治水平还不够高，若我们培育的社会主义建设者和接班人还不完全具备独立人格和创造精神、不能积极和理性参与社会治理，若我们不能在制度、精神层面实现彻底的现代化，我们就不可能真正意义上全面实现教育现代化。

若是做国际比较，社会主义民主法治教育、社会主义民主政治教育、社会主义核心价值观教育，其实就是世界各国所说的公民教育。我们与他人的区别，只在于我们的公民教育是中国特色社会主义的公民教育。公民教育所要培育的“公民”，既与“臣民”相对，也与“私民”相对。前者要求社会成员告别等级社会和人身依附，成为民主社会的权利和责任主体，因此公民教育的核心内容就必然包括自由、平等、公平、正义、民主、法治等；后者要求受教育者告别自给自足、不问政治的小农人格，成为有责任感、有能力参与社会治理的社会成员，因此公民教育的内容就必然包括道德责任、法治精神、爱国、敬业、诚信、友善等。无论中外，公民教育的目的，都在于促进受教育者健全的公民身份（Citizenship）的建构，从而在人格上告别人身依附和小农人格，实现人的现代化。正是在这个意义上，公民教育是现代教育性质的体现，是现代教育的目的性要求，因而公民教育意味着“全部教育的转型”[①]。当然，中国公民教育是中国特色社会主义公民教育。

---

① 檀传宝．论公民教育是全部教育的转型：公民教育意义的现代化视角分析［J］．安徽师范大学学报（人文社会科学版），2010，38(5)：497－503.

教育即生活。要实现人的现代化、培养现代公民，不仅需要设置如“道德与法治”“思想政治”等专门的德育课程，还需要系统“重构学校制度生活”。因此加强学校制度建设以及开展与之相应的制度德育，就成为加强民主与法治教育的必然选择。依据制度德育论的理论主张，第一，“制度是教育资源”，应当彰显学校制度正向的多方面的育德功能；第二，“制度是教育过程”，应当确立优良学校制度的品质，对现行学校制度进行批判性审视，建构公平正义、民主平等、自由发展的学校教育制度，把制度建构活动变成教育过程；第三，“制度是生活方式”，应当把成文的制度规定与有组织的制度活动，通过内化与外化双向机制，变成稳定的制度化行为模式，化为学校制度生活，通过学校制度生活来培养学生品德。① 从本质上看，制度德育论是从学校制度重建、优化的角度主张加强教育生活意义上的民主与法治教育。

### 3. 推进“人类命运共同体”教育——促进全球公民责任和团结

当代社会，人类生活已经是一个相互依存的整体。一国人民的“美好生活”，一定与其他国家有直接和间接的关联。所以近年中国一直大力倡导构建“人类命运共同体”( a Community of Shared Future for Mankind )。“人类命运共同体”这一理念的提出，既是为了维护中国人民的尊严，维护国家的核心利益、主权、安全及发展，也是为了更好地承担国际义务，反对单极化霸权，推动建立更加公平正义的全球治理新秩序。“人类命运共同体”，是一种政策宣示、一种社会理想，更是一种客观现实。②

“人类命运共同体”理念之所以成立，首先是因为世界经济的“全球化”

① 杜时忠．制度何以育德？［J］．华中师范大学学报(人文社会科学版)，2012，51 (4)：126－131＋4.

② 据中国外文局当代中国与世界研究院 2020 年 9 月 15 日发布的《中国国家形象全球调查报告 2019》，已有六成以上海外受访者认可“人类命运共同体”这一理念对个人、国家、全球治理的积极意义。

已经是一个具有突出现实性、普遍性的客观事实与发展趋势。市场经济的发展已经使得全球化市场成为当代各国经济面临的客观现实，产业、市场、资本的全球化分工会使得资源配置更好地实现优势互补，世界经济的发展也更有效率与活力。所以尽管在理论上一直存在对于全球化进一步加剧了国家间的贫富差距，加重资本对于普罗大众的经济剥削、政治压迫，导致政治、文化、生态危机日益严重等广泛的批评，尽管近年一些发达国家出于一己之私也采取了许多“逆全球化”的政策干预，经济全球化仍然是一个不可阻挡的历史潮流。

经济全球化除了使得世界变小、成为“地球村”，还加快了科技、文化、教育的交流，互联网的产生与发展，新媒体尤其是智能化的社交媒体的涌现和全球化覆盖，也使得整个世界在信息交流方面实现了前所未有的相互开放，而更加开放的世界反过来又使得全球化的范围和程度不断加深，“人类命运共同体”建构的现实性也因此得到进一步强化。

此外，当代世界还面临着许多亟待解决的现实问题，如战争与冲突、环境和气候问题、发达国家与发展中国家的贫富差距等。这些问题也都具有全球性，非一个国家或者某一国家集团可以单独解决。因此，各国如何和平相处、各国国民如何作为“全球公民”参与国际秩序的重建，迫切需要我们努力在德育上开展“人类命运共同体”意识的教育或者“全球公民”身份的培育。

联合国教科文组织 2015 年发布的《反思教育：向“全球共同利益”的理念转变》（*Rethinking Education: Towards a global common good*, 2015）[①] 明确指出，虽然“目前关于公民的定义仍以民族国家为核心，但在全球化

① 中文版已经由教育科学出版社于 2017 年出版。原文“common good”应译作“公共善”而非“共同利益”(common interest)。公共善着眼于社会正义，共同利益强调利害关系。联合国教科文组织的这一报告强调应该重新思考教育的使命，将教育视作在全球范围内促进公平正义、培育全球公民身份的事业。

的影响下，这种概念和相关做法正在改变”[1]。跨国社会和政治共同体，民间社会和行动主义都是新型“后国家”公民的表现形式。全球化创造出了超越民族国家的新型经济、社会和文化空间，正在促成超越民族国家界限的新的身份认同和动员模式。而“国家教育”面临挑战，人类社会要“重新思考多元互联世界中的公民教育”。[2]

超越民族国家层面的“人类命运共同体”教育，与国际上通行的“全球公民教育”（Global Citizenship Education，简称 GCE）相通。总结联合国及世界各国全球公民教育的政策与实践经验，为了真正“促进全球公民责任和团结”，“人类命运共同体”教育，或者“全球公民教育”至少应当包括如下几个重要的教育主题：第一，文化理解与和平教育。第二，经济发展与可持续发展教育。第三，全球治理与公民的建设性参与。

以上基础道德教育、民主法治教育、“人类命运共同体”教育，刚好构成了一个由近及远的逻辑系列。只有在教育内容上不断扎实强化这些主题的教育，我们的世界才可能更加美好，中国德育也才能满足人民群众对于美好生活的向往。但无论是基础道德教育、民主法治教育还是“人类命运共同体”教育，在内容选择、界定和有效开展上，都有许多需要德育理论工作者勇敢面对、深度回应的重大课题。

### （三）新时代应当建构的德育形态

实现优质、公平的教育供给这一新时代中国教育事业发展的基本逻辑，不仅要求有高品质的德育内容安排，也要求有高品质的德育形式保障。让中国德育在教育形态上更加美好、让新时代少年儿童有更多接受优质德育

---

① 编译自 TAWIL S. Education for ‘global citizenship’: A framework for discussion［C］// ERF Working Papers, Series No. 7. Paris: UNESCO, 2013.

② 联合国教科文组织 . 反思教育：向“全球共同利益”的理念转变［M］. 联合国教科文组织中文科，译 . 北京：教育科学出版社，2017：57.

的幸福感，具体说来，让中国德育成为专业的德育、审慎的德育、美好的德育，理应成为新时代德育形态变革的主要方向。

### 1. 让德育成为专业的教育——对德育规律的严格遵循

立德树人是教育的根本任务，故在教育上“人民日益增长的美好生活需要”也就自然表现为人民群众对于德育实效提高的广泛期待。而要让中国德育实效提高、让德育形态更为美好，这就需要严格遵循德育的客观规律，实现经验型德育向专业化德育的历史转型。

首先，由经验型德育向专业化德育的历史转型，要求德育实践充分尊重儿童道德发展的客观规律。

关于儿童的道德发展，劳伦斯·柯尔伯格（一译科尔伯格）曾经在道德认知发展上有过经典的描述。柯尔伯格不仅通过实证研究归纳出了儿童道德判断三水平（前习俗、习俗、后习俗）、六阶段（奖惩与服从定向、工具主义的相对主义定向、好孩子定向、法律与秩序定向、社会契约定向、普遍伦理原则定向）的发展轨迹，而且通过图利尔等人的试验得出结论：发展性道德教育的第一个心理学原则是，儿童只能同化在发展意义上合乎他们自身水平的那些道德说理；第二个心理学原则是“道德发展上的向前运动不仅依赖于向儿童揭示下一阶段的思维，而且要使儿童体会到运用他们自己当前的思维水平到道德问题情景中发生认知冲突的经验，如果经验不到足够多的认知冲突和不确定性，道德发展就不会发生”。[①] 柯尔伯格的道德认知发展理论及其生发出来的两难讨论、公正团体等德育方法至今仍然有重要的应用价值。当然，儿童道德发展并不只有道德认知发展一个维度，精神分析理论、社会学习理论、积极心理学等许多品德发展理论都从

---

① KOHLBERG L.Cognitive-developmental theory and practice of collective moral education［M］// WOLINS M, GOTTESMAN M. Group care: the education path of youth aliyah. NY: Gorden & Breach,1971 : 367.

人格发展、道德情感、亲社会行为等方面补充了儿童道德发展的其他维度。即便是儿童道德认知发展理论本身，通过图利尔、努奇等人的努力，也发展出了社会认知领域理论，将道德发展领域与社会习俗、个人生活领域的发展严格区分开来，人们对儿童道德认知发展图景的描绘也越来越具体、准确。吉利根、诺丁斯等人则以他们在关怀教育理论上的杰出贡献，从性别视角补充了我们对于儿童道德发展的认识。道德发展理论的不断发展已经告诉我们的基本常识是，儿童道德发展的阶段性特征是客观存在的，发展的逻辑也是有规律可循的。而要求得德育实效提升，教育实践只能遵循这些规律。若我们将“德育”定义为思想、道德、法治、心理教育等更广泛的领域，则思想、道德、法治、心理教育等教育实效提升的前提，也一定是对儿童思想、道德、法治、心理发展实际与客观规律的敬畏与遵循。

其次，由经验型德育向专业化德育的历史转型，还要求德育实践充分尊重德育活动的客观规律。

在当代中国德育实践探索中，德育的课程改革一直是德育实践改进的重点领域，而德育课程改革的一大进步，就是在课程理念上对于德育规律的尊重。其中最重要的就是鲁洁所倡导的“生活德育”理念对于课程改革的巨大贡献。鲁洁指出：“道德学习的本质，不是知识学习，而是生活的、实践的学习。”[①]“当代的教育却无视道德之知的实践特性，同其他知识一样也把它放在科学理性主义的过滤器中筛选成普遍化、客体化的知识，彻底割断了它长在母体身上的脐带，断绝了它与生活实践的联系，也就使它再也回不了自己的家。”[②]因此，“新德育课程的基本理念是回归生活。德育课程要‘源于生活，通过生活，为了生活’，在课程的实施中，不仅要关注课程的内容贴近生活，

---

① 鲁洁．江苏社科名家文库：鲁洁卷［M］．南京：江苏人民出版社，2015：18.

② 鲁洁．边缘化　外在化　知识化：道德教育的现代综合症［J］．教育研究，2005（12）：11－14＋42.

还要努力促使课程学习能真正改变生活”[1]。德育课程改革的具体目标应当表现为“道德观：从知识道德向生活道德转变”“课程观：从唯知识论走向生活经验论”“学习观：从单向传输转向交互作用”[2]。

不管德育课程标准与课程实践如何发展，我们可以肯定的是：不仅德育课程，而且全部德育实践，在坚持中国特色社会主义德育方向的同时，如何克服德育内容“假大空”、德育方式“强制灌输”等违背规律的德育惯习，始终是中国德育追求进步的重要方向之一。

再次，由经验型德育向专业化德育的历史转型，在教育实践上必然要求德育工作专业化水平的全面提升。

“德育专业化”既是历史的趋势，也是逻辑的必然。在进入现代社会之前，包括德育在内的所有教育活动都是经验型的。从事个体化教学工作的教师，其教育实践与手工艺人师傅带徒弟的模式并无本质差异。其基本逻辑在教育内容上都是“会什么，教什么”，在教育形式上也都是借助经验探索教育的有效性。尽管中外都不乏杰出的教育家和教育思想家，但是他们的教育实践、教育理论都是经验性的探索。以机器大工业为代表的现代生产的迅猛发展以及义务教育普及运动所催生的大规模学校教育，特别是“师范教育”的产生，是经验型教育到专业化教育的一个重要分水岭。师范院校的产生，意味着人类社会在制度上认可了教育工作两种专业性：一是在教育内容上，现代科学各学科知识意义上的“学科专业性”得到进一步认可；二是在教育方式上，教育学、心理学、教学法等所代表的“教育专业性”得到了体制性的认可。如果说“学科专业性”是旧式教育“会什么，教什么”逻辑的延续与升级，那么“教育专业性”则是现代教育与古代教育的根本区别所在。从此，包括德育在内的全部现代教育，都必须

---

① 鲁洁．江苏社科名家文库：鲁洁卷［M］．南京：江苏人民出版社，2015：18.

② 鲁洁．德育课程的生活论转向：小学德育课程在观念上的变革［J］．华东师范大学学报（教育科学版），2005（3）：9－16＋37.

兼顾“学科专业性”和“教育专业性”。在这一意义上，现代教育、德育必须实现由经验型到专业化的范式变革，当然就是一个历史的必然。

之所以说“德育专业化”不仅是历史的趋势而且也是逻辑的必然，还因为：若全部教育都要承认“学科专业性”和“教育专业性”，实现由经验型到专业化的范式变革，德育作为教育的“根本任务”当然也要完成这一历史的转型。而要完成这一历史转型，德育就必须在研究、决策和教师的德育专业化等方面做出应有的努力。

完整的“德育专业化”无疑应当包括德育研究的专业化和德育决策的专业化。因为没有研究的专业化，德育决策及实践就没有“专业”的基础，专业化也就无从谈起。而德育决策的专业化则是德育事业专业化发展的关键。因为没有对于儿童道德发展规律的把握，没有对于德育原理、德育规律的尊重，就不可能有教育政策所追求的德育实效的取得与提高。“文革”时期一些政策对于德育规律的否定直接导致了德育内容的混乱以及德育方式非理性，其结果是灾难性的。“文革”结束后，“五讲四美三热爱”运动在全国范围内广泛开展，其实就是因为绝大多数国民已经意识到基本德性丧失的灾难性后果。20 世纪 70 年代末 80 年代初出现的青年一代的“信仰危机”更是意味着强制灌输无法建构真正的信仰。而新世纪伊始开启的德育课程改革之所以取得重要进步，最为根本的经验无疑也是教育决策对于德育专业或德育规律的应有尊重。

“德育专业化”还应当包括教师德育专业化。① 迄今为止，日常教育生活中人们常常将教师专业化理解为课程、教学意义上的专业化，这是一个严重的“概念的缺损”。其结果，“一方面，教师大学毕业拿到教师资格证书时基本没有学习过如何进行德育，在继续教育过程中对德育的学习也是偶然和不系统的，故所有教师都在以‘摸着石头过河’的方式

① 蓝维．德育专业化的关键：德育教师的专业发展［J］．教育研究，2007 (4)：26 – 27.

从事德育；另外一方面，现代教育与心理科学已经在德育理念、德育基础理论、德育策略与技能、品德及德育心理等许多维度都累积了十分丰富的研究成果，但这些成果只在教育研究者圈子里面循环，而较少与一线教师和其他实际教育工作者联系”[①]。因此，如何分门别类让所有实际承担着德育使命的从教人员都获得相应教育岗位所必需的德育观念、德育理论与德育事务等方面的专业知识与能力，是新时代中国教育事业尊重德育规律，实现德育实效、品质提升的关键之关键。

### 2. 让德育成为审慎的教育——对后真相时代的理性应对

当前，由于经济全球化的不断深化以及媒介生活形态的突飞猛进等原因，社会生活的复杂性、价值观的复杂性都已经空前提高。如何应对“后真相时代”的挑战成为全球性话题。

2016年，《牛津英语词典》将“后真相”（post-truth）一词选为年度词汇，并将之定义为“诉诸情感与个人信仰比陈述客观事实更能影响民意的一种情形”。尔后《经济学人》在一篇文章中将“后真相”解释为：“真相并未被篡改，也未被质疑，仅仅是变得次要了。”[②]也就是说，“后真相时代”的公众在求真相没有希望的情况下，往往不再“较真”，人们更趋向于相信他们在情感上愿意相信的“事实”。概括说来，“后真相时代”的突出特征有二：一是由于种种原因，尤其是基于各种利益的考量，与过去相比，当代社会已是一个真相更难把握的社会；二是由于媒体发达、信息爆炸，人类很难像过去那样轻易获得真相，因此许多人便“方便行事”“反求诸己”，只相信自己愿意相信的“真相”。后者不仅让形形色色的民粹思维大行其道，也让真相的求索、共识的形成变得更为困难。而“未经反思就接受的观点

① 檀传宝．再论“教师德育专业化”［J］．教育研究，2012，33（10）：39－46.

② NOGUEIRA J. Post-truth politics：art of the lie［J］. The Economist，2016（9）：a27－a33.

和草率作出的决定有可能给我们的家庭、朋友、同事、社会、环境以及星球造成破坏性的灾难”[①]。

虽然“后真相时代”的到来,也有碍于自然世界里真相的发现,但是“诉诸情感与个人信仰比陈述客观事实更能影响民意的一种情形”肯定更多地发生在社会领域，尤其是价值观及其教育领域。故在当代社会，德育不可避免地面临两大维度的时代挑战。

首先是在教育目标、内容上，当代德育会面临不同价值观的同台竞技，其次是德育的形式方面，如德育的方式、方法等，同样会在不同制度、不同意识形态的国家间竞争，这都要求德育能够帮助道德学习主体在复杂的当代社会生活中作出明智且经得起考验的价值选择。此外，在“后真相时代”，人们对情感与信仰的服膺往往超过了对事实真相的究问。批判性思维有助于人们基于事实追求道德生活的真相。故在“后真相时代”，德育要理性应对上述挑战,批判性思维（Critical Thinking,又译作“审慎性思维”）就显得前所未有地重要。

所谓批判性思维，不过是“做出有目的、自我监督的判断的过程”，是“就观点和行为建构一个合理且公正的判断”。[②]批判性思维的关键能力，包括质疑能力和理性思考能力。[③]与彼得·法乔恩的前述定义相似，诺希克列举过另外三个有代表性的定义：“批判性思维是合理的、反思性的思考，着重于决定相信什么或做什么”（来自恩尼斯）；“批判性思维是熟练的、可靠的思考。因为它对背景很敏感，依赖于标准，并且是自动调整的，所以有助于形成有效的判断”（来自李普曼）；“批判性思维是你

---

① 法乔恩．批判性思维：思考让你永远年轻［M］．李亦敏，译．北京：中国人民大学出版社，2013：6.

② 同①7.

③ 美国学者恩尼斯的观点，转引自 COTTRELL S．批判性思考：跳脱惯性的思考模式［M］．郑淑芬，译．台北：寂天文化，2007：12.

在思考的时候，考虑自己的想法，以使自己更好地思考”（来自理查德·保罗）。[①]

批判性思维所要求人的，不过是严肃反思自己的判断和行动，不过是“讲理”（reasoning）——依据“理”（依据可靠标准并推理）、“据”（客观事实）作出理性的抉择并服从真理。批判性思维是一种明智的思维方式，其本身并不等同于某种道德上的善或恶。换言之，一些邪恶之徒也可能具有某种批判性思维的能力并让这一能力为犯罪服务。但对于德育而言，批判性思维要求分析信息来源与背景，依据一定标准，通过重新组织概念、展开逻辑推理，从而合理反思、评估所获取的信息及其附着的价值观，这不仅会帮助个体获得事实意义上的真相，更有利于帮助个体在置身于价值信息的洪流时能够以公正客观的态度作出理性的道德判断，避免无意中被未经反思的道德情感带来的猛烈冲击俘获而成为无脑的“乌合之众”。很显然，当代人要在纷繁复杂的价值世界中真正安顿自己、安顿年轻一代的精神生命，与其在眼花缭乱的价值观面前无所适从，不如在德育实践中强化批判性思维的培育，让德育对象在“风吹雨打”中自由、理性地选择并牢固建构起自己的价值观。由于批判性思维具有特别强调反思、强调标准、强调真实、强调理智等特性[②]，批判性思维的培育当然也一定会让合理的德育活动在内容、形式的竞争中拥有更强大的竞争力。

“物质丰裕的时代”和“后真相时代”无疑是同一个时代。前者意味着精神需要的凸显和德育对于这一需要高质量回应的必要；后者则要求高品质的德育，应该将批判性思维纳入日常德育生活，不仅提升德育的实效，而且因为实效的获得而让德育对象体会自主、自由地接受德育的美好。

---

① 诺希克．学会批判性思维：跨学科批判性思维教学指南［M］．柳铭心，译．北京：中国轻工业出版社，2005：2.

② 同①3－5.

### 3. 让德育成为美好的教育——主体自由的真正实现

如果用发展批判性思维的方式去应对“后真相时代”的德育的挑战是一种相对“防守”的策略，那么更为积极的教育战略就是让德育成为一种最“美好”的教育事业。当代德育应当成为一种能让道德学习主体自由真正实现的德育，一种自主、生活和审美的德育。

与自主的德育相反，在德育领域最不美好的学习体验，当然就是蔑视学习者的主体性、“按着马头让其喝水”（杜威语）式的强制灌输了。关于“灌输”，或者“强制灌输”，柯尔伯格曾经有过一段十分精辟的论述：“灌输既不是一种教授道德的方法，也不是一种道德的教授方法。说它不是一种教授道德的方法，是因为真正的道德应当包含对可能出现的价值冲突作出审慎的抉择；说它不是一种道德的教授方法，是因为合乎道德的教学必然意味着尊重儿童正在发展的对所学内容进行推理与评价的能力。”[①]

与灌输式的德育相反，让道德学习主体自由真正实现的德育，一定是自主、生活的德育。“唯物辩证法认为外因是变化的条件，内因是变化的根据，外因通过内因而起作用。”[②]因此自主的德育不仅是现代教育学、心理学的主张，也符合唯物辩证法的基本原理。就像石头不可能孵化出小鸡一样，没有德育对象内在学习动机的发动，没有对特定价值观念的情感接纳、认同，没有学习者学习经验（生活）、发展阶段等“内因”条件的支持，就没有任何有效学习发生的可能性。由于涉及情感、态度、价值观的改变，与一般文化课知识学习相比较，强制灌输在德育上会更加无效。也正是因为这一点，柯尔伯格才说灌输“不是一种教授道德的方法”。自主的德育、自我建构的德育不仅是教育“效益”的要求，而且是教育伦理的要求。现

---

① POWER C, KOHLBERG L. Using a hidden curriculum for moral education [J]. Education Digest, 1987 (2) : 12.

② 毛泽东选集：第一卷［M］. 北京：人民出版社，1991 : 302.

代德育乃至全部教育之所以区别于古代德育、教育，一方面是彻底的人身依附的否定，另一方面是教育基于人是目的而非手段的伦理基础。因为无视学习主体的尊严，将学习者看作达成某种目的的工具或者器皿，所以“按着马头让其喝水”式的强制灌输意义上的德育才“不是一种道德的教授方法”。就是说，由于违背现代教育伦理，德育的强制灌输范式在本质上是反德育的。

自主的德育可能面临价值观教育的强制与放任之间的矛盾；强调生活的德育也可能面临德育对生活的适应与超越之间的张力。而促成价值引导与自主建构的矛盾解决的“中庸之道”，在于德育内容与形式的审美化。因为“道德教育的内容与形式如果可以处理成一幅美丽的画、一曲动听的歌，那么与这幅画、这首歌相遇的人就会在‘欣赏’中自由地接纳这幅画、这首歌及其内涵。道德教育的价值引导与道德主体的自主建构两个方面就可以在‘欣赏’过程中得以统一”[①]。所以，让道德学习主体自由真正实现的德育更一定是审美的德育。

正如自主、生活德育的意义不仅在于德育绩效的提升，也在于教育伦理的落实一样，审美化的德育最为重要的也不仅仅在于通过对德育内容、形式、师生关系等的审美化改造而使得德育更为生动、克服道德规范之于学习者的“顽强的疏远性”，审美化的德育最重要的意义，也在于席勒所言的“在有文化教养的圈子里，在审美的国度里，人就只需以形象显现给别人，只作为自由游戏的对象而与人相处”[②]这一极富美感的教育境界的达成。由于道德及其学习自由的真实获得，德育才可能让学习主体摆脱奴隶式的被动道德规训状态，也脱离“人和人以力相遇”的丛林法则所支配的

---

① 檀传宝．德育美学观［M］．北京：教育科学出版社，2021：224.

② 席勒．美育书简［M］．徐恒醇，译．北京：中国文联出版公司，1984：145.

野蛮生活。因此，审美化的德育实践是一种能使道德主体的意义求索和学习自由兼得的当代德育之道。

无论是自主的、生活的、审美的德育，或是其他许多浪漫、理想的中国当代德育理论主张，本质上都是在主张让德育成为因道德学习主体自由的真正实现而变得更加“美好”的教育，而这正是“物质丰裕的时代”中国社会对于德育最核心的要求。

依据新时代的发展逻辑，我们需要什么样的德育实践、德育研究？

我们认为，加强基础道德建设、开展民主法治教育、促进“人类命运共同体”的形成，应该成为新时代必须坚守的最重要德育主题；让中国德育成为专业的德育、审慎的德育、美好的德育，理应成为新时代德育形态变革的最重要的改革方向。如果上述德育主题（内容）、德育形态（形式）的发展方向的确是新时代发展逻辑的必然，那么新时代的德育研究理所当然服从这一时代转型的逻辑去求得自身的发展。新时代的中国需要高品质的德育，相应地也就需要与之相应的更高品质的德育研究。换言之，如果中国德育理论工作者要“将论文写在大地上”，就一定要投身于以高质量的学术研究推进中国德育在内容与形式维度的品质提升这一伟大的事业之中。

在这一时代背景之下，《中国德育研究大系》可谓当代中国德育学人对于高品质德育实践与理论建构这一时代责任的一次集体性的学术承担。

## 四、《中国德育研究大系》的缘起与编撰历程

湖北教育出版社是一家情系教育、志存高远的专业出版社。自 2002 年以来，出版社曾经与多位德育研究者一起合作研制、出版国家义务教育新课程标准教材《品德与生活》《品德与社会》（鄂教版），为基础教育课程改革添砖加瓦。在愉快而高效的合作过程中，出版社与德育专家们不仅加深了了解，而且获得了高度互信。2020 年 10 月，全国德育学术

委员会第 29 届学术年会在海南召开，湖北教育出版社方平社长专程与会，提出与全国德育学术委员会合作出版《中国德育研究大系》的详细设想。《中国德育研究大系》选题价值也受到了全国德育学术委员会许多专家的高度肯定。会后，我们就立即着手谋划书系的框架、邀请和遴选作者、商讨编撰工作的日程安排。

2021 年 6 月，《中国德育研究大系》启动会在华中师范大学召开。长江出版传媒股份有限公司领导、湖北教育出版社领导和多位编辑参加会议，全国德育学术委员会时任理事长檀传宝教授、副理事长杜时忠教授，以及十位作者：孙彩平教授、卜玉华教授、齐学红教授、唐爱民教授、程红艳教授、班建武教授、叶飞教授、刘长海教授、李敏教授、刘春琼副教授参会研讨。为了认真总结中国当代德育研究的重要成果、应对德育研究面临的时代挑战、回应社会对德育实践的重大关切，与会专家一致认为在“两个一百年”的历史交汇点，编写《中国德育研究大系》适逢其时。在这次会议上，大家对《中国德育研究大系》的编写思想、风格定位、内容体例等问题进行了深入讨论，并形成如下共识：第一，丛书要成为高水平研究成果的集成，要优先考虑德育研究的学术性、专业性。第二，要突出时代气息和中国特色，充分反映中国德育发展和德育理论进步的整体风貌。第三，要具有国际视野、中国立场，要成为一个具有民族特色和世界眼光的德育研究精品系列。

最终呈现的《中国德育研究大系》由《德育基本理论研究》《学生品德发展研究》《教师道德研究》《德育课程研究》《班级德育研究》《家庭与社会德育研究》《德育方法研究》《德育评价研究》《中国传统德育研究》《中国德育研究新进展》十个分册组成，基本实现了预期目标。为了确保《大系》的学术水准与出版质量，在十册图书编写、审校完成后，我们又特别邀请了十位学者分别对上述十部书稿进行了审阅，他们分别是：周小李教授、张添翼副教授、蔡辰梅教授、郑航教授、李家成教授、李太平教授、朱晓宏教授、唐汉卫教授、冯永刚教授、郑富兴教授。十位审稿人认真阅读了书稿，并提出了大量中肯而有益的建设性意见，各册作者在此基础上进行了修改完善。

在此，我们对十位审稿人表示衷心感谢！

这十册图书汇集了中外德育研究的最新成果，在深入探讨德育基本理论、中国传统德育及面向未来的中国德育等诸多理论课题的同时，也系统分析、回应了教师道德、品德发展以及影响青少年品德成长的课程、教材、教学评价等德育领域的重大实践课题。《中国德育研究大系》既是汇集当代德育研究成果的百科全书，更是推进中国特色社会主义德育理论建构的工作平台。它不仅为中国特色社会主义德育理论的建构提供了一个系统、深入的崭新起点，更为构建方向正确、内容完善、学段衔接、载体丰富、常态开展的新时代德育工作体系，大力促进德育工作的专业化，提升德育的创新性、实效性，落实立德树人的根本任务，奠定了重要的教育理论之基。再加上作者团队——全国一批深具专业实力的德育研究者的积极参与和倾情奉献，我们有充分的理由相信：这是一套集权威性、公益性、原创性和实用性于一体的集大成之作。其出版，无论对于中国德育理论的建设还是德育实践品质的提升，都具有十分重要的时代意义。

汇集一批好学人，做成一桩大事情。在《中国德育研究大系》即将出版之际，作为主编，我们由衷感谢出版社有关领导、编辑团队对于本书系的有力支持，真诚感谢十位作者在百忙之中的积极响应、倾情投入和高品质的产出。与此同时，我们更是和全体作者一样，由衷地希望与更多的读者们同行，携手迎接一个中国德育研究更加美好的新时代！

檀传宝　杜时忠

# 目录

# 导　论

在迈向中华民族伟大复兴的宏阔历史进程中，坚守中华文化立场，展示中华文明特有的道德文化精髓与精神标识，构建中国话语体系与叙事体系，传播中国声音，既是植根中华文明丰厚历史文化沃土之发展诉求，也是坚定历史自信与文化自信、持守中国立场与文明立场之时代吁求。党的二十大明确提出了坚持马克思主义同中华优秀传统文化相结合的思想，强调“必须坚定历史自信、文化自信，坚持古为今用、推陈出新，把马克思主义思想精髓同中华优秀传统文化精华贯通起来、同人民群众日用而不觉的共同价值观念融通起来，不断赋予科学理论鲜明的中国特色，不断夯实马克思主义中国化时代化的历史基础和群众基础，让马克思主义在中国牢牢扎根”。生发于、成长于古老中华大地的中国传统德育思想与德育智慧，是中华优秀传统文化与教育体系之最具表征性的内容，是中华文明贡献于世界之特色鲜明、生生不息的中国智慧。系统整理中国传统德育思想、梳理传统德育思想研究脉络与主要成果，既是主动服务于中华德育思想与德育智慧创造性转化、创新性发展的理论自觉，也是深入推进文明交流互鉴、推动中华文化走向世界的重大战略需求。

《中国传统德育研究》正是响应中华优秀传统文化与马克思主义深度融合这一指导思想而提出、构思、研究的成果。

我们知道，中国传统德育思想是伴随中华文明5000多年历史进程而形成发展的思想体系，是重礼仪、讲诚信、敦孝悌、明廉耻的中国人民在漫长的生产生活、文明教化中生成、积累的道德观与德育观之宏大思想体系。这一体系内涵丰富、邃密驳杂，包含不同时期不同思想家与教育家的德育思想与实践。但总体而言，儒道佛是中国传统德育思想体系中最重要的三种思想资源与思想传统，研究成果也最为丰硕，其中又以儒家德育思想的研究成果最集中、最厚重。以儒道佛为突出代表的中国传统文化特别注重人的道德修养及修养工夫，体现出独特的人文精神与人生智慧。儒家的人生智慧是“德性的智慧、礼乐教化的智慧，通过修身实践的功夫，尽心知性而知天”；道家的人生智慧是“空灵的智慧、逍遥放达的智慧，超越物欲、超越自我，歌颂生命自我的超拔飞跃，肯定物我之间的同体融合”；佛教的人生智慧是“超脱的智慧、无执的智慧，启迪人们空掉外在的追逐，消解心灵上的偏执，破开自己的囚笼，直悟生命的本真”。①儒道佛诸家的人生智慧都突出地体现为道德智慧，这种道德智慧又都是通过家庭教育、私塾教育、学校教育、书院教育等不同教育形态而传承发展的，因而也都是德育智慧的深刻表达与思想体现。基于这种认识与理解，本书以中华人民共和国成立以来特别是改革开放以来儒道佛德育思想主要研究成果的进展为主线，以墨家德育思想研究轨迹、中国传统德育研究的港台及海外研究图景为补充，通过对中国传统德育研究的历史嬗变、研究主题、不同派别的主要研究成果予以系统归纳、梳理，力图呈现中国传统德育研究的整体学术景观，以为新时代中国传统德育思想的深化研究与“双创”表达，为构建体现中国气派、中国风格的现代德育思想与实践体系，提供某种有益的学术资源与思想启迪。

除导论外，本书的研究内容包括九章。第一章从宏观层面阐述了中国传统德育研究及其当代价值，主要表达了研究者所持守的中国传统德育研究的立场，以及对中国传统德育研究的特点、价值诸问题的基本主张，为

① 郭齐勇．中国文化精神的特质［M］．北京：生活·读书·新知三联书店，2018：16.

后续论题的铺展提供理论前提。第二章从时间纵轴的视角，梳理了中国传统德育研究的历史嬗变过程，重点考察了不同历史时期传统德育思想研究的整体学术布局与学术分布情况。在此基础上，从加强中国传统德育智慧的系统研究、中国传统德育思想史料的系统整理、中国传统德育思想薄弱环节的补充完善、中国传统德育思想与学校德育实践的创新性研究、中国传统德育思想的海外传播及世界影响的研究诸方面，对未来一个时期中国传统德育思想研究的发展趋势作了合理的预测与展望。第三章考察并探讨了不同历史时期中国传统德育的研究主题及研究进展，包括："教以人伦"的德育目的;"君子之儒"的德育目标;"文行忠信"的德育内容;"格致诚正"的德育过程；"知行合一"的德育原则；"克己内省"的德育方法；"家教规范"的德育特点;"度德为师"的德育教师观。第四、五章则对先秦时期、两汉至明清时期儒家德育思想研究的成果作了比较系统的归纳与阐释，主要探讨了孔子"仁者爱人"的德育思想、孟子"明人伦"的德育思想、荀子"化性起伪"的德育思想、《礼记》"止于至善"的德育思想研究状况；归纳分析了秦汉至隋唐儒家德育思想研究概况，包括董仲舒"纲常有度"的德育思想、王充"渐渍以德"的德育思想、颜之推"人伦为重"的德育思想、韩愈维护"道统"的德育思想；宋明理学德育思想研究概观，包括张载"明善为本"的德育思想、程颐程颢"至善至诚"的德育思想、朱熹"穷理居敬"的德育思想；陆王心学德育思想研究状况，包括陆九渊的"明心觉理"的德育思想、王守仁"致良知"的德育思想；明末至清代儒家德育思想研究概况，包括王夫之"继善成性"的德育思想、黄宗羲"存养心性"的德育思想、颜元"习动贵行"的德育思想、戴震"达情遂欲"的德育思想等。第六章系统梳理了道家德育思想的研究概况，阐述了道家德育思想研究的基本历程与阶段，从道家"天人合一"的德育目的、道家"慈俭谦"一体的德育内容、道家"唯道是从"的德育原则、道家"无为而治"的德育方法、道家德育思想的历史影响五个方面，归纳并总结了道家德育思想研究的主要学术进展及理论观点。第七章比较详尽地探讨了墨家德育思想研究的学术思想及进展，重点考察了“兼相爱交相利”的德育目的观、“苍黄之染”的德育环境观、“身必行之”的德育方法观诸方面的研究成果，并就墨家德育思想的历史影响予以辩证阐释。第八章在阐述佛教德育思想研究基本历程的基础上，辩证考察了佛教德育思想研究的基本进展，主要包括“诸恶莫作、众善奉行”的德育目的、“偶像与隐喻”结合的德育内容、“摄度”统一的德育方法、出家修行与在家孝亲结合的德育途径以及禅宗德育思想研究概观。第九章对中国传统德育研究的港台及海外图景作了初步探讨，循序归纳了港台地区中国传统德育思想研究、日韩关于中国传统德育思想研究、欧美汉学关于中国传统德育思想研究的基本状况。

# 第一章
# 中国传统德育研究及其当代价值

在世界文明谱系中，中华文明的主体是道德文明，中国传统哲学的主体是伦理哲学，中国传统教育的主体是道德教育。文明古国、礼仪之邦的指称可谓名副其实。中华文明的这一突出特征，为中国传统德育的系统研究提供了得天独厚的文化遗产。“德育是中国传统教育文化的核心……育德，是中国传统教育的根本的或终极的宗旨，德育是当然处在首位、主导、核心地位的。‘以德育代宗教的优良传统’或者说是宗教般地重视德育，都不能算是过分的。”[①] 中华文明的道德本性及中国传统教育的德育本性，奠就了东方文明特有的精神气质、文化内涵与文明标识，塑造了一代一代中华儿女的文化性格与道德品味。中华文明的这一文化特性生生不息，赓续未绝。贯穿5000年文明史的道德教育，为中华文明的赓续乃至人类文明的昌明，提供了带有显著中华文明标记的德育智慧与中国智慧。系统整理独具中国特色的德育智慧、中国智慧，与时俱进地予以创造性转化与创新性发展，对加深德育研究的文化内涵、构建基于中国经验与中国气派的德育理论、坚定文化自信，都具有极为重要的意义。

---

① 杨启亮 . 中国文化传统和传统的德育文化［J］. 齐鲁学刊 , 1994 (2) : 84.

# 第一节　中国传统德育研究的立场

中国传统德育思想、制度与活动，是产生于中华大地、孕育中华道德文明的中国智慧，是中华文明对世界文明的重要贡献。它既是中国的，也是世界的。研究中国传统德育思想，必须秉持正确的立场。

## 一、坚持马克思主义的辩证历史观

研究中国传统德育思想，首先需要明确的立场就是坚持马克思主义的历史观，从中国历史发展的时代背景、思想境遇、客观实际出发，尊重中国历史发展的辩证逻辑与发展规律。要用历史唯物主义与辩证唯物主义观点来梳理、总结中国传统德育思想，坚持去芜存菁、区别对待、古为今用、批判继承的原则，使之成为推动中华文明复兴发展的精神力量。对待包括儒家、道家、墨家、佛家等在内的中国传统德育思想，颂古非今、墨守成规的国粹主义，数典忘祖、颠覆传统的民族虚无主义，都是违背马克思主义历史观的片面论调，已经在中华文明的历史进程中被反复证明是狭隘的、错误的、有害的。

首先，要用历史唯物主义观点统摄中华优秀传统德育思想的研究。人类历史上出现的一切文化，都是一定历史阶段之特定政治、经济、文化境况的反映，都带有特定的历史规定性。一切文化的智慧性与精神性内涵及其延续，也都是历史发展的产物。作为中华优秀传统文化重要组成部分的中国传统德育思想，其智慧性及其价值也只能在其赖以产生、发展、变迁的历史境遇下才能得以说明，得以实现。比如，中国传统德育目标的君子人格，就是站在与被奴役的“小人”相对立的统治者、上位者的角度阐释的，因而，孔子无论对君子之道的仁德、智德、勇德的规定，还是对君子人格的其他描述性说明，都是基于一种道德高位、社会高位的角色认定（在儒家思想那里，君子多关涉士大夫阶层，劳动者总是被归于“小人”之列），都是春秋战国时期人格依附性的历史写照。这与现代社会的人格独立、平等的价值指向迥然有异。因而，君子人格的现代性转化就不能不考虑这种历史背景。

其次，遵循辩证唯物主义观点，对中国传统德育思想进行综合创造。对中华优秀传统德育思想的研究，必须遵循辩证唯物主义的方法论，合理分析中国优秀传统德育思想的价值优势与劣势、精华与糟粕，否则，就无以实现传统德育思想的创造性转化与创新性发展。必须抛弃在关于古今、中外、体用关系上的二元对立的僵化的思维惯性，遵循马克思主义的方法论，紧扣新时代中国特色社会主义建设的实际与需要，对中国传统德育的构成要素、内容结构、独特贡献、当代价值等问题进行辩证的综合与分析，使其转化为服务于中国特色社会主义德育与文化建设的充满生机活力的精神资源，成为文明再造的智慧因子。以文化复兴为幌子，不加分辨地一股脑地回归或复现儒家德育、道家德育及其他中国传统德育，就会不可避免地滑入儒家中心主义、华夏中心主义等历史复古主义的泥淖，到头来只会在热热闹闹的喧哗中有损中国优秀传统德育思想的传承。“一个先进的、强盛的因而充满自信的民族更容易看到自己的长处，看不到自己的短处，甚至把短处也看成长处，更容易看到别人的短处，看不到别人的长处，甚至把长处也看成短处。”① 同样，以西方价值观念为标准来衡量、裁量中华优秀传统德育思想，一股脑地采取否定一切、颠覆一切、批判一切的粗暴姿态，就会不可避免地陷入全盘西化乃至西方中心主义、欧洲中心主义的历史困境之中，到头来只会削弱民族自信与文化自信。“如果一个本来已落后的民族再把自己的文化贬得一无是处，甚至主张用外民族的文化完

---

① 张岱年，程宜山．中国文化精神［M］．北京：北京大学出版社，2015：10.

全取代自己的文化，那就必然会大大挫伤民族的自信心和自尊心，大大损害民族文化在民族认同方面的力量。”[①] 而一旦一个民族的文化自信、文化认同受到侵蚀与动摇，那么，文化自觉、文化复兴的使命就无法实现。“文化自觉就是要把我们的文化根植到传统中去”，而“传统就是我们的原创。原创不是抛弃传统，而是继承优秀的传统去发展”。[②] 因此，“全盘抹杀中国传统文化，也就等于消灭了民族的向心力与凝聚力，等于自己断送了自己的生存。民族的生存尚成问题，更何谈世界化、现代化呢？”[③] 当前，我们最需要做的是，通过挖掘整理中国优秀传统德育思想，认真汲取传统德育中诸如德育目的、德育内容、德育方法、德育途径、德育评价、家庭德育等合理内核，将其转化为契合新时代教育改革与德育变革所需要的文化资源、德育资源，以此来增强中华民族的教育自信与文化自信。

## 二、坚定文化自信与中国立场

中国传统德育研究必须坚定文化自信。中华文明在人类文明谱系中具有独特而重要的价值，为人类文明的发展做出了重要贡献。中华文明是一种注重人伦、人文、人本的道德文明，这是中华文明不同于其他文明之最显著的表现。在中华道德文明的历史变迁中，教育是维系这一文明生生不息的最大动力，是教育彰显了中华文明的道德底色。就此而言，中国传统教育及其教育智慧对人类文明的发展做出了独特贡献。我们必须树立这种文化自信。这种文化自信是人类文明进程及其历史逻辑内在赋予的，绝非外在比附的。研究中国传统德育思想，必须坚定文化自信，在人类文明特别是教育发展的历史脉络中来思考、揆度传统德育的价值所系以及现代性

---

① 张岱年，程宜山．中国文化精神［M］．北京：北京大学出版社，2015：11.

② 楼宇烈．中国文化根本精神［M］．北京：中华书局，2016：6.

③ 同①213−214.

转化的历史条件及实践可能性。

坚持传统德育的文化自信，首先就要对我们自己的德育文化传统予以了解、认同、尊重，然后予以系统整理、深入研究、辩证分析、批判继承，最后根据社会发展的使命与要求予以创造性转化、创新性发展。应当承认，我们对中国传统文化、传统德育思想的了解还很不深刻、全面、系统，真正了解中华优秀传统文化的人还十分有限，有些人在根本不了解文化传统的情况下就匆忙地祭起批判、解构的大旗，以一种缺乏基本常识的态度贬低自己的文化传统，消解我们的文化主体意识。无知必然导致武断。今天，中华民族的伟大复兴恰恰需要一种高昂有力的文化主体意识。“当下我们需要热情大胆地认同自己的传统文化，建立一种自觉的文化主体意识，这才是迫切需要做的。所谓自觉的文化主体意识，就是对传统的认同、尊重，对自己的传统文化有自信，我们才有可能平等地跟其他的文化比较、交流，才能比较清楚地看到自己文化的不足和其他文化的长处。”[①]

中国传统德育思想是一种既具有东方文化特色，又蕴含人类共同价值的，兼具民族性和世界性的文化体系，其中的许多价值理念，比如见利思义、互利合作、和而不同、推己及人、修己安人、礼乐教化、道法自然、不言之教等，符合人类共同利益和发展方向，具有潜在的人类共同价值，体现了中华文化对世界文明的重要贡献。[②]基于伦理本位的中国传统文化，涵育了作为一个中国人的基本德性。时至今日，中国传统道德依然是现代中国人德性生活的潜在依据与德性塑造的根基。因此，新时代中国人的新德性的养成，须建立在继承中华民族传统道德文化的基础之上，坚定文化自信，不失本性地自觉创造民族的新的道德文化，自主参与构建新时代人类命运共同体。[③]

---

① 楼宇烈．中国文化根本精神［M］．北京：中华书局，2016：167.

② 游柱然．论中华传统德育思想的共同价值［J］．伦理学研究，2019 (3)：69 − 73.

③ 范兆雄．传统德育与新时代中国人德性塑造［J］．当代教育与文化，2018 (4)：1−5.

以儒家德育思想为核心，融合道家、墨家、法家、佛家德育思想的中国优秀传统德育思想体系，是培育中华民族伦理精神的基本资源，已深深地积淀并印刻在中华伦理文化体系与实践中，成为中华民族生生不息、接续前行的丰厚精神源泉，也成为世界文明发展的重要力量。“中华德育思想以其卓尔不群的品格屹立于世界德育思想行列，在世界德育思想发展史上具有不可替代的独特地位和基本特征。”① 在迈向中华民族伟大复兴之路的进程中，坚定文化自信十分必要。

坚定文化自信，我们需要坚定中华文化立场。国内学者周之良教授在为江万秀、李春秋合著的《中国德育思想史》所作的序言中指出：“我们在中国的土地上做德育工作，当然应该具有中国的民族特色。”② 的确如此。研究中国传统德育，必须坚持中华文化立场，不能用西方的价值观与方法论来衡量中国传统德育思想体系及其当代价值，也不能拿中国传统德育的思想来机械对应西方的德育理论与成果。“如果用西方的模式剪裁材料，也会出现扭曲变形乃至附加的问题，特别是容易遗漏那些为我们民族所特有的精粹的东西。”③ 以西方的范式、理念、方法诠释中国传统文化与传统德育，其结果只能是“对中国传统道德与教育的消极定位与判断”。④ 林毓生直截了当地指出：“拿我们原有优美的道德实践、艺术、文学的标准与成就去衡量西洋，他们也是比不上我们的……西洋的道德、艺术、文学的传统，如拿我们的传统标准去衡量，当然比不上我们的；我们的，如以他们的标准来衡量，也比不上他们。”⑤ 因而，必须从中国传统德育赖以产生的历史背景与文化机制方面入手，对中国传统德育发

---

① 王泽应．论中国传统德育思想的基本特征［J］．湖南师范大学社会科学学报，2005 (3)：18－22.

② 江万秀，李春秋．中国德育思想史［M］．长沙：湖南教育出版社，1992：序言 4.

③ 张岱年，程宜山．中国文化精神［M］．北京：北京大学出版社，2015：318.

④ 易连云．面向学校德育的言说［M］．北京：人民出版社，2015：99.

⑤ 林毓生．中国传统的创造性转化［M］．北京：生活·读书·新知三联书店，1988：40－41.

展的内在逻辑予以“本源式”研究。正确的态度是：在尊重历史前提下，采取批判地继承、辩证地否定、现代性转化与创造性发展。一切历史都是当代史。批判地继承中国传统德育思想这一丰厚的历史遗产，不仅需要“以古喻今”，也要采取“以今释古”的立场。[①]要用新观点、新方法、新视域解释历史上的一切优秀文化遗产，使其为新时代的教育改革与德育改革服务。

中国传统德育的创造性转化、创新性发展，必须以解决当代中国学校德育问题为前提。中国优秀传统德育思想的价值，不可能自动释放出来；中国德育的现代化，也不可能直接从中国传统德育中延伸出来。中国优秀传统德育思想的创造性转化、创新性发展的正确前提是：将中国优秀传统德育思想与当代中国学校德育存在的问题联系起来，使中国优秀传统德育思想成为解决当代德育问题的有效、有用资源。因为，中国的现代化既不能走全盘西化的路子，也不能走中体西用的路子，只能从解决中国的现代问题、生存与发展问题出发，“对中外文化进行批判性的剪裁取舍”。[②]对中国优秀传统德育思想予以创造性转化与创新性发展，是一个过程。“在这个过程中，新的东西是经由对传统里的健康、有生机的质素加以改造，而与我们选择的西方观念与价值相融会而产生的。在这种有所根据的创造过程中，传统得以转化。这种转化因为不是要在全盘否定传统中进行，而是与传统中健康、有生机的质素衔接而进行（这里所谓的衔接，是传统的质素“转”了以后才“接”），所以一方面能使传统因获得新的意义而复苏，另一方面因的确有了新的答案而能使我们的问题得以解决。”[③]

① 黄济．教育哲学通论［M］．太原：山西教育出版社，2005：179.

② 于述胜，于建福．中国传统教育哲学［M］．南京：江苏教育出版社，1996：355.

③ 林毓生．中国传统的创造性转化［M］．北京：生活·读书·新知三联书店，1988：388－389.

## 三、坚持创造性转化与创新性发展的立场

中华传统文化积淀形成了一套涵盖个人伦理、家庭伦理、国家伦理、宇宙伦理的成熟的伦理规范与道德体系，并以此形成了一套比较完备的以学校为核心的德育理论、德育制度与德育经验，包括德才兼备、以德统智的价值取向，修己达人、中和一贯的道德追求，寓理于事、化民成俗的道德策略，躬行践履、自律自省的道德修养等。这是中国传统德育的精髓之所在。[①] 批判性继承中国传统德育的精髓并根据时代要求予以创造性转化与创新性发展，是新时代中国德育返本开新的必然选择。

中国优秀传统德育思想如要有序传承下去并在新时代继续释放其文化与教育价值，只能将中国优秀德育思想与我们这个时代的学校德育变革的需求相结合并进行创造性转化，即采取荀子所谓的“择其善者而明用之”的态度。所谓创造性转化，用林毓生的话来说就是：“把一些中国文化传统中的符号与价值系统加以改造，使经过改造的符号与价值系统变成有利于变迁的种子，同时在变迁的过程中继续保持文化的认同。”[②] 比如，中国传统文化最鲜明的特征就是人文主义精神。我们在迈向中华民族伟大复兴的历史进程中，要用这种一以贯之的人文主义精神，提升民族的精神追求与民众的精神生活与道德境界，抵御受西方不良价值观的侵蚀而产生的物质主义、享乐主义价值观的泛滥以及由此而造成的某些人群的自我失落、心灵无序和精神空虚。[③] 因而，必须将中国传统的人文主义精神置于我们正在经历的中华民族伟大复兴的历史实践中，通过历史实践将其转化为、发展为新时代中华民族前行的精神力量。经过创造性转化，中华传统文化

---

① 李剑萍，路书红．中国传统德育的精髓［J］．中国德育，2008 (9)：22－24.

② 林毓生．中国传统的创造性转化［M］．北京：生活·读书·新知三联书店，1988：324.

③ 楼宇烈．中国文化根本精神［M］．北京：中华书局，2016：269.

在变化了的现代场域中得以传承与发扬，进而成为社会发展的文化基础与道德基础。同时，“在这种情形下，文化传统中的某些成分不但无损于创建一个富有活力的现代社会，反而为对这种现代社会的创建提供有利的条件”。[①] 中国传统文化中的德育思想是特定历史阶段社会发展与文化样态的产物，具有其时代局限性，不能完全照搬或简单移植，只能通过去芜存菁、去伪存真，并对其中的精华与真理性认识予以现代性诠释，方可为现代德育理论与德育实践服务。也就是说，要赋予传统德育资源以时代内涵，使其具有符合现代化进程的生命力。[②] 没有创造性转化，历史上再好的东西也有可能会变成糟粕，好多东西会被糟蹋。[③] 不加区别地完全照搬、机械套用，只会适得其反、劳而无功。

## 四、坚持德育传统与德育现代化的统一

传统是带有生命力的历史创造与标记，而非文化僵化的符号。人们无法摆脱传统，而只能阐释、理解、发展传统。“但如果要研究中国德育，不理解自身所在的文化传统就无法历史性地理解中国德育的很多问题，也无法文化性地解释中国德育的很多现象。”[④] 长期以来，我们的德育理论脱离了我们自身的优秀文化传统与德育传统，漠视我们自身的德育问题、德育经验与德育智慧，既不利于传统德育思想的接续和深化，也无益于中国气派德育理论的构建。

在对待中国传统德育思想的态度上，绝不能将其与现代德育理念置于敌对的位置上，断不可采取“冲决网罗”式的极端化的彻底颠覆的态度。

---

① 林毓生．中国传统的创造性转化［M］．北京：生活·读书·新知三联书店，1988：324.

② 杜时忠，等．德育研究［M］．福州：福建教育出版社，2019：303.

③ 楼宇烈．中国文化根本精神［M］．北京：中华书局，2016：164.

④ 孙彩平．中国德育研究的认识论困境及突围路向［J］．齐鲁学刊，2022（1）：78－86.

因为，“创造新的东西并不需要彻底地摧毁旧有的事物……铲除传统中不合时宜及有害的成分，并不一定非完全否定传统不可。”① 正确的态度是：坚持德育传统的继承与德育现代化的革新。“根据时代的要求，一手向右，一手向外，把发扬中华民族的优秀文化传统和学习世界上一切先进的东西结合起来，把传统文化与时代精神结合起来，将道德和道德教育的发展推向时代高峰，建立起具有中国特色的现代化的道德教育理论。”②

对中国传统德育进行研究，应根据中国传统道德发展、道德教育发展的演进脉络与核心内容，着重处理好协调与进取的关系、个体与群体的关系、义与利的关系、他律与自律的关系等问题。③ 在准确把握中国传统德育精神实质的基础上，辩证分析其利弊得失，从中汲取有助于当代学校德育变革的德育智慧，使其服务于中华民族伟大复兴的历史进程。对德育传统的现代性塑造，也需要在与异质文化的交融互鉴中实现传统文化的现代性转化。传统文化之所以保有传承、统合的价值，就在于它内在地包含促进民族文化持续发展与现代性转化的资源、价值与动力。“现代化对于不同的民族和文化来讲，不过是用各自的民族精神来融释现代文化成果的产物。”④ 当前，中国德育传统迈向现代化的根本出路在于：在习近平新时代中国特色社会主义思想的指导框架下，用中华优秀传统道德文化、德育文化与现代人类最优秀的道德与德育文化成果相融合，通过不断汲取人类先进道德与德育文化的新精神、新观点、新方法，为自身道德发展与德育文化的发展开辟道路。

① 林毓生．中国传统的创造性转化［M］．北京：生活·读书·新知三联书店，1988：165－166.

② 黄济．教育哲学通论［M］．太原：山西教育出版社，2005：102.

③ 同② 102－107.

④ 于述胜，于建福．中国传统教育哲学［M］．南京：江苏教育出版社，1996：352.

# 第二节　中国传统德育研究的特点

中华人民共和国成立以来，中国传统德育研究走过了批判继承、批判否定、发展复兴、学术繁荣的曲折回转的历程，出现了许多有一定影响的专题性、专门性研究成果。这些研究成果，就其主要表现形态而言，有如下几个特点：一、以儒家德育研究为主体；二、注重对经典教育家德育思想的深度钻研；三、注重家庭德育思想的深入研究；四、关注德育课程的教材的专题研究。

## 一、以儒家德育研究为主体

中华文明是道德文明，而教育在维系、支撑、支配中华文明历史变迁进程中发挥着最直接、最密切的作用，是教育成就了中华文明。在中国传统教育体系中，以伦理教化与道德教育为本位的儒家教育无疑是占主导地位的教育形态。“在中国德育思想发展的历史过程中，儒家德育思想始终占据主干地位。这是因为儒家德育思想更全面、更深刻地反映了中国封建社会的经济、政治和社会结构，适应封建统治的需要，从而成为封建社会的统治思想。”[①] 在中国传统文化的万花筒中，儒家文化是最耀眼、最核心、最具代表性的文化。五四运动以来，“人们对中国传统文化的研究中有一个不成文的习惯，那就是都特别注意儒家思想、儒家文化。”“儒家思想、儒家文化虽然并不能等同于中国传统文化的全部，但它们确实是最能代表中国传统文化的东西……中国传统文化的基本精神主要体现于儒家的学说

① 江万秀，李春秋．中国德育思想史［M］．长沙：湖南教育出版社，1992：7.

中。”[①] 而儒家教育是一种典型的道德教育。“中国的传统教育，可以认为是以儒家思想为主导的伦理本位的教育，因而道德教育在中国古代教育中占有极为重要的地位。”[②] 在中国传统教育的历史长河中，如果说智育思想、美育思想呈现了墨家、道家、佛家等不同流派的影响的话，那么，在德育方面则以儒家思想为主体、为核心。因而，儒家德育就构成了中国传统德育、中国传统教育的核心。对儒家德育的探赜索隐也自然成为人们研究中国传统德育的最佳切入点。事实上，中华人民共和国成立以来，举凡对传统德育思想的研究成果，无论是专门课题的研究还是关涉中国德育思想体系的研究，都以儒家德育思想的梳理为主。这一特点，与儒家思想在中华文明发展史上的主流地位与统摄位置是分不开的。比如，孙培青在梳理中国历史上的育德思想体系及其演进时，对孔子的“以仁为核心以礼为规范”的修养体系、孟子“明人伦”与“存心养性”的修养论、荀子“化性起伪”与礼义法度的修养论、《大学》《中庸》“以修身为本”的儒家育德经验、董仲舒“制情”“成性”的伦理纲常教育体系、《孝经》关于孝为道德之本及“以孝治天下”德育思想、班昭以“女子卑弱”为条规的妇道礼法思想、颜之推关于教导子孙立身处世的家庭德育思想、韩愈的“性三品说”德育思想、王安石“善恶由习与义利统一”的修养观、张载的“人性二重论与变化气质”的修养之道、朱熹的“理欲义利之辨与居敬穷理”的修养体系、王守仁的“致良知”与“知行合一”的修养体系、颜元的“正谊谋利”与“习行”“习动”的修养法等传统儒家的德育思想，作了细致、条理、系统的分析。[③] 这是研究儒家传统德育思想难得的文献。

儒家德育思想是中国传统德育思想的核心，但这绝不意味着儒家德育

---

① 张岱年，程宜山．中国文化精神［M］．北京：北京大学出版社，2015：100.

② 黄济．教育哲学通论［M］．太原：山西教育出版社，2005：74.

③ 孙培青．中国历史上的育德·中国教育家和教育思想研究［M］．上海：上海教育出版社，2023：10－131.

思想是中国传统德育思想的唯一研究对象，不深入钻研墨家、道家、佛家等其他德育思想、德育见解，“是无法理解中国文化的多样性和丰富内容的，更是无法全面深刻把握中国文化的真正精神的”。[①] 改革开放以来，特别是 2001 年以来，关于墨家、道家、佛家等不同学派的德育思想及其影响的研究成果不断涌现，相关学术论文、学位论文、学术专著、学术课题等高层次成果不断引起学界的关注。

需要注意的是，对儒家德育思想的研究应在完整理解儒家思想基础上进行理论把握与合理阐释，任何寻章摘句、断章取义的零散解读都会妨碍儒家德育思想的现代性转化与发展。因为，儒家思想“是一个既有相对稳定的结构，又有丰富复杂内容的在历史进程中不断演化的系统。我们的任务就是要冷静客观地寻找它相对稳定的结构”。[②] 要在文献整理、资料汇总的基础上，对中国传统德育思想进行深度研究。

## 二、注重对经典教育家德育思想的深度钻研

在中国传统社会，有影响的德育理论、德育思想往往是融入教育思想与伦理思想之中的，而中国传统教育思想与中国传统伦理思想则主要以各个历史阶段之杰出思想家、教育家的思想为代表。因而，系统研究某一历史发展时期最具代表性的思想家、教育家的德育思想，成为重要的研究路径。这一特点，在中华人民共和国成立初期及改革开放初期表现得尤为明显。

对中国教育思想史上经典教育家之德育思想的深度钻研，涉及的思想家很多，基本涵括了中国伦理思想史、中国教育思想史中最具代表性的人物。我们以江万秀、李春秋的《中国德育思想史》，于钦波的《中国德育

① 楼宇烈．中国文化根本精神［M］．北京：中华书局，2016：184.

② 张岱年，程宜山．中国文化精神［M］．北京：北京大学出版社，2015：112.

思想史》，张锡生的《中国德育思想史》，于述胜、于建福的《中国传统教育哲学》，陈谷嘉、朱汉民的《中国德育思想研究》，曾长秋、周含华的《中国德育通史简编》[①] 为研究文本，归纳了进入研究者视野的经典教育家、思想家，主要有：周公、孔子、曾子、孟子、荀子、墨子、老子、庄子、韩非子、商鞅、陆贾、贾谊、董仲舒、刘向、扬雄、王充、王符、仲长统、何晏、王弼、向秀、郭象、嵇康、颜之推、刘劭、韩愈、刘禹锡、柳宗元、李翱、慧能、周敦颐、张载、王安石、王通、司马光、邵雍、程颐、程颢、胡宏、张栻、朱熹、陆九渊、薛瑄、吴与弼、陈献章、湛若水、王守仁、黄宗羲、顾炎武、王夫之、颜元、戴震、龚自珍、魏源、曾国藩、张之洞、康有为、梁启超、章太炎、蔡元培、孙中山、张伯苓等。对这些教育家、思想家的德育思想研究的深度不等，有的思想家的德育思想研究成果集中、系统、丰富，有的思想家的德育思想研究仅仅是简单涉及，进一步深化研究、系统研究的空间十分广阔。

我们在中国知网学位论文文献数据库中以“德育思想”为主题检索，发现 742 篇硕博论文，其中，涉及“德育思想”的有 208 篇，涉及“儒家德育思想”的有 32 篇，涉及“先秦儒家德育思想”的有 25 篇。以著名教育家、思想家之传统德育思想为研究对象的硕博论文主要涉及的人物有：孔子、孟子、荀子、墨子、老子、韩非子、庄子、扬雄、董仲舒、颜之推、范仲淹、张载、朱熹、陆九渊、王守仁、王夫之、颜元等，其中部分论文涉及中国传统德育思想的教育思想家。有的思想家的德育思想我们还非常陌生，亟须予以进一步研究。可以想见，关于经典思想家、教育家之德育思想的系统研究，仍将成为未来一个时期中国传统德育思想研究

---

① 江万秀，李春秋．中国德育思想史［M］．长沙：湖南教育出版社，1992；于钦波．中国德育思想史［M］．长春：吉林教育出版社，1993；于述胜，于建福．中国传统教育哲学［M］．南京：江苏教育出版社，1996；张锡生．中国德育思想史［M］．南京：江苏教育出版社，1993；陈谷嘉，朱汉民．中国德育思想研究［M］．杭州：浙江教育出版社，1998；曾长秋，周含华．中国德育通史简编［M］．长沙：湖南人民出版社，2011.

的重要内容。

## 三、注重家庭德育思想的深入研究

改革开放以来，随着传统文化热潮的出现，传统教育、传统德育的研究也蔚成风气。在中国优秀传统德育研究方面，家庭德育研究是一个重要论题。这与中国传统文化之家庭本位的特点高度一致。中国传统家族社会以血缘为基础，每一个人必须仰赖家庭的共同财产、资源才能生活，家庭的命运也就是个人的命运。“中国家庭本位的主要表现是把家庭看得比个人更重要，特别重视家庭成员之间的伦理关系，如父慈子孝、兄友弟悌、夫唱妇随之类。这些伦理关系的实质是对家庭各个成员应负的责任和应尽的义务加以规定。”[①]因而，对子女的教育（家塾）就不能不主要依赖家庭这一组织来进行，否则，连孩童上学所需的基本的物质条件都无法保障。

注重家庭德育是中国古代德育的一大传统和优势，所谓“蒙以养正”，中国传统教育从家庭教育开始。对儿童予以格物、致知、诚意、正心、修身、齐家等道德启蒙教育，是中国传统德育的优良传统。这方面的研究成果丰硕。主要集中在以下两个方面：其一，对家教著作的研究，如对南北朝时期颜之推的《颜氏家训》、宋代袁采的《袁氏世范》、宋代司马光的《家范》、明代吴麟徵《家诫要言》、清代朱柏庐的《治家格言》等的研究；其二，对家训、家书的研究，如对诸葛亮的《诫子书》、包拯的《家训》、曾国藩的《家书》等的研究。有学者曾专门研究总结了中国传统家教的比较成熟的经验，主要有：从小培养，使其习与性成；从小事、琐事做起，由小见大；父母要以身作则，为孩子树立榜样；优化家庭环境，使孩子在潜移默化中受到熏陶、感染等。[②]这些优秀的家庭教育理论与经验，对于当代中国家

---

① 张岱年，程宜山．中国文化精神［M］．北京：北京大学出版社，2015：56.

② 黄济．教育哲学通论［M］．太原：山西教育出版社，2005：90.

庭教育，仍然具有重要的借鉴意义。比如，颜之推的《颜氏家训》教导子孙保持儒学传统、强调修身养德致用济世的德育思想，注重孝为德本、早加教习，家族之亲、人伦为重，识别善恶、仁义为怀，欲不可纵、唯在知足，俭而不吝、施而不奢的家庭育德内容，推崇早期教育、养成习惯，长者示范、随风而化，与善人居、潜移暗化，读书学问、立于德性的家庭育德方法。①这些教育理论与经验成为传统社会家庭育德的宝贵思想财富，对中国传统家庭德育产生了极其深远的历史影响。

家庭教育担负着对家庭成员特别是青少年儿童进行道德品质、身体素质、生活技能、文化修养、行为习惯等方面的培育，承担着促进未成年人健康成长的重要职责。中华优秀传统文化之所以代代相传，与我们一向重视家庭教育的优良传统密不可分。在儒家传统文化教育体系中，家庭所承担的职责异常重要，是其他一切机构都无法替代的。《礼记 · 大学》有言："古之欲明明德于天下者，先治其国；欲治其国者，先齐其家；欲齐其家者，先修其身；欲修其身者，先正其心；欲正其心者，先诚其意；欲诚其意者，先致其知，致知在格物。"这里，齐家与修身、治国相互交织，共同构成了以"八条目"为表征的教育目标。"儒家将家庭看作是人类的自然居处，它是相互支持和个人成长所必须的和最合适的场合。"②在中国传统教育实践中，德性的养成主要依托家庭与家教。这一方面是因为中国传统教育的核心内容——孝道在家庭生活中表现得最充分、最生动，通过家庭进行德行教化最有效；另一方面，则因为家庭是家国同构社会格局中最基本、最坚实的单元，在家庭中推行道德教育是维持家庭和谐、社会稳定最切实可行的选择与对策。

① 孙培青 . 中国历史上的育德 · 中国教育家和教育思想研究［M］. 上海：上海教育出版社，2023：88－93.

② 杜维明 . 儒家思想新论：创造性转换的自我［M］. 曹幼华，单丁，译 . 南京：江苏人民出版社，1996：128.

## 四、关注德育课程与教材的专题研究

德育课程与教材是德育教学、德育活动的主要载体。有什么样的德育课程与教材，就有什么样的德育课堂、德育活动。在中国传统德育的数千年历程中，德育课程与教材发挥了极为重要的作用。可以说，中国传统德育之所以历经数千年而不衰，至今仍发挥着某种积极作用，与历代积累、千年不绝、行之有效的德育课程与教材密不可分。这也是中国传统德育智慧的重要表现。因此，对德育课程与教材的研究成为中国传统德育研究的重要内容。

有学者将中国传统德育教材划分为三种类型：一是以《论语》《孝经》等为代表的经学教材，这是中国传统德育教材的主体；二是《童蒙须知》《童蒙训》《性理字训》《小儿语》《弟子规》等专门的蒙学类德育教材；三是将读书识字、知事明理、道德训练、性情陶冶等融为一体的综合性德育教材，如《急就篇》《百家姓》《千字文》《三字经》《幼学琼林》等。[①] 系统完备的德育教材，确保了学校德育、家庭德育、社会德育的赓续不绝。

纵观中国教育思想史，可以发现，历代几乎均有系统编写、流传广泛的教材。如相传春秋时期齐国思想家管仲编著的《弟子职》，以四字韵文格式阐述了事师、受业、馔馈、洒扫、执烛坐坐、进退之礼，被誉为我国古代内容最全面、篇章最完整、记叙最清晰的“学生守则”；相传西汉史游撰写的《急就篇》，以三言、四言、七言韵语的方式教学童蒙学识字、增长知识、开阔眼界，是一本流传甚广的识字课本和常识课本；唐宋时期流传广泛的《太公家教》，以四言为主，通俗易懂地阐释了忠孝、仁爱、修身、勤学的传统美德，是我国古代家庭德育重要的训诫类童蒙读物的代

---

① 郑航．中国近代德育课程史［M］．北京：人民教育出版社，2004：19－21.

表;宋代方逢辰编写的《名物蒙求》,是对儿童进行天文、地理、鸟兽、花木、日用器物等名物知识及亲属、家庭等关系称谓的有影响的常识教材;元代胡炳文编撰的《纯正蒙求》,是一本涵盖立教、明伦、立身、行己、待人、接物之事的蒙学教材;南宋大儒朱熹编撰的《童蒙须知》,从衣服冠履、语言步趋、洒扫涓洁、读书写字、清洁卫生等五个方面,阐述了学童应该养成的道德行为习惯,是中国古代最有影响的道德教育蒙学教材,对后世学校教育与家庭教育影响甚巨;明代程允升编著的《幼学琼林》以对偶句方式阐释了历史人物、天文地理、典章制度、生老病死、婚丧嫁娶、鸟兽花木、饮食器用、宫室珍宝、文事科第、释道鬼神等有助于儿童启蒙应学习的内容,被誉为"中国古代的百科全书",是中国古代重要的儿童蒙学读物;清代王筠编撰的《文字蒙求》,选取《说文解字》中的两千多个汉字,以象形、指事、会意、形声四书排列,是便于儿童识字的通俗易懂的蒙学识字教材;清代学者李毓秀编撰的《弟子规》,以三言韵文格式论述了学童在孝、弟(悌)、谨、信、爱众、亲仁、学文等七个方面需习得的生活规范,是私塾、义塾学校学童必读的流传深远的德育教材,等等。

这些不同历史时期编写的德育教材,不仅培育了一代又一代中国人的道德品质,而且对传承中华优秀传统文化发挥了十分重要的作用。正如黄济先生所言:"在中国长期的封建社会中,进行道德教育,不但有规可循,而且有书可读。"[①] 可以预测,随着《中华人民共和国家庭教育促进法》的颁行,从中华优秀传统文化的视域挖掘中国优秀德育教材的精神财富、文化资源与历史遗产,必将成为中国传统德育研究的一个重要课题。

① 黄济.教育哲学通论[M].太原:山西教育出版社,2005:93.

# 第三节　中国传统德育研究的价值

中国传统德育思想是中华优秀传统文化的重要组成部分。系统研究中国传统德育思想，对于深入揭示德育过程及其规律、系统理解中国德育智慧、弘扬中华优秀传统文化、加强新时代中国教育学科建设，都具有重要意义。

## 一、研究中国传统德育是深入揭示德育过程及其规律的需要

中国传统德育是历代先贤大儒及民间教育组织对德育活动、德育现象、德育问题的理性认识、系统思考、实践经验与德育智慧，是中国教育思想的宝贵财富。研究中国传统德育思想，对深入揭示极为复杂的德育过程及其规律，从中寻绎破解现代社会所遭遇的德育难题的历史启示，具有重要意义。

中国传统德育涉及的问题很多，几乎包括当代学校德育所关心的所有问题。国内学者于钦波教授认为，中国传统德育思想涉及德育及德育思想的产生问题，德育的社会作用问题，德育在人的社会发展中的作用问题，德育效果评价的标准问题，德育过程的本质、特点及规律问题，品德结构与要素问题以及德育内容、原则、方法、途径、组织形式等问题。[①]中国先哲对这些问题的系统思考与实践经验，不仅丰富了我们对德育现象的理性认识、触及了学校德育的规律，而且形成了独具中华民族特色的德育智慧、教育智慧。这些德育智慧与教育智慧不仅标识着中华民族的文明程度与教育水平，而且对当代德育问题的研究与实践仍然具有重要的思想启迪

---

① 于钦波．中国德育史［M］．长春：吉林教育出版社，1993：11.

与时代价值。

## 二、研究中国传统德育是系统理解中国传统德育智慧的迫切需要

中国传统德育思想与德育智慧，是中华民族贡献给世界的弥足珍贵的思想财富，是新时代中华民族迈向伟大复兴之文化自信的源泉与生生不息的前进动力。系统规整、研究、传承中国传统德育智慧，是解决当前一系列学校德育问题、提升教育自信与文化自信的时代需求。

前已述及，中国传统文化是伦理本位的文化，反映在教育上则是道德本位的教育。甚或说，中国传统社会的教育都是道德教育。“从教育学的角度看，伦理本位必然导致德育至上，‘德上艺下’成为中国传统教育的基本特征。”[①]这一文化特质在占主导地位的儒家传统文化、传统教育那里尤为突出。无论是《中庸》的“天命之谓性，率性之谓道，修道之谓教”，还是《大学》的“大学之道，在明明德，在亲民，在止于至善”，《学记》的“建国君民，教学为先”，抑或是张载的“明善为本”，朱熹的“学之大小，固有不同，然其为道，则一而已”等，均彰显了道德教育之教育本位意识。不管是洒扫、应对、进退之行为习惯养成教育（朱熹称之为“教以事”，即小学之教的德育目标），还是穷理、正心、修己治人之道的培育（朱熹称之为“穷以理”，即大学之教的德育目标），都没有脱离道德教育的基础与核心地位。黄济指出：“以伦理为本位的中国传统教育，把知识教学与教学过程也道德化了。把知识教学与道德教育融为一体，形成了知德论的特点。”[②]不仅如此，中国传统教育还体现出“把道德理想和现实生活密

---

① 江万秀，李春秋．中国德育思想史［M］．长沙：湖南教育出版社，1992：18.

② 黄济．教育哲学通论［M］．太原：山西教育出版社，2005：20.

切结合起来，并体现在日常生活之中，从儿童抓起，从小事抓起”。[①] 这是儒家传统教育乃至中华民族传统教育之于人类文明的一大贡献。这一点，必须予以认真总结梳理，以为新时代中国特色社会主义教育实践提供基于历史理性的说明与阐述。

## 三、研究中国传统德育是弘扬中华优秀传统文化的时代需要

研究中国传统德育思想，全面系统地总结独具中国特色的德育智慧，对提升中华民族的自尊心、自信心，反对历史虚无主义，具有重要的现实意义。

中国传统德育思想是中华优秀传统文化的重要组成部分。通过对中国传统德育思想的系统研究，从中找寻现代性转换与发展的切入点，对弘扬中华优秀传统文化意义重大。通过对中华优秀传统德育思想的系统化整理、现代性转化与创新性发展，来塑造中华民族的文化主体意识，这是迈向中华民族伟大复兴的必由之路。中华民族对世界文明的一个重大贡献就是，提供了一套行之有效、绵延不绝的德育方法、德育文化、德育智慧。它是构成并彰显中华民族文化主体性的重要内容。有了这种文化主体性，我们才能理直气壮地接纳、吸收其他文化的精华。“我们要有文化主体意识，不管是在科技进步，还是教育发展中，我们都要很好地检讨、反思，首先要立足于自己的历史和文化传统，然后再决定我们应该如何发展……失去了文化主体意识，分辨能力就差了，随声附和的东西也就多了，现代人也因此产生了很多习惯性的思维。”[②]

---

① 黄济．教育哲学通论［M］．太原：山西教育出版社，2005：21.

② 楼宇烈．中国文化根本精神［M］．北京：中华书局，2016：140.

## 四、研究中国传统德育是加强新时代中国教育学科建设之需

德育原理（德育论）是教育学学科体系的重要组成部分，而中国传统德育思想又是构建中国特色德育原理学科体系不可游离的重要本土化文化资源。研究中国传统德育思想，用中国理论阐释德育实践，是超越西方德育理论范式，构建中国特色德育原理学科体系的有效举措。研究中国传统德育思想，也有助于丰富中国德育史、中国教育史、中国传统教育哲学等学科建设的学术资源。

研究中国传统德育是立足中国大地、回归中国文化语境、关注我们自己的德育问题、推进德育研究本土化探索的时代需要。对新时代中国的青少年进行有效的道德教育，只能以我们自己的德育智慧、德育思想为主。这是提高学校德育实效性的应然举措。推进中国德育现代化，必须警惕并防止陷入西方中心主义的文化霸权与话语体系的圈套之中，正确处理现代化与本土化的关系，将德育研究的重心置于中华优秀传统文化、德育文化的根脉之中，使德育理论扎根于优秀传统文化与社会主义核心价值观交融互进的文化土壤中，创造出属于我们自己的德育思想体系、理论体系、话语体系。“德育现代化必然包含传统文化教育的现代转型，也必然包含了德育理论本土化的探索。当前对传统德育资源的挖掘、优秀传统文化的重新阐述、中国特色德育理论的探索，均属于德育理论本土化的自觉尝试。”[①] 只有扎根于中华大地的德育理论，才能生发旺盛的德育实践的生命活力。

研究中国传统德育思想，系统归纳、总结古人对道德发展、道德教育的规律性认识与实践经验，凝练能够体现中国传统德育智慧的思想精华与理论认识，对于促进新时代德育学科自身的发展，对于构建中国特色的教

---

① 杜时忠．德育研究［M］．福州：福建教育出版社，2019：355.

育学，“发展和完善德育科学理论，揭示德育规律，都具有十分重要的理论价值”。[①] 国内学者周之良教授曾指出：“严肃地回顾历史，看看前人是怎样进行道德选择的，有过哪些冲突、困惑、探索，总结历史的经验，比较过去与现在，才能更深刻地认识德育理论的内涵与价值，更深刻地理解和把握作为结论的那些原理和原则。没有历史感，就很难把握规律，预示未来，德育原理就会变得枯燥呆板，没有生气。”[②] 这或许正是研究中国传统德育思想的学科价值之所在。

① 于钦波．中国德育史［M］．长春：吉林教育出版社，1993：17.

② 江万秀，李春秋．中国德育思想史［M］．长沙：湖南教育出版社，1992：序言 3.

# 第二章
# 中国传统德育研究的回顾与展望

中华民族拥有悠久的道德教育历史，在五千年的文明进程中产生了独特、邃密、丰富的传统德育思想，积淀了具有显著文明标识的中国传统德育智慧。自近代以来特别是中华人民共和国成立以来的德育学术视野中，中国传统德育思想与德育智慧的研究一直是教育思想史、中国传统哲学史研究的重要内容。进入新时代，随着政治、经济、文化、教育等各领域的社会变革，开展体现中国特色、中国风格、中国话语体系的德育理论研究，成为重要的时代课题；而传统德育研究为构建中国特色德育体系提供了文化基础。不同历史时期的传统德育研究呈现出不同的研究重点、方法和理路，经历了否定、反思、继承和转化的历史变迁与思想演变过程。

## 第一节　改革开放之前中国传统德育研究概观

对中国传统德育思想的研究与反思，由来已久。在清末民初国门大开之后，由于社会变革的阵痛和域外思想的涌入，传统德育在中西文化与新旧思想交锋蜕嬗的时期逐渐式微，新文化取代旧传统，绅士公民取代圣贤君子成为当时学界研究的主题。但其中仍有人始终以相对理性的态度对待传统德育，多维度论证了传统德育对当时社会的意义和价值，为中国传统德育研究保留了珍贵成果。改革开放之前的中国传统德育研究经历了跌宕起伏的历史变迁。

## 一、面临域外思想冲击的中国传统德育的反思与革新

近代先贤迫切希望通过学习西方文明达到“以夷制夷”，尽快提升羸弱国力的目的。当时教育改革的方向是模仿西方教育，以至于根植于中华文化土壤的传统德育一时无所适从，甚至“碍手碍脚”。如何在反思与变革的视域中诠释和师法传统德育的目标、内容和方法，是研究者普遍关注的话题。

姜琦在1944年出版的《德育原理》中已经意识到传统道德是当时德育研究需要关注的领域，单辟一章的篇幅，深入诠释了传统道德的含义、传统道德的中心和传统道德的内容，以明晰传统道德之于现代德育的价值。他认为，明确传统道德的意涵至关重要，“所谓‘传统道德’（或者简称‘道统’），不拘我们释之为‘世统的道德’（Traditional morality）也好，‘系统的道德’（Systematic morality）也好，或‘正统的道德’（Lineal morality）也好，归纳起来，也都可以再释之为‘历史的道德’（Historical morality）。因此，所谓‘传统道德’，就是‘道德之历史的根据’或‘道德之历史的渊源’的意思”。[①] 此外，中国传统道德较之西方名词moral拥有更丰富的含义，包括人情、风俗、仪式、习惯等义，是中华民族迄今一直相传下来的道德系统。姜琦先生认为，中国传统道德的中心是儒家的中庸思想，中国古代“所有的道德学说之所以能够绵延不断，并且一贯到底之主张和精神，而有被称为‘传统道德’或‘道统’之资格者，其原因就是在于它具有始终不渝、万古不易的一个中心思想——‘中’或‘中庸’——缘

① 姜琦．德育原理［M］．重庆：柏庵书屋，1944：301.

故”。[①]中国传统道德的内容则围着中庸思想发展出不同的体系，三纲、五常、三达德、四维等都是这一体系的核心范畴，由于中庸在中国传统思想中的统摄地位，使这些伦理纲目得以在纵向上一以贯之、横向上相互联系。

蒋拙诚在其《道德教育论》中对传统德育在现代德育中的处境问题作了思考。他认为道德“若析而言之，则所谓道者乃人生当然必履行之道，所谓德者为履行其当然之道之应具备之性习行为也”。[②]正因为此，道德并非亘古不变的事物，而是随政治、经济、法律、国民思想的变迁而不断变化的。在当时的社会局势下，“勇”是道德教育的根本，因为“我国之青年不外乎三等，上焉者能知而能行，次焉者能知而不能行，下焉者不能知亦不能行”[③]，而“勇”可以更直接地解决把道德知识付诸实践的问题，故而是当时青年最亟须的道德品质。他认为道德教育需要将中国传统德育与西方德育相结合，要合理继承忠孝、诚信、礼仪、清洁、公德心、协同心、爱国心等传统“德目”，既要承继中国传统德育的精髓，也要吸纳西方社会先进的德育思想。

孔子的德育思想是当时传统德育研究的重要组成部分。中国古代教育以校、庠、序、学为起源场所，所进行的教育活动主要是礼仪和道德教育，因而可以说，中国传统教育实际上就是道德教育。孔子的德育思想是中国传统德育思想的枢纽和集大成者，孔子之后我国的道德教育思想真正变得有源可溯，有迹可循。罗学府曾归纳孔子道德教育的标准：举孝悌、慎言语、主忠信、重容貌、尚直恕、辨义利、调文质、崇礼乐、存刚毅、勤问学、别善恶、安性命；探讨了孔子道德教育的方法：因材、笃行、好学、移化、礼乐、相处。[④]

① 姜琦．德育原理［M］．重庆：柏庵书屋，1944：311.

② 蒋拙诚．道德教育论［M］．上海：商务印书馆，1920：8.

③ 同②10.

④ 罗学府．孔子之道德教育［J］．四川教育通讯，1949 (4)：7－12.

## 二、中国传统德育修身思想的阐释

中国传统德育思想特别注重个体道德修养的提升，这也是中国传统德育智慧的重要内容。《大学》曾系统提出修身、齐家、治国、平天下的道德理想和政治哲学。梁启超编纂的《德育鉴》(1905)、《节本明儒学案》(1905)、《曾文正公嘉言钞》(1916)等著述，深入阐述了复兴中国古代修身之学、融会传统德育修身思想的社会意义，后世将这三本书称为“梁启超修身三书”。

梁启超认为，提升个人修养是解决当时社会遭遇的突出的道德问题的根本举措。国民的公德是个人私德的拓展，若个人私德得不到培养，那么，由万千私人所组成群体的公德便无从谈起。“是故欲铸国民，必以培养个人之私德为第一义；欲从事于铸国民者，必以自培养其个人之私德为第一义。”[①] 这正是梁启超编纂此修身三书的原因。此三本书的体例都是节选古代贤者有关修身的言论，加诸梁启超的理解与阐释，成为提升个人修为的重要论述。

具体来说，《德育鉴》是按照修身的步骤，节选各代大儒言论形成的修身方法之作。该书将修身分为六个步骤：辨术、立志、知本、存养、省克、应用。各步骤的递进基于个体道德修养的发展规律，所选取的方法和内容皆是历代修身之学的精要论点。《节本明儒学案》则是选取《明儒学案》中的修身要论，重点就明代儒家修身思想予以系统梳理和阐述，是这一时期重要的学术成果。《曾文正公嘉言钞》是在《曾文正全集》中节录相关修身言论，涵括了曾国藩家书、家训、日记、文集等各类资料，是对儒家个人修身养性思想的系统总结与阐论。

---

① 梁启超．新民说［M］．沈阳：辽宁人民出版社，1994：163.

## 第二节　中国传统德育研究的初振

改革开放后，我国的传统德育研究开始步入正轨。这一阶段，学界逐渐摆脱了过去传统与现代水火不容的两极对立思维，开始客观理性地看待我国传统德育，并意识到需要在传统德育中发掘对当前道德教育有价值的启示。

### 一、中国传统道德继承性问题的争论

关于传统道德的继承性问题在中华人民共和国成立后就已经引发学者们的讨论，但始终没有形成共识，直到改革开放后，学界才对这场讨论予以总结和澄清。讨论的高潮出现在20世纪60年代。“1962年，吴晗同志在《前线》杂志第10期和第16期先后发表了《说道德》和《再说道德》两篇文章。1963年8月19日又在《光明日报》上发表了《三说道德》一文，针对某些同志的批评意见，进一步地阐明对于道德问题的见解，从而引发了持续二三年的这场大辩论。”[①]这场大辩论吸引了全国范围内的知名学者参与到对道德阶级性和继承性问题的研究和论证中，“争论的焦点实质上在于：对道德的阶级性是否承认和有无正确理解，对道德的阶级性和继承性的关系究竟应该怎样看待。”[②]然而，由于各种历史原因，起初单纯的学术问题逐渐上升为政治问题，学者之间思想交锋亦演变为意识形态的批判，最终这场讨论失去了学术本质，关于传统道德的继承性问题也被搁置起来。

改革开放后，传统道德的继承性问题再度进入学界视野，人们开始回

---

① 翁金墩．略评吴晗同志及其批评者的道德论［M］// 瞿葆奎．教育学文集·德育．北京：人民教育出版社，1989：84.

② 周原冰．道德问题论集［M］．上海：上海人民出版社，1964：164.

顾和反思十几年前那场没有结束的辩论，并以科学和严谨的学术态度对这一问题重新展开讨论。翁金墩认为，在这场讨论中吴晗与其批评者都提供了有价值的观点，所涉及的一些道德问题是伦理学所必须研究的问题，因此这是一场很有意义的学术讨论。[①]石毓彬提出，过去人们对道德继承性的问题停留在主观层面，即只限于思考传统道德该不该继承、哪些传统道德应该继承、如何继承等问题，但事实上道德的继承性问题实质是客观问题，存在客观规律[②]。因为传统、习惯、社会风俗、榜样等在一个人的道德形成和发展过程中起到重要作用，而这些都是在传统道德中存续的。不同时代不同阶级的不同道德之间不是断裂和对立的，而是存在着一定的联系。张岱年在关于中国传统伦理发展规律的研究中指出："人类社会中有一些'人类的公共生活规则'，乃是共同生存于一个社会之中的任何人与人之间所应该遵守的简单规则。这些'公共生活规则'是任何阶级的阶级道德的基础，也可以说即是不同阶级的道德所含有的共同要素。"[③]因此，传统道德中的"公共生活规则"在当代同样具有重要意义，剖析和领会传统道德中的"公共生活规则"是道德继承性的核心问题，也是当代道德教育的历史使命。

## 二、中国传统德育继承性问题的探讨

前文所述，中国传统道德继承性问题的探讨是涉及哲学、伦理学、文学和教育学等多学科的大辩论，同样，在德育研究专门领域内，对中国传统德育现实与未来的探讨也开始出现。

---

① 翁金墩．略评吴晗同志及其批评者的道德论［M］//瞿葆奎．教育学文集·德育．北京：人民教育出版社，1989：92.

② 石毓彬．论道德继承性的客观根据［M］//中国社会科学院哲学研究所伦理学研究室．道德与道德教育．上海：上海人民出版社，1981：243.

③ 张岱年．中国伦理发展规律的初步研究［M］．北京：科学出版社，1957：8.

王炳照认为，我们应当批判地继承古代道德教育思想遗产。虽然大部分时间我国传统德育的目的是为当时的统治阶级服务，但由于中国古代教育的中心是伦理道德教育，古代教育家的教育思想也以道德教育思想为主，因此，几千年的教育实践使“他们对道德教育的理论论述和实践经验，包含着许多合理的因素，是中国古代教育宝贵遗产的重要组成部分”。① 他进一步提出应当主要从两方面继承传统德育的合理因素：一是重视道德教育的地位和作用，即充分认识到道德教育在社会政治和人才成长方面的作用；二是讲究道德教育的原则和方法，包括立志乐道、身体力行、自省自克和改过迁善。

杜时忠认为，面对如何对待几千年形成的传统德育思想，首先应当回答的问题是传统德育的时代意义是什么；在评估传统德育的时代意义时，存在“道德重建论”和“儒学复兴论”两种倾向，而这两种对待传统德育的态度都失之偏颇，因而也都是不可取的。正确的态度应当是：辩证分析，批判继承。“历史唯物主义告诉我们，对待人类历史上的文化遗产（传统德育也是一种文化遗产），应当采取实事求是、一分为二的科学态度。既要看到它的落后性，也要吸取合理的内容。”②

## 三、中国传统德育在当代德育论域中的呈现

中国传统德育与古代伦理文化息息相关，中国传统德育思想是通过对天命、人性、礼仪、人际关系等主题的论述而呈现的。这与当代德育研究的范式存在一定差异。因此，以当代德育研究话语与论域来总结和梳理中国传统德育，使之助力当代德育研究，是使传统德育思想得以传承的重要路径。

---

① 王炳照．批判地继承古代道德教育思想遗产［J］．北京师范大学学报，1984（3）：63.

② 杜时忠．论传统德育的时代意义［J］．教育研究与实验，1992（1）：16.

鲁洁以德育过程为线索和主题，集中评析了中国古代教育家对德育过程问题的论述。她从关于教育在道德品质形成过程中的作用、道德品质形成过程中的“知”与“行”、道德品质形成过程中的“立志”与“内省”等方面，回顾了古代教育家关于德育过程的观点，并以现代德育研究范式表述了优秀传统德育思想，促进了传统德育的继承与改造。①

郭齐家系统论述了古代教育家对道德教育作用的理解。他认为，古代教育家之所以如此重视道德教育，是因为认识到道德教育对社会、政治、国家所产生的巨大作用，孔子的“德治”、孟子的“仁政”、荀子的“礼治”、《大学》中的“修齐治平”等思想，都是基于道德教育而产生的政治观点。②朱永新则认为古代教育家对认知和情感两种因素在道德品质中的形成同样重视，提出应注意发掘古代教育家关于道德情感和道德意志的观点，注重采用文学、音乐、榜样等手段陶冶和激发学生的道德情感。③

## 四、中国传统德育人物与流派思想的研究

这个时期对传统德育人物与流派的关注大多聚焦于孔子思想及其儒家学派，但也有对其他学派和人物的研究成果出现。

陈景磐结合孔子的生平事迹、生活所处历史背景，论述了孔子道德教育思想及其影响，强调了孔子思想中顺应社会革新的进步因素，认为：“道德教育是孔子教育的核心。孔子教育的目的就是要培养士成为有道德有从政能力的‘君子’，能为他的革新的政治理想——‘仁政’而服务。他的

---

① 鲁洁．试评我国古代教育家有关德育过程的论述［J］．南京师大学报（社会科学版），1980 (3)：21 － 25.

② 郭齐家．古代教育家论道德教育的作用［J］．教育评论，1985 (2)：22 － 23.

③ 朱永新．中国古代教育家论道德情感与道德意志［J］．苏州大学学报，1989 (2−3)：219 － 223.

道德的基本内容主要是‘仁’和‘礼’，把仁的精神灌注在礼之中作为革新当时政治的主要手段。”① 高时良则认为，孔子德育思想的核心是“礼”而非“仁”，“礼”是当时社会的政治制度和行为规范，规定了尊卑高低的地位，属于政治范畴；而“仁”是个人的道德行为规范，规定了人与人之间的交往，是对等关系的。按照马克思主义观点，道德规范属于上层建筑，受到一定政治经济基础的制约，因此，孔子德育思想中占据主导地位的是“礼”而非“仁”。②

孙培青专题论述了孔子的道德教育原则，认为孔子除了对德育地位的确认，对德育任务、内容、过程的阐述具有重要意义外，其德育原则作为其本人长期教育实践的经验概括同样具有较高的研究价值。③ 此外，这一时期还出现了关于孔子德育规律的探讨，④ 对孔子德育心理思想的研究 ⑤ 等主题，展现出该时期孔子德育思想研究的多样化态势。

毛礼锐另辟蹊径，不再单独聚焦于某个人物的德育思想研究，而是强调作为整体的儒家思想对我国传统文化的影响。他总结梳理了孔子、孟子、荀子等儒家代表人物在道德教育的理论基础、道德教育规范、道德教育方法三个方面的主要思想。⑥ 郭齐家指出，儒家的道德教育思想体系由“三纲领”“八条目”组成，人性论和本体论是其道德教育思想的理论基础，而个人修养工夫是其道德教育的主要手段。⑦

---

① 陈景磐 . 论孔子的道德教育思想［J］. 北京师范大学学报 , 1980 (4) : 35.

② 高时良 . 孔子德育思想评估［J］. 福建师大学报 ( 哲学社会科学版 ) , 1984 (2) : 131 – 135 + 130.

③ 孙培青 . 论孔丘的道德教育原则［J］. 教育评论 , 1985 (4) : 20 – 29.

④ 郑其龙 . 孔子德育思想略论［J］. 湖南师院学报 ( 哲学社会科学版 ) , 1981 (3) : 79 – 84.

⑤ 燕国材 . 孔子的德育心理思想［J］. 上海师范学院学报 ( 社会科学版 ), 1981 (1) : 97 – 102.

⑥ 毛礼锐 . 论儒家的道德教育思想［J］. 北京师范大学学报 , 1980 (3) : 73 – 82.

⑦ 郭齐家 . 论儒家道德教育思想［J］. 高等师范教育研究 , 1989 (6) : 24 – 31 ; 郭齐家 . 宋明理学道德教育思想散论［J］. 北京师范大学学报 , 1984 (3) : 71 – 77.

此外，作为先秦儒学的代表人物，孟子和荀子继承发展了孔子的道德教育思想，其德育观念和实践经验同样在中国传统德育研究中占据重要位置。[①] 宋明理学作为儒家思想的另一个高峰，对朱熹、王守仁、程颢和程颐德育思想的研究也出现在人们的研究视野中。[②] 这一时期，关于管子、董仲舒、王夫之等人的德育思想也都已有所涉及。[③]

## 第三节　中国传统德育研究的复兴

1993 年以后，中国传统德育思想的研究已初显繁荣景象。这得益于学界对传统文化继承与创新的呼吁与推动，也得益于国家教育和文化政策对传统文化复兴的支持。这一时期，中国传统德育研究领域所关注的主题更加广泛，视野更加开阔，成果也更加丰硕。

### 一、中国传统德育与德育现代化研究

随着改革开放进程的加速，我国社会逐渐进入迈向现代化的关键时期，此时的德育研究者也不约而同地开始思考中国传统德育与现代社会的关系，深入探讨中国传统德育思想在现代德育中的价值与作用。

---

① 杨琦．释孟子的“养浩然之气”［J］．陕西师大学报(哲学社会科学版)，1992 (1)：111 − 114；周德昌．荀子的德育理论和方法［J］．华南师范大学学报(社会科学版)，1990 (3)：31 − 35 + 43.

② 张立文．朱熹思想研究［M］．北京：社会科学出版社，1981；沈善洪，王凤贤．王阳明哲学研究［M］．杭州：浙江人民出版社，1981.

③ 张岱年．《管子》的法教统一观［J］．管子学刊，1989 (3)：3 − 5；王东摅．董仲舒道德教化思想述评［J］．郑州大学学报(哲学社会科学版)，1990 (2)：102 − 107；唐凯麟．简论王夫之的道德教育论和道德修养论［J］．郑州大学学报(哲学社会科学版)，1988 (2)：62 − 66 + 39.

面对德育现代化的历史任务，黄济提出，要实现道德和道德教育现代化，需要解决好道德教育传统与现代化的几个问题，包括协调与进取的关系问题、个体与群体的关系问题、义与利的关系问题和他律与自律的关系问题。[①] 戚万学认为，“以科学、理性的态度看待中国传统道德教育”，是中国现代道德教育理论构建须首先确立的指导思想，这包含两个方面：一是认识到传统道德教育与现代道德教育一脉相承的客观事实；二是认识到现代道德教育的确立必然伴随着对旧有理论和思想的突破和否定。[②]

关于中国传统德育之于现代社会和道德教育的积极价值和消极影响，是此阶段研究的另一个主题。侯怀银认为，传统德育与德育传统存在内涵差别；传统德育是历史上某个时期的德育思想和实践，德育传统则是由过去流传下来在当前德育中还存在影响的思想、观点和倾向；即是说，传统德育是通过德育传统来影响德育现代化的进程，因此，厘清德育传统的当代价值对于新世纪德育现代化建设具有重要意义。[③] 梅汝莉提出，能否直面现代德育挑战，能否有助于解除现代德育中的“悖论”，是检验中国传统德育思想有无现代价值的主要标志。[④] 葛新斌则独辟蹊径，从负面角度审视传统德育为现代德育带来的消极影响，认为自我定向的精英主义立场、功能混同的泛政治化倾向、无限提升的道德要求、判然有别的教养方法，是中国传统伦理的消极特征。这些特征造成了当前道德教育的问题，同时也给出了道德教育改革的基本思路。[⑤]

中国传统德育的政治化倾向的特征及其对道德教育的影响受到了学界

---

① 黄济. 教育哲学通论［M］. 太原：山西教育出版社，1998：102－106.

② 戚万学. 关于建构中国现代道德教育理论的几点设想［J］. 教育研究，1997(12)：27－31.

③ 侯怀银. 德育传统的当代价值［M］. 武汉：湖北教育出版社，1996：5－6.

④ 梅汝莉. 中国传统德育现代价值刍议［J］. 教育研究，1998(6)：38－43.

⑤ 葛新斌. 传统伦理的特征与当今道德教育问题［J］. 华东师范大学学报（教育科学版），1997(1)：82－89.

的关注。杨启亮认为："中国 21 世纪的学校德育发展，依然应以积极态度弘扬中国传统道德精神。"① 他认为，中国传统德育是一种"政治化德育"，其根本目标是政治，其内容是政治思想道德的规范体系。这种政治化德育格局有利有弊，对我国传统德育产生了深刻影响。② 檀传宝强调应重视中国传统德育中的政治信仰因素，认为在中国传统文化中占据代表性地位的儒家思想中"有着执着的政治信仰"，但政治信仰并不是儒家思想唯一的终极追求，道德修养同样作为实现政治信仰的道路，亦是儒家思想中的最高目标，"从某种意义上讲儒家的道德与政治要求两大方面是一体的"。③ 杜时忠主张，导致中国古代社会中道德与政治之紧密关系的根本原因，是道德理想主义这一中国人文精神特质；教育既是儒家社会理想和人格理想的实践过程，本质上也是道德理性主义的实践过程；成圣成贤是古代德育的理想和目标，向内用力是道德修养论和德育方法论的显著特征。④ 中国传统德育的政治化倾向既揭示了道德教育与思想政治教育的差异，又为现代德育中道德教育与思想政治教育的融会提供了某种历史理性的当代借鉴。

## 二、中国传统德育史的系统整理

20 世纪 90 年代以后，一些学者开始着手整理中国传统德育思想的演变历程，中国传统德育史的专门研究成果开始集中涌现，其中大多以学术专著的形式面世。在此之前，中国传统伦理思想和中国传统教育思想研究

① 杨启亮 . 中国传统道德精神与 21 世纪的学校德育［J］. 教育研究，1999 (12) : 9.

② 杨启亮 . 评中国传统德育的特征［J］. 教育论丛，1993 (3) : 49 － 53.

③ 檀传宝 . 政治信仰与道德教育：中国古代和现代的两种抉择［J］. 清华大学教育研究，1999 (1) : 21 － 34 + 111.

④ 杜时忠 . 传统德育中的道德理想主义论评［J］. 现代教育论丛，1998 (1) : 20 － 23.

领域中，都可以发现对中国传统德育史轮廓的模糊描绘。[①]但纵观这些成果，始终未出现以“中国传统德育史”为名的系统研究。

江万秀和李春秋著述的《中国德育思想史》，是目前可以看到的最早系统成书的传统德育史研究成果。[②]作为传统德育思想史研究的嚆矢，作者总结和归纳了中国德育思想史的研究对象和任务，归纳了中国德育思想的发展历程及其基本特点。论者以先秦、汉唐、宋明、明清之际和清代后期五个时期为发展阶段，全面论述了各时期的社会背景和德育理论特点，并选取其中具有代表性的人物和著作进行了专题论述。[③]

随后，关于中国传统德育史的研究成果接连出版。于钦波的《中国德育思想史》进一步扩展了传统德育史研究的历史时期，将其追溯到原始社会到西周以前的德育思想，最晚则囊括了五四新文化运动以后的德育思想，涉及李大钊、杨贤江、恽代英等无产阶级教育思想家的德育观点。[④]张锡生主编的《中国德育思想史》，则不同于先前研究中以各历史时期代表人物思想为框架的研究理路，代之以各时期典型的理论、思想和观点为线索，整体扫描了从先秦到现代的德育思想发展脉络。[⑤]崔宜明等人编撰的《中国传统哲学与教育》以及王正平和朱敏彦编撰的《善的智慧——中国传统道德论探微》，以中国传统哲学为切入点，对中国历史上有影响力的教育

① 余家菊．中国伦理思想［M］．上海：商务印书馆，1946；陈瑛，温克勤，唐凯麟，等．中国伦理思想史［M］．贵阳：贵州人民出版社，1985；朱贻庭．中国传统伦理思想史［M］．上海：华东师范大学出版社，1989.

② 该书首版发行于 1992 年 9 月，为方便与同类研究共同论述，故纳入该时期传统德育史研究类别中。

③ 江万秀，李春秋．中国德育思想史［M］．长沙：湖南教育出版社，1992.

④ 于钦波．中国德育思想史［M］．长春：吉林教育出版社，1993.

⑤ 张锡生．中国德育思想史［M］．南京：江苏教育出版社，1993.

家的道德观和道德教育思想进行了较为系统的阐释。[①] 罗炽等人撰写的《中国德育思想史纲》、陈谷嘉和朱汉民编著的《中国德育思想研究》，同样是试图在德育历史长河中抓取典型社会思想和人物思想进行剖析，以揭示中国德育思想演变规律，并赋予中国传统德育思想以时代的改造和更新的努力和尝试。[②]

## 三、中国传统德育思想的海外比较研究

这一阶段，中国传统德育思想研究的视野已开始扩展，主要研究领域集中在中西传统德育思想的比较研究和中国传统德育思想在海外的传播与实践两大方面。

罗国杰比较了中西传统价值观的差异，认为，与西方价值观相比，"中国古代传统价值观的核心，是一种整体精神和责任意识占主导地位的价值观，为了实现和践履整体精神和责任意识，它要求一个人应当从完善自身、修身养性出发，以追求崇高的理想为最终目的，从而达到维护整体利益和厉行自己应尽责任的目的。"[③] 于钦波认为，中西道德价值观的差异在于：第一，中国道德价值观倾向以国家为本位而西方倾向以个人为本位；第二，中国传统道德带有较浓厚的政治色彩；第三，中国传统道德教育重道德规范教育，轻道德人格培养；第四，中国传统道德教育过于追求统一性和系统性。[④]

---

① 崔宜明，王正平，郁振华，等．中国传统哲学与教育［M］. 上海：上海教育出版社，1995；王正平，朱敏彦．善的智慧：中国传统道德论探微［M］. 上海：复旦大学出版社，1996.

② 罗炽，简定玉，李太平，等．中国德育思想史纲［M］．武汉：湖北教育出版社，1998；陈谷嘉，朱汉民．中国德育思想研究［M］．杭州：浙江教育出版社，1998.

③ 罗国杰．中西价值观的比较和青少年的道德教育［M］//王殿卿．东方道德研究（第三辑）：东方伦理与青少年思想道德．北京：中华工商联合出版社，1999：127.

④ 于钦波．论中国道德价值观构建中的缺憾［J］．教育科学，1998（4）：52－54.

与此同时，中国传统德育思想在海外的传播与实践研究主要来自我国学者与外国学者的联合研究和交流探讨之中。这一时期，中国与东亚国家如日本、新加坡、韩国等儒家文化圈国家的比较研究取得了相对丰硕的系列研究成果。①

## 四、中国传统蒙学德育思想研究

作为道德意识和观念的启蒙时期，儿童阶段的道德教育在德育研究中备受关注。中国传统德育在长期的实践中也形成了独具特色的儿童道德教育理论，也就是其蒙学德育思想。

高谦民考察了明清时期小学德育的实践经验，将这一时期蒙学德育思想概括为以下主张：以爱养之，宽严相济；顺其性情，寓教于乐；量资量力，循序渐进；随读随讲，知行并进；务求精熟，力戒贪多；多加诱掖，少施惩戒；正身端品，专一尽心等。② 吴霓主张，中国古代私学承担了大部分蒙养阶段的教育任务，古代蒙养教育十分重视德育，其德育也大都贯穿在日常生活的习性养成之中，蒙学教材中充分反映了道德教育的内容、特点和规律，值得认真归纳总结。③ 李贵洁指出，中国古代蒙学的伦理道德教育承载了儒家的伦理思想，对中国古代社会统治秩序的形成发挥了重要作用；如果抛却其中为封建统治服务的教育目的和内容，其所具备的德育特点和经验对当代道德教育的发展，仍然具有重要的借鉴价值。④

此外，还有学者认为，古代蒙学的德育思想体现在家庭教育中，中国

---

① 刘国强.新加坡“儒家伦理”课程的建立、效果与启示[M]//王殿卿.东方道德研究(第三辑)：东方伦理与青少年思想道德.北京：中华工商联合出版社，1999.

② 高谦民.明清时期小学德育原则与方法[J].华东师范大学学报(教育科学版)，1995(3)：61－65.

③ 吴霓.中国古代私学在教育史上所发挥的作用[J].教育研究，1997(3)：62－65＋79.

④ 李贵洁.略论我国古代蒙学的伦理教育特点[J].教育研究，1998(5)：74－77.

传统的家庭教育发挥着重要的德育作用。继承和利用古代家庭教育中的德育思想，是中国传统德育研究不可或缺的组成部分。[①]

## 五、中国传统德育思想家与流派思想的研究

1993 年后，对中国传统德育思想家与流派思想的研究，不再拘泥于孔子和儒家思想，虽然孔子和儒家思想依然是传统德育研究的重要部分，但其他思想家和流派的思想也已成为相对独立的研究领域，出现了一些重要的研究成果。

首先，关于儒家学派德育思想的观点和应用。易连云强调，应从宏观层面系统思考道德教育与时代背景的有机关联，在中国传统儒家文化的主要特征与西方文化特点的比较中，对我国学校道德教育改革定位作出构想。他主张解构形而上学的道德传统，还道德以科学的基础，要正确认识传统道德与现代精神的辩证关系，树立以超越传统为基础的新世纪道德教育观。[②] 黄钊强调应关注儒家道德教育方法所具有的现实价值，认为先秦儒家的道德教育方法由两部分组成：一是关于受教育者自我教育的方法；二是关于教育者对被教育者施行教育的方法。[③] 张澍军和张斌认为，儒家的德育思想是儒家德治思想的中介手段和本质内容，德育与德治的联结和互动，是儒家思想得以成为中国古代文化中统治思想的基本原因。[④]

其次，关于儒家代表人物德育思想的探究。这一阶段，孔子德育思想

---

① 孙德玉．我国传统家庭幼儿德育思想摭谈［J］．学前教育研究，1995 (6)：12 − 13；赵崇田．浅谈中国传统家庭道德教育观［J］．道德与文明，1996 (1)：23 − 24 + 32.

② 易连云．儒家文化与世纪之交的学校道德教育改革定位［J］．西南师范大学学报（哲学社会科学版），2000 (1)：51 − 57.

③ 黄钊．先秦儒家德育方法浅议［J］．管子学刊，1993 (3)：63 − 68.

④ 张澍军，张斌．关于儒家“德治—德育”的几点思考［J］．东北师大学报（哲学社会科学版），1999 (5)：43 − 47 + 53.

研究依然最具研究价值和热度。王炳照认为，孔子既是儒家学派的创始人，也是中国古代德育思想的奠基者，其德育思想对当今社会仍有重要价值，比如对德育地位的确立、志存高远又着手细微处的德育模式、行之有效的德育途径和方法等，值得深入挖掘。[①] 此外，对于孟子、宋明理学和颜李学派代表人物的思想研究也皆有相关研究成果出现。[②]

最后，关于道家、墨家、法家人物和流派德育思想的研究。檀传宝认为，继承中国德育传统不能“只宗儒派，只重正统，只执一端”，必须认识到中国德育传统的多源性、多端性和多序性。[③] 杨启亮认为，“道家德育传统，是中国德育传统中潜隐的、被长期忽视了的重要组成部分”[④]，他系统研究了自然无为的道家传统、道家德育的基本特征与方法和德育传统批判继承中的儒道互补等问题。吕锡琛比较系统地讨论了道家的德育方法，包括行不言之教、以养生促德育、以事为戒、效法自然等方面。[⑤] 韩延明等人和陈谷嘉等人则分别关注到法家学派人物管子和韩非子思想中的德育部分。[⑥] 黄钊对墨家的道德起源论、道德价值论、道德规范论、道德评估论和道德教育方法论诸问题，作了比较深入的思考。[⑦]

---

① 王炳照 . 为政以德 以德育人 以德治国：孔子德育思想的可鉴性[J]. 中小学管理，1994 (6) : 10 － 11.

② 刘鄂培 . 孟子教育思想再论［J］. 教育评论，1996 (4) : 43 － 45；张学强 . 理学德育思想的现代诠释［J］. 华东师范大学学报（教育科学版），1997 (3) : 89 － 95；唐凯麟 . 清初颜李学派道德教育思想述评［J］. 求索，1993 (3) : 119 － 123.

③ 檀传宝 . 简论中国德育传统的多元性［J］. 教育评论，1994 (3) : 59 － 60.

④ 杨启亮 . 先秦道家德育思想辨析［J］. 教育科学，1995 (1) : 22 － 29.

⑤ 吕锡琛 . 论道家的道德教育方法［J］. 道德与文明，1996 (5) : 29 － 30.

⑥ 韩延明，邵作运 .《管子》教育管理思想探微［J］. 管子学刊，1995 (4) : 7 － 10；陈谷嘉，黄震 . 论韩非子的德育思想［J］. 求索，1999 (1) : 84 － 88.

⑦ 黄钊 . 墨家的道德理论述评［J］. 湘潭大学学报（哲学社会科学版），1998 (6) : 40 － 46.

# 第四节　中国传统德育研究的深化

进入21世纪，中国传统德育思想研究秉持学术探讨的优良传统，在前期研究成果的基础上，对相关研究领域和主题进行了更加深入的探究。这一时期，中国传统德育思想的研究呈现出繁荣的态势，一些基于21世纪社会发展需求与学校德育变革要求的高水平研究成果不断涌现。

## 一、对中国传统德育核心范畴的探讨

这一时期，中国传统德育研究注重从宏观层面上考察中国传统德育思想与德育智慧的核心范畴。在研究内容上从传统德育之特征、方法和内容等维度作为研究视角和切入点，使中国传统德育研究主题形成不断分化和整合的态势。

黄济认为，继承古代人生哲学和伦理道德的优秀文化遗产以服务于当代道德教育，是当前德育研究的重大课题。他提出，在人生哲学方面，从古代天人关系、人我关系、生死关系、苦乐关系、荣辱关系、义利关系诸范畴展开研究，有助于帮助学生建立新的人生观；在伦理道德方面，古代家教和学校教育中关于德育的经验和论述对当前道德教育建设具有重要意义。[①] 王泽应以传统德育的特征为核心范畴展开论述，系统归纳了中国传统德育所表现出的四个基本特征，即“合知行基础上的以行为旨归，合内外基础上的以内为根本，同真善基础上的以善为核心，一群己基础上的以

① 黄济．中国伦理道德传统述要［J］．中国教育学刊，2005 (7)：21 – 24.

群体为最高价值取向”[①]。张锡勤和关健英就传统德育中的知行关系问题进行了考察，论证了中国传统德育重德行、重实践的脉承传统，并认为实践是解决当代德育实效性问题的重要环节。[②]肖巍着重研究了传统道德教育理论中的德智关系这一范畴，认为中国传统德育存在儒家和墨家两种德智统一论，两种德智统一论对当前中国教育的发展都具有重要价值。[③]

可以看出，对中国传统德育之核心范畴的研究涉及传统德育思想与实践中的诸多重要范畴，对这些核心范畴的考论有助于提纲挈领地讨论传统德育中的具体问题。除此之外，中国传统德育的核心范畴的研究还包含对传统德育人性论的研究[④]、对传统德育中生活德育思想的研究[⑤]、对书院传统德育思想的研究[⑥]，等等。

## 二、对中国传统德育的现代性及现代价值的研究

中国传统德育与现代社会及现代德育的关系，一直是人们反复讨论的问题，对这一问题的争论伴随着中国传统德育思想研究的每一个阶段。进

---

① 王泽应．论中国传统德育思想的基本特征[J]．湖南师范大学社会科学学报，2005 (3)：18－22.

② 张锡勤，关健英．从中国古代的知行学说论及德育的内涵[J]．道德与文明，2012 (5)：99－103.

③ 肖巍．传统道德教育理论中的德智关系[J]．清华大学学报(哲学社会科学版)，2002 (6)：46－51.

④ 郑承军．以人为本的中国传统德育思想[J]．中国文化研究，2007 (1)：199－202.

⑤ 董美英，金林祥．中国传统生活德育的五个基本实践理路[J]．现代大学教育，2014 (2)：77－84；寇冬泉．生活育德是中国传统德性培育基本范式的回归与超越[J]．道德与文明，2006 (3)：26－29.

⑥ 何继龄．中国古代书院重德传统及其现代启示[J]．甘肃社会科学，2010 (3)：81－84；吕耀怀，杜华伟．古代书院个体德性培育及其当代启示[J]．甘肃社会科学，2012 (3)：47－50；吴增礼，肖永明，唐亚阳．中国古代书院德育实施方法及其特征探析[J]．教育研究，2010 (3)：77－81.

入21世纪之后，对此问题的研究更加贴近21世纪的社会背景和德育需求，更侧重传统德育的现代性及现代价值的研究。

王泽应以中国优秀传统德育思想的开发与现代转化为核心展开研究，其著作《为有源头活水来》立足21世纪德育发展面临的新情况、新问题，尝试以优秀传统文化的创造性开发和现代转化为中介，加强和改进新时期的德育实践和发展；阐述了中国传统德育的思想意义、发展历程和基本特征，并分别介绍了儒、道、墨、法、佛各家德育思想及其时代价值；归纳了当代学校德育建设的基本向度，阐述了传统德育思想开发与转化的应有视域、原则方针以及路径方法。① 汪凤炎从心理学视角入手，对中国传统德育心理学思想及其现代意义进行了系统的探讨，考察了中国传统德育心理学思想的历史背景、传统德育中“德”的含义、中国传统品德心理结构观和发展观以及各德育心理思想及其当代启示。② 易连云认为，21世纪中国传统德育研究需要进行根本的范式转换。“对中国传统道德的现代诠释，既不是人们常常论述的继承，也不是完全的改造，而是要以新的时代背景为基础对其进行重新定位与创造性突破，这其中不仅是‘范式’的转换，更涉及思维方式的改造和重新定位。”③ 其他学者也都从不同维度探讨了中国传统德育思想现代性转化的可能性、可行性及局限性。

## 三、对中国传统德育史的深入研究与完善

中国传统德育史的梳理和总结在这一时期得到进一步的完善。不仅关于中国传统德育通史的研究成果丰硕，还出现了对特定历史时期和时代德

① 王泽应．为有源头活水来［M］．北京：中国社会科学出版社，2004.
② 汪凤炎．中国传统德育心理学思想及其现代意义［M］．哈尔滨：黑龙江教育出版社，2002.
③ 易连云．传统道德教育研究的范式转换［J］．教育研究，2010（4）：33.

育情况的分析，特别是中国传统德育在近代的传承与转型问题得到了学界关注。

首先是关于中国传统德育通史的研究。黄钊的《中国古代德育思想史论》以上下两册，总计一百三十多万字的篇幅系统记录和分析了从夏商至清末中国古代德育思想的历史脉络，是迄今最为细致和完备的中国古代德育思想史研究。全书分为三篇，以先秦时期、秦汉至隋唐时期、两宋至明清时期为分篇依据，各篇再依次以朝代更迭为章节分隔，进而介绍和论述了各朝代和时期具有代表性的人物或学派的德育思想。①此外，燕国材从教育心理学视域对不同历史时期思想家的德育心理思想作了创新性研究，认为德育心理思想史是中国传统教育思想和德育思想的重要组成部分。②曾长秋、周含华的《中国德育通史简编》，不仅包含对古代德育的概述，还加入了对近代德育、现代德育的讨论，使中国传统德育史与近代以来的德育发展历史统合起来，从而可以更加直观地观察我国德育发展的历史。③

其次是关于中国传统德育断代史的研究。彭定光论述了清代的道德教育有两种实施方式：官方道德教育和民间道德教育。虽然这两种道德教育方式的侧重点、出发点、道德教育原则、道德教育的具体操作方式都有所不同，但是其目的都是塑造清代社会所需要的道德人格，其德育成效同样值得深入研究。④刘厚琴认为，道德教育在东汉政权建立和巩固的过程中发挥了重要作用，道德教育传统赋予了东汉历史特殊的文化风貌和政治生态，给东汉社会带来了广泛而深远的历史效应。⑤傅琳凯和王立仁同样认

---

① 黄钊 . 中国古代德育思想史论［M］. 北京：中国社会科学出版社，2011.

② 燕国材 . 中国教育心理思想史［M］. 济南：山东教育出版社，2004.

③ 曾长秋，周含华 . 中国德育通史简编［M］. 长沙：湖南人民出版社，2011.

④ 彭定光 . 论清代道德教育的两种实施方式［J］. 湖南师范大学教育科学学报，2010（2）：55－59.

⑤ 刘厚琴 . 东汉道德教化传统及其历史效应［J］. 齐鲁学刊，2002（1）：48－53.

为汉代是我国传统德育发展的重要时期，对汉代德育思想的考察可以从经学、天人关系、封建纲常、楷模典范等方面着手。①

再次是关于中国传统德育近代转型史的研究。黄书光指出，经过近代中国社会的剧烈变革，传统德育培养臣民人格的德育目标逐渐完成了人格独立目标的现代转型，虽然这一目标转型在清末民初就已经发生，但其复杂过程和意义对当代德育改革依然能够具有重要的启发意义。②郑航认为，五四时期的文化革新对近代德育观念产生了巨大影响，并从课程形态、教学内容、教学方法等方面影响了当时的德育实践。③叶飞单独考察了儒家德育在晚清到五四时期的衰落与消亡，认为儒家德育经历了晚清的教育新政和学制改革、民国初期的德育课程改革和五四时期的德育革命后，被历史所抛弃。④

最后是基于中国德育史之系统论视角对中国传统德育的专题探讨。中国德育史是中国教育史的重要组成部分，也是德育原理的重要研究内容。中华人民共和国成立以来，学界同仁基于梳理、归纳、挖掘中国传统德育思想与德育智慧，完善中国教育史的学科视域等立场，对中国德育史这一崭新领域开展了比较系统的研究，出现了一些有代表性的成果。在这些德育史著作中，大多都包括对中国传统德育思想予以专门研究的篇章，也都涉及中国传统德育思想及其现代性转化的论题。较有代表性的有：曾长秋、周含华的《中国德育通史简编》，孙少平的《新中国德育 50 年》，郑航的《中

① 傅琳凯，王立仁．汉代德育思想初探：以经学、天人关系、封建纲常、楷模典范为内容的考察［J］．社会科学战线，2014 (9)：26 － 30.

② 黄书光．从臣民人格到个性独立：清末民初德育目标的现代转型［J］．河北大学学报（哲学社会科学版），2008 (6)：35 － 40.

③ 郑航．“五四”时期的文化革新与近代德育观念的转变［J］．华南师范大学学报（社会科学版），2001 (2)：107 － 112.

④ 叶飞．儒家德育的衰落与消亡：从晚清到“五四”的历史考察［J］．湖南师范大学教育科学学报，2012 (2)：48 － 53.

国近代德育课程史》，杜时忠等人的《德育研究》，张忠华的《共和国教育学 70 年 · 德育原理卷》等。[①]

## 四、对中国传统家庭德育思想的深化研究

中国传统德育思想中蕴含着极为丰富、厚重的家庭德育思想，对这些思想的研究与探讨是这一时期的一个重要研究领域，出现了一些研究主题明确、文献资料翔实、学术含量较高的研究成果。

张学强阐述了宋明理学在家族制度化建设中对家庭教育功用的思想与实践，认为家庭教育的核心即是道德教育；宋明理学的家庭教育思想强调礼仪的重要性，承认并重视妇女作为教育者和受教育者的价值；形成了较为系统的家庭教育的原则、内容、方法，对当代家庭教育具有值得借鉴之处。[②]

段文阁探讨了古代家训中的家庭德育思想，认为中国传统家训蕴含着丰富的家庭德育思想，深度挖掘这些思想对当代社会的家庭德育具有积极意义。[③] 此外，洪明分析了中国传统家训在当代社会建设中的道德教育功能。[④] 高远则梳理了中国传统家训在现代家庭伦理建设中的道德传承。[⑤] 高

---

① 曾长秋，周含华．中国德育通史简编［M］．长沙：湖南人民出版社，2011；孙少平．新中国德育 50 年［M］．福州：福建教育出版社，2002；郑航．中国近代德育课程史［M］．北京：人民教育出版社，2004；杜时忠，等．德育研究［M］．福州：福建教育出版社，2019；张忠华．共和国教育学 70 年 · 德育原理卷［M］．北京：北京师范大学出版社，2020.

② 张学强．家族与家庭教育：宋明理学的观点及其实践［J］．宁夏大学学报（人文社会科学版），2009 (6)：199 − 203 + 233.

③ 段文阁．古代家训中的家庭德育思想初探［J］．齐鲁学刊，2003 (4)：26 − 28.

④ 洪明．简析家训在当代社会建设中的道德教育功能［J］．天津社会科学，2010 (4)：140 − 142.

⑤ 高远．社会转型期现代家庭伦理建设中传统家训的道德传承［J］．江苏社会科学，2018 (2)：115 − 119.

昕和杨威系统论述了新时代家训文化研究的价值、主旨与理路。[1] 王易和安丽梅探讨了中国古代家训在社会主义核心价值观培育中的地位、作用与功能。[2] 此外，在关于中国德育思想史的论述中也都有中国传统家庭德育的专题论述。随着当代社会家庭教育功能的不断彰显，中国传统家庭德育思想的系统研究也将会随之加强。

## 五、对中国传统思想家与主要流派德育思想的系统研究

这一时期，对儒家思想家之德育思想的研究仍占据多数，但对其他学派思想家及其德育思想的研究，也开始成为学界关注的热点，吸引了众多学者的思考与讨论，并产出了大量较为系统的研究成果。

首先是儒家德育思想研究。一些研究对儒家德育思想作了系统性、整体性考察。比如，黄钊的《儒家德育学说论纲》对儒家德育学说的开创与发展做出了系统阐述，并客观评析了儒家德育学说的理念、贡献和现代价值；[3] 黄书光系统探讨了儒家德育范式的理论建构；[4] 檀传宝阐释了儒家德育思想的独特优势，认为："儒家德育思想的特色与优势至少表现为三个最主要的方面，即，'学为圣贤'：取法乎上的德育目标；'血脉上感移'：审美取向的德育模式；'知行统一'：学以致用的修养方法。"[5] 另一些研究

---

① 高昕，杨威．新时代家训文化研究的价值、主旨与理路［J］．甘肃社会科学，2021 (2)：215 － 222.

② 王易，安丽梅．传统家训在培育和践行社会主义核心价值观中的作用探析［J］．思想教育研究，2017 (8)：69 － 73；安丽梅．传统家训培育古代核心价值观的基本方略及其当代启示［J］．兰州学刊，2020 (1)：27 － 35；安丽梅．论传统家训在古代核心价值观培育中的地位与功能［J］．思想政治教育研究，2019 (5)：135 － 139.

③ 黄钊．儒家德育学说论纲［M］．武汉：武汉大学出版社，2006.

④ 黄书光．儒家德育范式的理论建构［J］．河北师范大学学报（教育科学版），2009 (5)：124 － 131.

⑤ 檀传宝．论儒家德育思想的三大特色与优势［J］．教育研究，2002 (8)：28.

侧重于对孔子、孟子等儒家代表人物思想的专题探讨。陈桂生认为，孔子以诗书礼乐教人使他的伦理道德教育有别于一般的伦理之教,可称之为“君子儒”之教；[①] 黄钊探析了孔子的德育学说体系，从德育目标、内容、方法和原则等方面阐释了孔子的德育思想；[②] 徐朝旭主张，孔子的德育实践事实上是一种对话德育模式的实例，对孔子对话德育模式的探讨有助于当代对话德育理论发展；[③] 此外，还有学者对孟子、荀子、朱熹等其他儒家代表人物的德育思想作了系统研究。[④]

其次是道家德育思想研究。道家德育思想研究主要集中在对老子和庄子教育和哲学思想的阐释上。杨启亮认为，先秦道家的自然主义教育观中包含相应的德育思想，其德育目标、内容和方法都遵循顺其自然且无意有所为的原则；[⑤] 谭维智系统探讨了道家德育思想中的“减法”原理、知识观、

---

① 陈桂生 . 略论孔门诗书礼乐之教[J]. 华东师范大学学报(教育科学版), 2011 (3) : 69 − 74 + 90.

② 黄钊 . 关于孔子的道德教育学说探析[J]. 武汉大学学报(哲学社会科学版), 2004 (1) : 114 − 118.

③ 徐朝旭 . 论孔子的对话德育模式 [J] . 教育研究 , 2003 (8) : 78 − 83.

④ 檀传宝 , 王啸 . 中外德育思想流派 [M] . 北京 : 人民教育出版社 , 2015 ; 张积家 . 论孟子的品德心理学思想 [J] . 华南师范大学学报 (社会科学版) , 2002 (2) : 103 − 110 ; 叶飞 . 论孟子的“扩充四端”及其道德教育之理路 [J] . 南京社会科学 , 2017 (3) : 130 − 137 ; 冯文全 , 冯碧瑛 . 论孟子对孔子德育思想的传承与弘扬 [J] . 教育研究 , 2013 (1) : 131 − 138 ; 蒋颖荣 . 荀子的“礼乐”教化思想与现代道德传播[J]. 哲学动态 , 2010 (5) : 51 − 54 ; 王洁 . 论荀子的“德育哲学”: 兼论荀子性恶论中的“公义”优先思想[J]. 南京师大学报(社会科学版), 2009 (3) : 89 − 96 ; 边慧民 , 孙玉杰 . 朱熹“力行”德育思想及其当代价值 [M] . 济南 : 山东大学出版社 , 2010.

⑤ 杨启亮 . 论先秦道家的自然主义教育观 [J] . 南京师大学报 (社会科学版) , 2001 (6) : 50 − 57.

身体处置、言说方式的道德性等问题；[①] 陈文华从老子思想及儒道互补、老子教育思想的有无之辩、自然主义教育价值观，以“反”为特征的教育辩证法、以“负”为导向的教育方法论、“有无相生”的教育生活观诸方面，专题探讨了老子教育思想的德育价值及其当代意义；[②] 刘峻杉阐述了老子教育思想研究的进程，老子的天德观、智德观和信德观及其德育价值。[③]

最后是墨家和法家德育思想研究。墨家与法家德育思想同样是传统德育思想研究的重要部分。张传燧和王素月专门论述了墨子“利本”道德教育思想的实质、结构及其现代价值等问题；[④] 萧成勇探讨了儒家与墨家德育思想在德智关系和义利关系中的差异，并详论了墨家德育思想的价值和

---

① 谭维智．试论老庄道德教育的“减法”原理［J］．教育学报，2008 (2)：16 － 20 ＋ 25；谭维智．试析庄子对道德问题的归因分析［J］．华东师范大学学报（教育科学版），2009 (3)：75 － 82；谭维智．论庄子对知识在道德教育中的价值的认识［J］．教育学报，2010 (4)：111 － 118；谭维智．道德教育的非知识化路径：道家的知识观及其道德教育方法研究［J］．教育研究，2011 (6)：85 － 89；谭维智．道德教育中的身体处置问题：道家庄子的观点［J］．华东师范大学学报（教育科学版），2011 (1)：68 － 74；谭维智．论庄子言说方式的道德性问题［J］．社会科学家，2011 (7)：27 － 30；谭维智．庄子对道德教育目的性的认识：论一种无目的性的道德教育思想［J］．当代教育科学，2011 (6)：9 － 12; 谭维智．道德教育中教育者的角色定位问题：基于道家庄子的分析［J］．东北师大学报（哲学社会科学版），2012 (2)：148 － 153.

② 陈文华．老子思想的教育之“道”［M］．北京：中国科学技术出版社，2008.

③ 刘峻杉．老子教育思想研究的中西比较及其方法论启示［J］．教育研究，2012，33 (8)：127 － 135; 刘峻杉．连接“道”与“人”的桥梁：老子“天德观”思想及其德育价值［J］．教育学报，2012，8 (1)：97 － 105; 刘峻杉．老子的智德观及其德育价值［J］．大学教育科学，2014 (2)：89 － 97; 刘峻杉．老子的信德观及其德育价值［J］．教育科学研究，2014 (11)：48 － 55.

④ 张传燧，王素月．墨子“利本”道德教育思想的实质、结构及其现代价值［J］．大学教育科学，2010，1 (1)：68 － 72.

作用；[①] 杨建兵系统诠释了墨家“染”德育方法的体系；[②] 黄钊基于《管子》思想探讨了齐法家的政治观、道德观及其现代价值，认为齐法家既重视道德建设的经济基础问题，又确定“礼义廉耻”作为“国之四维”。[③] 这些主张对当代道德教育仍有重要价值，值得深入系统地研究。

## 第五节　中国传统德育研究的展望

新时代的中国，中华优秀传统文化的传承已成为民族复兴、教育强国的重要着力点。与之相适应，中国传统德育的研究必将迎来一个五彩缤纷、百花齐放的历史契机。展望未来，我们可以加强德育智慧的系统研究，加强德育史料的系统整理，补充完善研究薄弱环节，加强中国传统德育思想与学校德育实践的创新性研究，加强中国经济德育的海外传播的研究。

### 一、加强中国传统德育智慧的系统研究

中华文明的优秀德育传统不仅是维系、促进中华文明生生不息的精神力量，也在与不同文明的交流、对话、互鉴中推动着人类文明的发展。因而，系统研究中国传统德育思想、德育经验与德育传统，归纳、凝练具有独特文化标签的中华德育智慧，就成为一项十分重要、紧迫的任务。黄济

① 萧成勇．从“以德帅智”到“以智帅德”：墨学道德教育思想对先秦儒家的超越［J］．现代大学教育，2016 (5)：1 − 9 + 112；萧成勇．儒墨义利之辩与传统道德教育的现代转型［J］．教育理论与实践，2016，36 (19)：45 − 48.

② 杨建兵．素丝作画：墨家“染”德育方法体系诠议［J］．理论月刊，2014 (1)：66 − 69.

③ 黄钊．齐法家的政治观、道德观及其现代价值：《管子》探微［J］．学习与实践，2010 (7)：126 − 133.

在这一方面作了初步梳理，从胎教、家教、学校道德教育、成人道德修养诸方面阐述了中华民族优秀的道德传统与经验，特别是对中国传统学校道德教育特点的探讨，非常深刻。[①] 黄济认为，知识教育与道德教育的结合（知德结合），是中国传统教育的基本特点，这一特点体现为：初步形成了一套系统的学校教育制度；编写了较为系统的教材；积累了一套包括道德故事、文道结合，以身作则、言传身教，潜移默化、自然形成，长善救失、防微杜渐等宝贵的德育经验。[②] 这可视为中国传统德育智慧的某种体现。中国传统德育智慧体现为诸多方面，需要耐心细致地整理与探讨。比如，儒家德育思想所流溢出的浓郁的生活化内涵，需要我们系统挖掘、整理、研究。自孔子开辟儒家德化生活的入世道路之后，历代教育就把人们日常的道德生活与追求内圣外王的人生终极目标联系在一起，先有格物、致知奠基，循序进行诚意、正心、修身、齐家、治国、平天下的教化与升华，将求知与明德、修身系于一体，融入生活。“从先秦到宋、明，儒家思想的一个显著特点是强调道德原则与实际生活的统一，认为道德原则不能脱离日常生活，日常生活之中必须体现道德原则。”[③] 这与西方社会将道德教化诉诸宗教力量的做法迥异。这可视为中国传统德育之于人类文明的一种独特智慧与贡献。

文化总是作为一种活生生的创造性活动、精神性活动而存在、演化。中国传统德育文化，作为中华民族的先人在处理道德人性、道德修养、道德教化这一关乎教育最核心、最复杂问题时表现出来的精神智慧与实践智慧，促进并构成中华优秀传统文化的历史进程与博大体系。面对日益突出的具有时代性的道德问题与德育难题，我们迫切需要从中华优秀德育文化中找寻有助于解决一系列德育难题的智慧源泉与价值启示。这就需要我们

---

① 黄济．教育哲学通论［M］．太原：山西教育出版社，2005：87－101.

② 同①93－95.

③ 张岱年，程宜山．中国文化精神［M］．北京：北京大学出版社，2015：188.

系统把握、辩证分析中华优秀传统德育文化的精髓与实质，使之成为新时代德育变革的宝贵历史资源。“我们应当把对文化已成形态的研究和对文化已成形态中活的灵魂的研究辩证地统一起来。”①

探讨中华优秀传统文化和中国传统德育思想的文化意义及其之于新时代的适用性问题，尚有待于我们对历经数千年文化沉淀与传承的产生于中华大地的体现中华文明智慧的传统德育思想及其实践经验，“进行系统的、抛开成见的研究来加以澄清”（杜维明语）。②要在深入把握儒家核心思想的基础上归纳、阐释儒家传统德育思想，比如，在刚健自强的人生态度、“义以为上”的价值观、重视现世的入世情怀、修身为本与为政以德的人生追求、和谐统一的天人关系等儒家基本思想的层面，来汇集儒家传统德育思想的精髓要义，并予以创造性转化、创新性发展。③

## 二、加强中国传统德育思想史料的系统整理

对优秀德育文化遗产的系统化梳理，是探讨中国德育智慧、深化德育理论研究的前提。

中国传统文化源远流长，而道德思想、德育思想是促进并伴随中华文明前行的思想资源，是构成中华文明谱系的重要组成部分。然而，鉴于中华文明的道德本体性和道德文明的典型特质，先哲关于道德和德育思想的认识多融入中国传统哲学与传统思想之中，未能产生专题的、系统的德育思想著述，而可见的传统德育文献资料多处于散乱杂陈的境地。这就需要我们自觉地加强对中国传统德育思想史料的系统整理。

---

① 张岱年，程宜山．中国文化精神［M］．北京：北京大学出版社，2015：2.

② 杜维明．儒家思想新论：创造性转换的自我［M］．曹幼华，单丁，译．南京：江苏人民出版社，1996：92.

③ 同①113－115.

比如，关于孔子德育思想的研究，多限于《论语》《孔子家语》《史记·孔子世家》等文献的阐释，而对孔子与后世学者及西方德育思想之比较研究文献的整理相对欠缺，对孔子诗礼传家的研究、孔子以德化民的研究也缺乏新出土的战国文献、战国典籍中孔子语录、《孔子家语》等《论语》以外史料的佐证与论证。又如，关于孟子德育思想的研究，在对新出土简帛文献的梳理也有欠缺。我们知道，从20世纪90年代始，一批聚焦于思孟学派、道家学说的简帛文献相继出土，给孟子思想的研究提供了全新的资料，特别是1993年湖北荆门郭店竹简的出土，使思孟学派的思想研究一时成为显学，思孟学派的“五行”学说得以廓清；《性自命出》、《唐虞之道》、《穷达以时》、《六德》（《六位》）和《尊德义》等篇目，扩展了人们对圣、智、仁、义、忠、信等范畴及孔孟思想更迭的理解，郭店竹简的“仁内义外”学说，也使孟子的“仁义内在”学说得以确证；新出战国竹简文献与史料，无疑将给孟子德育思想研究带来新启发。再如，关于荀子德育思想的研究，亦须认真观照新出土的简帛文献之史料价值，大量黄老文献的出土为重新理解论证荀子思想与稷下黄老之学的关系提供了契机；不仅如此，荀子思想中儒道融合的成分在郭店竹简、上博简中也得到体现，马王堆帛书《五行》为全面理解荀子驳斥的思孟五行学说提供了范本；郭店竹简《性自命出》和上博简性情论为阐释荀子“乐教”提供了参照文本；三篇文献中显示出的重“情”意识得到了呼应；睡虎地秦简中的《成相》篇与荀子的《成相》的对比也显示了二者的同源关系。这些新出土文献，对荀子德育思想的研究无疑提供了新的史料与观点。此外，关于佛教德育思想的研究，相关文献多散落在有关中国哲学史、佛教思想史、德育思想史的研究论著中。汤用彤的《隋唐佛教史稿》，方立天的《魏晋南北朝佛教论丛》，任继愈的《中国佛教史》，方立天的《中国佛教与传统文化》，赖永海的《佛学与儒学》，孙昌武的《佛教与中国文学》，方立天的《中国佛教伦理思想论纲》，汤一介的《佛教与中国文化》，业露华的《中国佛教伦理思想》，王月清的《中国佛教伦理研究》，方立天的《中国佛教哲学要义》，赖永海的《中国佛教与哲学》，祁志祥的《中国佛教美学史》，张家成的《中国佛教文化》等，都是蕴含深厚道德思想、时代精神、人文价值、教育意蕴的佛教思想研究的经典著述。[①] 这些著述需要我们深度钻研、系统梳理，以不断扩展研究的宽度。

散乱杂陈的历史文献为我们整理、归纳中国传统德育智慧增加了困难。这也是长期以来制约中国传统德育思想与德育智慧研究最大的障碍。解决这一难题的一个有效举措就是，用辩证唯物主义、历史唯物主义观点，遵循历史与逻辑相统一的马克思主义方法论，全面收集、系统整理能够反映中华民族德育思想脉络的典型史料，特别是散见于文学、史学、各种非物质文化遗产及各类民间家书、家训中的德育见解与德育实践经验，从客观的史料中凝练、汇集能够表征中国德育智慧的思想、观点与论断。诚如国内学者于钦波教授的观点："只有以史带论，以论明史，史论结合，才能完整、准确、系统地把握住中国德育思想的历史发展和理论发展的历史进程，深刻地反映德育思想发展的内在规律性。"[②] 也就是说，只有以唯物史观为指导，以系统的、真实的、丰富的德育史料为依据，充分尊重德育史料，才能全面总结、归纳中国传统德育智慧。这也是抢救、保护中华民族优秀德育思想历史资料并使之得以有效传承的重要举措。国家及各级政府应加

---

① 汤用彤．隋唐佛教史稿[M]．北京：中华书局，1982；方立天．魏晋南北朝佛教论丛[M]．北京：中华书局，1982；任继愈．中国佛教史[M]．北京：中国社会科学出版社，1985；方立天．中国佛教与传统文化[M]．上海：上海人民出版社，1988；赖永海．佛学与儒学[M]．杭州：浙江人民出版社，1991；孙昌武．佛教与中国文学[M]．上海：上海人民出版社，1988；方立天．中国佛教伦理思想论纲[J]．中国社会科学，1996 (2)；汤一介．佛教与中国文化[M]．北京：宗教文化出版社，1999；业露华．中国佛教伦理思想[M]．上海：上海社会科学院出版社，2000；王月清．中国佛教伦理研究[M]．南京：南京大学出版社，1999；方立天．中国佛教哲学要义[M]．北京：中国人民大学出版社，2002；赖永海．中国佛教与哲学[M]．北京：宗教文化出版社，2004；祁志祥．中国佛教美学史[M]．北京：北京大学出版社，2010；张家成．中国佛教文化[M]．杭州：浙江大学出版社，2011.

② 于钦波．中国德育史[M]．长春：吉林教育出版社，1993：15.

强对这一重大学术问题的指导、支持与资助。这是一项非常重要而紧迫的任务。

## 三、补充完善中国传统德育思想研究薄弱环节

中国传统德育研究取得的成果与进展无疑是令人高兴的，但也存在一些不足和问题。比如，中国传统德育研究忽视理论整体建构的问题较为明显，尚缺乏系统、全面、深刻的研究体系。又如，中国传统德育的实践转化与应有研究相对匮乏，从既有成果来看，传统德育与学校德育实践结合的研究略显不足，尤其缺乏对传统德育现代转化在学校发展中的个案研究，也缺乏对传统德育具体实践的考察。[①]传统德育研究还存在方法简单、视角单一的问题。再如，中国传统德育研究缺乏成熟的研究队伍，全身心投入这一领域的学者尚不充足，以传统德育为研究主体的学术研究机构稀少，传统德育研究的专业人员不足。这也使得相关研究的专业性、学术性不强，研究多停留在中国古代德育思想简单梳理的层次。

如前所述，中国传统德育思想的研究尽管取得了一系列成果，但也存在诸多薄弱环节，需要深化研究，需要补充完善。比如，在道家德育思想研究方面，应不断拓展研究的广度和深度，在对老庄道家德育目的梳理和概括的基础上，重视诸如黄老之学、魏晋玄学等道家德育目的的总结和归纳，关注《淮南子》《尸子》和《鹖冠子》等经典作品中相关德育目的的挖掘，深入挖掘、细致梳理除老庄之外的秦汉黄老之学、魏晋玄学、隋唐重玄学以及王充、王弼、向秀、郭象等道家学派及经典著作中德育思想的系统研究，拓展道家德育方法研究的广度与深度。又如，在对佛教德育思想的研究方面，深入探讨佛教德育思想之于现代社会心性修养的文化价值及现实意义

---

① 杜时忠，等．德育研究［M］．福州：福建教育出版社，2019：312.

的研究需要加强；深入探讨促进佛教德育思想现代性转换的可行性路径的相关研究需要加强；基于世俗化与神圣化、个人化与社会化的辩证关系探讨佛教德育思想时代价值的研究需要加强；从跨文化的比较研究视域探讨佛教德育思想之于公民道德建设的时代价值需要加强；深度探讨佛教所特有的慈悲情怀及其德育价值的研究需要加强等。

再如，对中国传统德育目的的研究，要突破儒家思想探究的局限，把视域扩展到道家、墨家、佛教等德育思想的研究领域；对中国传统德育目标的研究，须克服就德育目标谈德育目标的缺弊，在进一步明确君子、仁者、圣王、大丈夫、醇儒、真人等道德人格养成目标关系的基础上，从系统论视角整体观照中国传统德育目标体系；对中国传统德育过程的研究，成果极少，不利于对传统德育智慧的系统整理，需要予以高度重视；对中国传统德育方法的研究，尽管成果相对丰富，但仍存在研究视域较窄（主要集中于对先秦儒家和宋明理学家德育方法的梳理与挖掘）、德育方法与道德修养方法的游离、传统德育方法现代性转换成果不足等问题，需要从系统的方法论角度予以统合；其他诸如对中国传统德育特点的研究、对中国传统德育教师观的研究，也需要跨越理论维度的传统研究范式，更多地从现实出发开展研究，以增强研究成果的创新性。①

加强对传统德育思想若干薄弱环节的补充性研究，目的在于系统地整理中国传统德育智慧的思想体系与实践体系，为新时代德育思想的创制及学校德育变革的推展提供历史理性的说明。对中国传统德育思想的系统研究，必须突破“六经”注我、我注“六经”的惯性，在理论深度与学术内涵上用功，重点在丰富中国传统德育思想研究的主题、开启中国传统德育思想哲学化进程、构建具有中国特色的中华优秀传统德育范式、形成符合全球伦理规范的德育话语体系诸方面，形成有显著文化标

① 俞启定．论中国古代的师道观［J］．高等师范教育研究，1995 (3) : 68 − 73.

记的思想体系。

## 四、加强中国传统德育思想与学校德育实践的创新性研究

中华优秀传统德育思想的活力在于实践、在于生活、在于运用。历经几千年历史积淀形成的中国传统德育智慧，是通过生生不息的学校教育、书院教育、私塾教育、家庭教育的生动实践而得以传承、发展、完善的。这是中国传统德育智慧保持生命活力的重要动力。学校德育是整个德育体系的主渠道、主阵地，也是传承中国传统德育思想的主渠道。新时代，中华优秀传统德育思想要得以实实在在、生动活泼的传承与弘扬，就必须将其与学校教育的创造性实践及推广运用结合起来。

从中华优秀传统文化的传承及中国传统德育智慧的承续之维度看，加强中国传统德育思想与学校德育实践相结合的创新研究与应用研究，推动传统文化进校园、进教材、进课堂，实现传统德育思想的现代转化，是时代赋予德育工作者的学术使命。为此，应积极开展传统文化融入现代学校德育体系的个案研究、实证研究、应用研究，总结提炼基于教育实践创新的有效经验与模式，深入探讨传统德育智慧融入德育课堂、德育活动的机制、路径，真正实现传统德育之理论研究与实践研究的相互促进、共同发展。在此方面，关于中国传统德育思想的研究空间广阔，大有可为。

## 五、加强中国传统德育思想的海外传播的研究

中国传统德育思想既是中国的，也是世界的；既要服务于中国的教育变革，也理应对世界教育发展有所裨益。这也是一个有着五千多年文明历史的民族之于人类文明发展的责任。历经数千年积淀而成的中国传统德育智慧，本身就显示着其存在价值与独特生命活力。中国传统德育智慧的存在价值应该是开放的、流动的、发展的。

中华民族的伟大复兴必然伴随民族文化的复兴，而民族文化的复兴必然催生中国传统文化与教育的复兴。表征中华民族精神追求的中华传统德育思想，在中华民族伟大复兴的历史进程中必将发挥无可替代的文化与思想价值。展望未来，海外中国传统德育思想研究应关注如下几个方面的问题：提升中国传统德育思想研究的中国话语权，加强国内海外中国传统德育思想研究的学科体系、话语体系和学术体系建设；从重译介传播研究向重学术纵深研究转变，为促进中华优秀传统文化创造性转化、创新性发展获取有益补充与海外参照；加快学科交叉型人才的培养，提升中国传统德育思想海外研究的水平和传播的速度。

探讨中国传统德育思想的价值，应站在新的高度，从如何治理现代化带来的全球生态危机与精神危机、争取全球协调发展的新视角，重估中国传统德育的时代价值与世界价值。中国传统道德文明与德育智慧完全可能在超越现代化的历史发展阶段中，不断摄取蕴含其中的思想精华，在世界百年未有之大变局中为构建人类命运共同体，实现会通中西、多元共生做出积极贡献。“人类共同的大家庭中每一个成员，都创造着共同的文化，而表现为具有独特性的思想和语言的结合，它们乃是世界性的思想的一部分。”①

加强中国传统德育思想的海外传播的研究，是实现中华民族伟大复兴的需要，是构建人类命运共同体的需要。在迈向实现中华民族伟大复兴中国梦的历史进程中，迫切需要文化繁荣与文化复兴。作为中华优秀传统文化重要组成部分的中国传统德育思想，是构成并促进文化复兴的重要力量，通过创造性转化与创新性发展的中国传统德育思想，既是增强中华民族文化自信的宝贵资源与构成要素，又是服务世界教育变革、构建人类命运共同体的重要力量。中国传统德育思想的研究，理应是实现不同文明方式、

---

① 吴泽霖．俄国汉学家 B.M. 阿列克谢耶夫的汉学研究［J］．湖南社会科学，2014 (1)：160 – 164.

不同文化类型之间协商对话、交流互鉴的重要中介。

加强中国传统德育思想的海外传播的研究，应着重从两个方面用力：一是向世界推介、宣传中国传统德育思想的系统性研究成果，通过“一带一路”倡议及建设方案、中华学术外译项目、学术文丛出版项目、国际学术会议、招收国际留学生等政府资助或自主研发项目等多元形式，推广中国传统德育智慧及其研究成果，深度增强中华优秀传统文化的世界影响力；二是引介、移译海外学者关于中国传统德育思想的研究成果，放眼海外世界重新认识中国传统德育思想与文化的价值得失，借他者的视界、外人的眼光来加深对中华优秀传统文化与德育智慧的认识，自觉增强中华民族的道路自信、理论自信、制度自信、文化自信。事实上，包括海外汉学家在内的海外学者对中国传统文化、传统伦理、传统德育有着系统、独到、深入的学术成果。对这些海外研究成果的引介与探讨，将成为中国传统德育思想研究的新视角、新天地。

# 第三章
# 中国传统德育研究的主题

回溯 1949 年中华人民共和国成立以来的主要研究成果，可以发现，中国传统德育研究的主题几经更迭变迁。不同时期的研究主题涉及中国传统德育的目的、目标、内容、过程、原则、方法、特点、教师观研究诸方面。这些研究不断推动着教育史、德育原理的理论发展，也为学校德育实践提供了历史经验与智慧。概括而言，中国传统德育研究的主题主要集中在如下方面："教以人伦"的德育目的，"君子之儒"的德育目标，"文行忠信"的德育内容，"格致诚正"的德育过程，"知行合一"的德育原则，"克己内省"的德育方法，"家教规范"的德育特点，"度德为师"的德育教师观。

## 第一节　"教以人伦"的德育目的

德育目的是对德育内在价值的认识和追求，是系统内价值主体在其德性不断发展和对德育认识基础上形成的一种特殊的道德需要。[①] 中国传统

① 李太平. 德育功能·德育价值·德育目的[J]. 湖北大学学报(哲学社会科学版), 1999(6): 89－92.

文化价值观具有人伦本位的特点，“用人伦厘定人格，把个体消融于整体关系之中”。[①] 由此，中国传统德育目的体现出鲜明的人伦本位色彩。有学者指出，中国传统德育始于“伦”的实体认同。[②] 张岱年将这一伦理认同描述为：以家族为本位，把家族血缘的情理上升扩充为社会伦理的原理和国家政治的原理，身、家、国、天下四位一体，血缘、宗法、等级三位一体，血缘、伦理、政治直接同一，在“亲亲尊尊”的基础上形成君君、臣臣、父父、子子的礼治秩序。[③] 毛礼锐也认为：“我国古代儒家把‘明人伦’当作教育的主要目的，他们也十分注重研究封建的道德及其教育的问题，经过两千多年的发展和经验总结，有些是值得我们分析研究，加以批判地继承的，不能因为是封建时代的东西而简单粗暴地全部抛弃。”[④]

在中国传统德育中，不同学者对“教以人伦”的德育目的认识有所不同。《周易·序卦》云：“有天地然后有万物，有万物然后有男女，有男女然后有夫妇，有夫妇然后有父子，有父子然后有君臣，有君臣然后有上下，有上下然后礼义有所错。”有学者据此把“伦”直接解释为“人伦秩序。”[⑤]《中庸》云：“君臣也，父子也，夫妇也，兄弟也，朋友之交也。五者，天下之大道也。”《孟子·滕文公上》云：“人之有道也，饱食、暖衣、逸居而无教，则近于禽兽。圣人有忧之，使契为司徒，教以人伦：父子有亲，君臣有义，夫妇有别，长幼有序，朋友有信。”有学者据此将“伦”解释为“五伦”，并由此引申出“十德”：夫义妇顺、父慈子孝、兄友弟恭、君惠臣忠、朋友有信，即所谓“五伦十德”。而在所有的德目之中，“仁”“义”“礼”“智”四者

---

① 赵志毅．论传统德育方法论的现代转换［J］．教育研究与实验，1996(3)：17－20.

② 樊浩．道德教育的“‘精神’形态”与“中国形态”［J］．教育研究，2013(2)：44－53.

③ 张岱年，方克立．中国文化概论［M］．北京：北京师范大学出版社，1993：299.

④ 毛礼锐．论儒家的道德教育思想［J］．北京师范大学学报，1980(3)：73－82.

⑤ 王易，张泽硕．中国传统德育中的“人伦日用”及其当代启示［J］．伦理学研究，2015(5)：45－51.

被认为是最基本的，由此，又有“五伦四德”一说。① 正如涂又光所总结的那样：“父子有亲，父慈子孝，‘亲’是此伦之理；夫妻有别，夫敬妻从，‘别’是此伦之理；君臣有义，‘义’是此伦之理；长幼有序，‘序’是此伦之理；朋友有信，‘信’是此伦之理。天人则是又一伦，天人有和，‘和’是此伦之理；人己又是一伦，人己合一，己所不欲勿施于人，‘合’是此伦之理。”② 此外，还有“人伦日用”的观点，王易、张泽硕认为道德原则与规范应被贯彻在个体生存、家庭生活、人际交往和社会活动的方方面面，也只有被贯彻体现在人们日常生活中的道德才是“人伦”。③ 其实，不管是被解释为“人伦秩序”“人伦日用”，抑或是被细分为“五伦十德”“五伦四德”“五伦五理”，人伦作为中国伦理和道德的基础被人们所认识，而明于人伦则被认为是中国传统德育之根本。④ 正如有的学者所说，中国传统道德的逻辑始点就是“人伦”，⑤ 因此，以儒家德育思想为核心的中国传统德育把“教以人伦”作为济道救道的法路。

“教以人伦”作为中国传统德育的德育目的，得到了诸多学者的认可。有学者认为：“人伦德育是中国德育文化传统的主要内容，也是其主要的德育形态。作为内容来讲，人伦德育包含了人伦次序、人伦之理、人伦示范、人伦准则、人伦规范等各种德育要素，体现了德育要素的总和；作为形态来讲，家庭伦序推延到社会伦序的人伦涵盖性，使人伦自身成为德育内容的存在方式，体现了德育的表现形式，而围绕‘依伦尽份’‘按伦施

① 宋五好．道德教育中人伦价值的重构［D］．西安：陕西师范大学，2011：54.

② 涂又光．中国高等教育史论［M］．武汉：湖北教育出版社，2003：203－205.

③ 王易，张泽硕．中国传统德育中的“人伦日用”及其当代启示［J］．伦理学研究，2015（5）：45－51.

④ 唐国军．“修身”与“教化”：儒家思想政治教育体系论：儒家传统思想政治教育理论模式研究之一［J］．广西社会科学，2007（11）：174－178.

⑤ 宋五好．中国传统德育中的人伦德育形态［J］．河北师范大学学报（教育科学版），2016（3）：112.

教’的核心形式，通过家庭教育、学校教育、社会教育中各个形式要素的不同结构方式，体现着对不同时代条件的重要人伦观念、道德观念、德育观念的关注，表征着不同的德育形态。以‘仁义礼智信’为核心价值的中国传统德育，在‘重人伦’‘明人伦’道德文化中的演进，反映了德育形态的基本轨迹。”① 而在《论中国人伦文化的德育本质》中，论者进一步指出：“中国基于‘明人伦’的道德教育，反映在血缘关系及由此推演出的社会关系与道德的合一性上，便是‘人伦’与‘伦性’的统一，任何一伦的伦性既是具体的有针对性的，同时也是以仁为核心的与其他伦相互联系的统一体。”② 中国传统德育主张，在上者如能昌明人伦，在下者如能相亲相爱，则天下自然也就太平了。“伦序”被看作是中国传统道德的本体存在，“人理”是这一本体的展开。由此，以“教以人伦”为目的的中国传统德育便成为“伦序”与“人理”相统一基础上的“明人伦”的实践。

关于中国传统德育的德育目的，还有一些其他主张。比如，有学者将西周时期的德育目的归纳为“敬德保民”，认为：“周人的‘以德配天’论，主要是强调上层统治阶级要进行道德修养。既然上天将天命转移到周人这里，周人就要认真修德、敬德。敬德的目的在于‘保民’，能保民，也就是配天。”③ 论者把“保民”视为西周施行德育教化的目的，是建立在对西周时期臣民与政权关系的深刻认识之上的。另有学者认为，中国传统德育蕴含着强烈的政治目的性和指向性，德育目的不可能脱离其政治目的。④ 但总的来说，学界基本认同这一观点：两千多年来以儒家德育思想为核心的中国传统德育是从人伦关系出发，以忠孝为是非标准，要求受教者各安

---

① 宋五好．中国传统德育中的人伦德育形态［J］．河北师范大学学报(教育科学版)，2016(3)：112.

② 宋五好．论中国人伦文化的德育本质［J］．河南师范大学学报(哲学社会科学版)，2010(4)：233.

③ 罗炽，简定玉，李太平，等．中国德育思想史纲［M］．武汉：湖北教育出版社，1998：28.

④ 曾长秋，周含华．中国德育通史简编［M］．长沙：湖南人民出版社，2011：2.

其位，以孝事亲，以忠事君，以贞事夫，以悌从兄，以义待友，以礼定其仁人之心，各自达于忠孝仁义礼智信之道。维持和谐稳定的伦理关系特别是家庭伦理关系，是儒家传统德育的目的。正如学者所言："儒家伦理思想最为推崇家庭的价值和伦常的意义，并以此为基准来理解个人、社会、国家和世界。教忠教孝成为儒家伦理思想的主旨和核心。"① 因此，"教以人伦"也就成为中国传统德育目的研究的重要主题。

## 第二节　"君子之儒"的德育目标

与德育目的相联系，德育目标是针对特定德育对象的较为具体和明确的规定。德育目标的达成体现为具有某种理想道德人格的个体的产生，或者说个体理想人格的成功铸塑。朱义禄认为在中国传统德育中，"'君子'是儒家众趋人格的目标所在"。② 儒家的德育理论基础是人性论和德治论，德育目标便是"要培养具有当时统治阶级所需要的道德品质的'士'、'君子'或'成人'"。③ 关于中国传统德育目标的研究，人们基本达成了较为一致的观点，即培养"君子之儒"。

在对中国传统德育目标的研究中，对"君子"之道德理想人格的论述并不少见。有学者专门梳理了"君子"在儒家典籍中出现的次数，发现《论语》中共出现 107 次，《孟子》中共出现 82 次，《易传》中共出现 84 次。④ "君子"本指社会上居高位的人（贵族），与"小人"（庶民）对举；此后经长期演变，"君子"成为自"天子至于民"的男子的通称，其

① 《伦理学》编写组 . 伦理学［M］. 北京 : 高等教育出版社 , 2012 : 35.
② 朱义禄 . 儒家理想人格与中国文化［M］. 沈阳 : 辽宁教育出版社 , 1991 : 49.
③ 毛礼锐 . 论儒家的道德教育思想［J］. 北京师范大学学报 , 1980 (3) : 73 － 82.
④ 同 ②.

意义开始偏重于人的道德情操，而不再表示社会身份的尊贵。“君子”从“位”的专指的旧义中解放出来，开始自觉地强调“德”的新义及其对“位”的主宰意义。这一观点也得到了诸多学者的认可。据赵纪彬先生统计，在《论语》中，君子蕴含“在位者”之义的有 12 处，但更多地则指具有高尚道德情操的人。[①]《论语·里仁》中多次出现关于君子的表述，如“君子之于天下也，无适也，无莫也，义之与比。”“君子怀德，小人怀土；君子怀刑，小人怀惠。”“君子喻于义，小人喻于利。”“君子欲讷于言而敏于行。”这些语录阐述了孔子对君子的德性要求，即君子是以内心的仁为根本追求，在外在行为方面又须合乎礼。孟子继承并发展了孔子这一思想，提出“内圣外王”是对“君子”人格的至高规定。《孟子·离娄上》有言：“圣人，人伦之至也。”圣人是一种最高的道德人格，修炼成圣人需要一个循序渐进的过程。《孟子·尽心下》将其表述为：“可欲之谓善，有诸己之谓信，充实之谓美，充实而有光辉之谓大，大而化之之谓圣，圣而不可知之之谓神。”而要达此境界，必须经历诸多锻炼：“苦其心志，劳其筋骨，饿其体肤，空乏其身，行拂乱其所为，所以动心忍性，增益其所不能。”对君子、圣人之理想人格的追求是以儒家德育思想为核心的中国传统德育一脉相传的德育目标，墨家以“圣贤”为目标，道家以“真人”为最高精神境界，孟子的“人皆可以为尧舜”、朱熹的成就“圣贤”“醇儒”等亦都表达了相同的追求。[②]

不少学者围绕“君子”道德人格的内涵及其构成要素问题对中国传统德育目标展开了深入探讨。沈韬在论述儒家道德教育与人格塑造问题时指出，中国传统德育的目的在于塑造高尚人格，儒家德育的目标即是塑造具有高尚人格的君子或士。[③]张澍军、张斌指出，君子道德人格具有一定的规定性。作为通过系统教育而具备极高品德的人，君子须具有尚志向道、

---

① 赵纪彬．论语新探［M］．北京：人民出版社，1959：108 － 109．

② 郭凤志．德育文化论［D］．长春：东北师范大学，2005：47．

③ 沈韬．儒家道德教育与人格塑造［J］．教育评论，2013（4）：123 － 125．

重义轻利的品性，自觉地成为学与仕相结合的道德实践者、注重自觉自立自我修养的人。① 宋志明认为构成君子的根本要素是“道德心境的恬静与平和”，这是君子与小人的根本区别。② 王璨指出，君子是人格高尚、道德品行兼好的人，君子人格由仁者爱人、礼以行之、知明而圣、勇者不惧、义以为上、诚实守信等六个要素构成。其中，仁爱是人之本性，礼是一种以仁为核心的道德情感，知是君子人格必备的基本品德，勇是以道德理性为内涵的意志品格，义是道德取舍的根本准则，信是主体内在道德真诚的外化。③ 任继愈认为，君子的道德人格是“经过儒家文化的教育熏陶，并且在道德修养上下过体认工夫的人”。④ 君子具有求道、崇仁、重义、隆礼等特征，以道为理想目标、以仁为内在精神、以义为基本原则、以礼为外在规范，从而形成了一种一以贯之的人格典范。

由“君子”德育目标再往上提升，则是对“圣王”人格的追求。梁启超说：“‘内圣外王之道’一语，包括中国学术之全部。中国学术，非如欧洲哲学专以爱智为动机，探索宇宙体相以为娱乐。其旨归在于内足以资修养而外足以经世，所谓‘古人之全’者即此也。”⑤ 可以说，“内圣外王”是每一个中国士人之人生理想与责任。孔子之说“修己以安百姓”，孟子之说“苟为善，后世子孙必有王者矣”，荀子之说“尽伦尽制”，都体现了中国传统德育所追求的“圣王”德育目标。唐国军指出：“孔子所设计的儒家思想政治教育核心目标，是以培养以天下为己任，恪守善道的君子，并通过他们的‘为

① 张澍军，张斌．关于儒家“德治—德育”的几点思考［J］．东北师大学报（哲学社会科学版），1999（5）：43－47＋53．

② 宋志明．现代中国哲学的主要问题［J］．教学与研究，2003（3）：21－26．

③ 王璨．思想政治教育与现代君子人格塑造［D］．武汉：华中师范大学，2017：28．

④ 任继愈．孔子与儒家［M］．上海：商务印书馆，1997：43．

⑤ 梁启超．《庄子·天下篇》释义［M］//梁启超全集：第8册．北京：北京出版社，1999：4676．

政以德',来实现其德礼之治天下的大业。"[①]"为政以德"是君子外推为"圣王"的重要途径。作为传统德育目标的"内圣外王"包含鲜明的伦理性和政治性，内圣是对个体的内在道德修养的要求，外王则是对个人在社会中的事功和作用的期待。朱宝信指出，"传统内圣外王之道是中国人追求动态的天人和谐关系的深层次道德命题，是中国哲学所具有的恒定的价值意义所在。"[②]杨晓君也认为，儒家德育思想的基本目标是培育"君子人格"，终极目标是达到"内圣外王"的境界。[③]还有学者则从比较教育的视角入手，将中西方传统德育目标进行比较，指出中国传统德育具有"内圣外王"的德育目标。[④]

在中国传统德育目标研究中，有学者认为，中国传统德育目标是多个层次的道德理想人格目标的综合体。檀传宝指出，儒家德育智慧的主要表现之一便是在圣贤人格目标及其追求的论证与设计上，"趋近圣贤的人格台阶或德育目标的具体层次为：士、君子、圣人"。[⑤]与道德救世的社会理想一致，儒家首重人格的道德修养与提升，构建了一套指向培养士、君子、圣人的德育体系。黄书光认为，中国传统德育"以君子为起点，由'内圣'而'外王',将'圣王'人格作为自己孜孜以求的崇高理想"。[⑥]沈壮海指出，在历史的演变过程中，以儒家德育思想为核心的中国传统德育的培养目标，实质上从多个层次为教化对象确立了一个从"士"到"君子"到"成人""圣王"

① 唐国军."修身"与"教化":儒家思想政治教育体系论：儒家传统思想政治教育理论模式研究之一［J］.广西社会科学，2007(11):174－178.

② 朱宝信."内圣外王"与天人和谐层次的动态跃迁［J］.齐鲁学刊，1993(2):70－74.

③ 杨晓君.论"和"与"中庸"在儒家德育目标的体现［J］.中国教师，2007(S2):96.

④ 赵恬恬."内圣外王"与"哲学王":中西方传统德育目标之比较［J］.边疆经济与文化，2015(3):127－128.

⑤ 檀传宝.论儒家德育思想的三大特色与优势［J］.教育研究，2002(8):29.

⑥ 黄书光.儒家德育范式的理论建构［J］.河北师范大学学报(教育科学版)，2009(5):124－131.

的紧密关联的进德的目的链。① 此外，在“君子”德育目标之外，还有一些较为新颖的关于中国传统德育目标的论述。如有学者将涵养仁爱之心作为中国传统德育的德育目标，提出“尊德性而道问学”，以文化涵养德性，培养自愿、自觉的兼具正义与仁爱之心的道德主体。② 还有学者将学为人、学会立人、成人作为孔子的教育目标。③ 这些探讨进一步丰富了中国传统德育目标的研究。

## 第三节 “文行忠信”的德育内容

德育内容是为实现一定的德育目标，“用以教育学生的思想、政治、法纪、道德、心理方面的知识、理论、观点、准则和规范等”。④ 基于“教以人伦”的德育目的、“君子之儒”的培养目标，中国传统德育内容具有鲜明的“以仁为先”的特征。孔子要求学生“志于仁”，并把“仁”作为“统摄诸德完成人格之名”，涵括克己复礼、爱人、孝悌、忠恕等内容，是慈、孝、悌、友、信、勇、恭等众多德目的总和。“子以四教：文、行、忠、信。”人们对中国传统德育内容的解读，紧紧地围绕文、行、忠、信之“四教”内容展开。

传统德育关于“四教”的解释众说纷纭，莫衷一是。如《论语正义》载：“文谓诗书礼乐，凡博学、审问、慎思、明辨，皆文之教也；行谓躬行之；中以尽心曰忠；恒有诸己曰信。人必忠信而后可致知力行，故曰忠信之人，

① 沈壮海．中国传统德教方法论及其现代意义［J］．教育研究，2003 (10)：52－55＋96.

② 刘华，杨启亮．现代视域中的儒家德育思想［J］．思想理论教育，2007 (9)：35－39.

③ 唐爱民．孔子的做人教育思想及其时代意义［J］．学术论坛，2001 (2)：134－137.

④ 赵玉英，张典兵．德育原理［M］．济南：山东人民出版社，2008：99.

可以学礼，此四者，皆教成人之法，与教弟子先行后学文不同。”[①]《论语集释》引李充云：“其典籍辞义谓之文，孝悌恭睦谓之行，为人臣则忠，与朋友则信。此四者，教之所先也。故以文发其蒙，行以积其德，忠以立其节，信以全其终也。”[②]《论语注疏》疏解“四教”曰：“此章记孔子行教以此四事为先也。文谓先王之遗文。行谓德行，在心为德，施之为行。中心无隐谓之忠。人言不欺谓之信。此四者有形质，故可举以教也。”[③]纵观不同视角的注疏、解读，关于“四教”内容及其相互关系的解释成为中国传统德育内容研究探讨的重点。

在对“文教”内容的解读上，通常的观点是把“文”视为典籍辞义，包括《诗》《书》《礼》《易》《乐》《春秋》等。儒家的教化传统有着十分丰富的内涵，而诗文教育在其中扮演重要角色。[④]刘宁认为，孔子所谓“兴于《诗》，立于《礼》，成于《乐》”，讲的就是君子德育目标养成与学习《诗》《礼》《乐》等典籍的关系。《论语·雍也》云：“君子博学于文，约之以礼，亦可以弗畔矣夫！”可见，儒家德育是重视文教的，并以此为内容培养君子。李旭认为，“兴于诗、立于礼、成于乐”是孔子成就文质彬彬君子品格的文教道路，而介于文教与质教之间的诗教则可以看作是涵养文质彬彬之君子品格的关键环节。[⑤]韩云忠认为，礼乐所构成的文化内核培育了中国人的和合精神、理性精神、仁爱精神与审美情趣；先秦儒家礼乐文化是典型的道德教化性文化，礼乐文化是中国传统德育内容的重要组成部分。[⑥]

---

① 刘宝楠．论语正义［M］．北京：中华书局，1990：274.

② 程树德．论语集释［M］．北京：中华书局，1990：562.

③ 何晏注，邢昺疏．论语注疏［M］．北京：北京大学出版社，1999：93.

④ 刘宁．韩愈与儒家文教传统的反思［C］//贾磊磊，杨朝明．第五届世界儒学大会学术论文集．北京：文化艺术出版社，2012：439－446.

⑤ 李旭．君子之道的仁义抱负与文教起点：试论介于质教与文教之间的儒家诗教［J］．海南大学学报（人文社会科学版），2015（1）：7－14.

⑥ 韩云忠．先秦儒家礼乐文化的德育价值研究［D］．济南：山东师范大学，2015：66.

王宝峰指出，孔子“四教”具有丰富的“文德”内涵。[①]

在中国传统德育内容研究中，“行教”研究是重要议题。“行”指躬身实践，《论语 · 里仁》云：“君子欲讷于言而敏于行”，就体现“行教”之德育内容。王宝峰认为，孔子对颜回的教育就是从广博的文德出发，进而通过礼教内化文德，并从非礼勿视、勿听、勿言、勿动之文行，以约束颜回之行使之合礼。“先明白文德，再以文行落实，这是孔门对上等弟子教育的次序，至于一般弟子，次序则相反：‘弟子入则孝，出则悌，谨而信，泛爱众而亲仁。行有余力，则以学文’（《论语 · 学而》）。先努力践行、切己体证文德的几种细目，待践行而有心得体会之后，再全面学习文德知识，以期达到更高的道德境地。”[②]《论语·乡党》详细记录了孔子在不同场合待人待物的行事作风和态度，“孔子于乡党，恂恂如也，似不能言者；其在宗庙朝廷，便便言，唯谨尔。”“朝，与下大夫言，侃侃如也；与上大夫言，訚訚如也。君在，踧踖如也，与与如也。”“执圭，鞠躬如也，如不胜。上如揖，下如授。勃如战色，足蹜蹜如有循 。享礼，有容色。私觌，愉愉如也。”王宝峰认为，通过这些对不同人物或不同场合的服饰要求、饮食要求、行为要求等具体描述，可以从中窥测孔子“行教”的内容。[③]

在中国传统德育中，“忠”“信”是重要的德育内容。“忠”是对人内在的要求，“信”是外在行为的体现。《论语 · 颜渊》云：“居之无倦，行之以忠。”孔子主张忠信是德行之本，非忠信无以进德。然而，在中国传统德育内容研究中，关于“忠教”内容的讨论曾一度存在争议。周德昌认为，孔子提倡忠，“目的在于把他的学生训练成为奴隶主贵族的忠实卫士”。[④]赵家骥也认为，在特定历史阶段，孔子提倡的“忠”被认为渗透着绝对服

① 王宝峰 . 孔子“四教”考论［J］. 孔子研究 , 2013 (1) : 31 － 39.

② 同 ① 37.

③ 同 ①.

④ 周德昌 . 孔子德育思想简论［J］. 华南师院学报 ( 哲学社会科学版 ) , 1981 (1) : 18 － 22.

从的精神，是一种愚忠，必须被彻底批判。[①]贺韧则认为，“忠”乃为人真诚之意，包含行出于心、诚心尽力、贞一笃定等要求，是“仁”这一道德原则的进一步发挥和体现。[②]陈谷嘉、朱汉民也认为“忠”还与“恕”连用，表示对自我道德的约束与内省，也有“推己及人”之意，要求担当兼济天下的责任。[③]但不管人们对“忠”这一德育内容的态度如何变化，它始终是中国传统德育的重要内容。而在“信”的问题上，《国语·晋语八》云：“忠不可暴，信不可犯，忠自中，而信自身，其为德也深矣，其为本也固矣，故不可抈也。”胡静认为，孔子主张君子履信乃是顺大义所在，义则信，不义则不必信。践小诺，行小谅 是不可取的，履信要以义为则。[④]《论语·述而》云：“人而不信，不知其可也。”李春认为，忠于内而信于外，内恒有而外恒陈。“信”在“孝、悌、忠、信、礼、义、廉、耻”八德中占有最重要的位置，恒信则立、恒信则兴、恒信则天下和。[⑤]黎红雷认为，孔子教弟子“信”，实际上就是教之有“恒”，因有“恒”而致人“信”；“笃敬”“信教”是儒家德育的重要内容，“忠信为宝”在今天仍然具有重要的现代价值。[⑥]

此外，中国传统德育内容研究的成果，并不仅限于对文、行、忠、信“四教”的研究。有学者主张，在“文行忠信”四教之余，乐教也是中国传统德育的重要内容。[⑦]有学者将礼、仁、孝、悌及恭、俭、勤、廉、耻、忠、信、

① 赵家骥．孔子德育思想初探［J］．东北师大学报(哲学社会科学版)，1981(2)：78－85.

② 贺韧．儒家传统道德教育思想探析［D］．长沙：湖南师范大学，2006：86.

③ 陈谷嘉，朱汉民．中国德育思想研究［M］．杭州：浙江教育出版社，1998：26－27.

④ 胡静．释析“子以四教：文、行、忠、信”：兼论公共教育的核心使命［J］．江汉论坛，2019(12)：34－42.

⑤ 李春．恒信则立 恒信则兴 恒信则天下和：儒家文化中“诚信”思想与现代社会发展的关系［C］//云南孔子学术研究会．孔学研究(第二十辑)：云南孔子学术研究会成立二十周年暨第二十次孔子学术研讨会论文集．昆明：云南人民出版社，2013：153－159.

⑥ 黎红雷．“仁义礼智信”：儒家道德教化思想的现代价值［J］．齐鲁学刊，2015(5)：5－12.

⑦ 唐爱民．先秦儒家的乐教思想探微［J］．齐鲁学刊，2000(3)：114－116.

义、勇等德目视为孔子的道德教育内容。① 还有学者把中华民族传统美德教育的内容细化为：孝敬父母、尊师重教、团结友爱、立志勤学、自强不息、谦虚礼貌、诚实守信、严己宽人、人贵有耻、见义勇为、整洁健身、求索创新、勤劳节俭、见利思义、敬业尽责、清正廉洁、爱国爱民、天下为公等不同条目。②

## 第四节 “格致诚正”的德育过程

德育目标不是在人的头脑中自动实现的，德育内容也需要通过一定的德育过程转化为主体的道德品质。中国古代教育家对于德育过程早有较明确的认识。《礼记·大学》有言：“古之欲明明德于天下者，先治其国；欲治其国者，先齐其家；欲齐其家者，先修其身；欲修其身者，先正其心；欲正其心者，先诚其意；欲诚其意者，先致其知，致知在格物。”“明明德”目标的达成需要循着格物、致知、诚意、正心、修身、齐家、治国、平天下的德育过程予以实现。鲁洁指出，我国古代教育史上绝大多数教育家论及道德品质的形成过程时，都十分重视教育的作用。在德育过程中，“知”与“行”“立志”与“内省”的关系需要引起我们的关注。③ 在研究朱熹德育思想时，梁励认为朱熹为实现“圣贤”“忠臣”“孝子”的德育目标，提出了“穷理”“致知”“窒欲”“立志”“笃行”的完整教育过程。④ 于钦波认为，朱熹的德育过程论思想可以总结为“居敬”与“穷理”互发的道德

① 刘颖．孔子道德教育思想及其启示［J］．中国教育学刊，2003 (4)：7-9.

② 栾传大．中华民族传统美德教育研究报告［J］．教育研究，2000 (9)：26－30＋70.

③ 鲁洁．试评我国古代教育家有关德育过程的论述［J］．南京师大学报（社会科学版），1980 (3)：21－25.

④ 梁励．朱熹德育思想初探［J］．徐州师范学院学报，1992 (2)：84－89.

修养论；[①]罗炽等学者则从主敬、格致、克己、力行诸方面阐释了朱熹的德育过程。[②]

在中国传统德育研究中，“格物致知”被视为德育过程的起点。陈来认为，格物是通过即物而穷尽事物之天理；致知是使这种天理转化为自己的“知识”，并把它推广至极处，从而得到明众物之表里精粗、吾心之全体大用的效果，这是自身明德得到觉证的体现。[③]朱熹在《四书章句集注》中云：“所谓致知在格物者，言欲致吾之知，在即物而穷其理也。盖人心之灵莫不有知，而天下之物莫不有理，惟于理有未穷，故其知有不尽也。是以《大学》始教，必使学者即凡天下之物，莫不因其已知之理而益穷之，以求至乎其极。至于用力之久，而一旦豁然贯通焉，则众物之表里精粗无不到，而吾心之全体大用无不明矣。此谓物格，此谓知之至也。”唐凯麟、张怀承认为，朱熹把格物与穷尽天理联系起来，通过格物穷尽事物的天理，来见证自身的道德本性。[④]易言之，格物的目的是为寻求道德之知。陈来指出，格物的三要素是即物、穷理、至极。[⑤]商聚德认为，天下之物也不是物物皆格之，格物的对象是民生日用伦理道德之事物。[⑥]黎靖德则认为，格物本身便是一种道德活动，“格尽物理，则知尽。”[⑦]总而言之，格物致知是一事之两面，格物指的是探究事物的天理，致知则是把这格物的结果转化为对主体自身本性的觉证，致知在格物的过程中实现。

---

① 于钦波．中国德育思想史［M］．长春：吉林教育出版社，1993：296.

② 罗炽，简定玉，李太平，等．中国德育思想史纲［M］．武汉：湖北教育出版社，1998：381.

③ 陈来．论朱熹《大学章句》的解释特点［J］．文史哲，2007（2）：103－111.

④ 唐凯麟，张怀承．成人与成圣儒家伦理道德精粹［M］．长沙：湖南大学出版社，1999：84.

⑤ 同③.

⑥ 商聚德．朱熹“格物致知”论析评［J］．河北大学学报（哲学社会科学版），1991（1）：36－42.

⑦ 黎靖德．朱子语类：第1册［M］．北京：中华书局，1986：295.

一些学者从历时的过程性的视角出发对中国传统德育予以观照，认为“诚意正心”是一个由外向内层层深入的道德内化的过程。杜维明将《大学》中的人文精神比作是一个逐渐向外扩展的同心圆——圆心是个人，由内而外分别是家庭、社会、国家、世界，乃至人类的群体、宇宙，这个同心圆既向外扩展，也向内层层深入，由人们的心智到灵感再到神明。在这个同心圆中，“诚意正心”的道德内化过程要求个体在格物、致知的基础上保持内心道德的严格自律，自觉地去恶从善。[①] 诚意就是不自欺、不作伪，要求主体的内心所发与行为相一致。正如《大学》所言：“所谓诚其意者，毋自欺也。如恶恶臭，如好好色，此之谓自谦。故君子必慎其独也。小人闲居为不善，无所不至，见君子而后厌然，掩其不善，而著其善。人之视己，如见其肺肝然，则何益矣。此谓诚于中，形于外。故君子必慎其独也。”秦帅权认为，主体的一切表现都发自内心真实的感受，行为出于本心，便是“诚意”。知道善恶之所在，且以此作为自己的处事原则，为善去恶，表里如一，且意之所诚不是外部力量对主体约束的结果，而是本于主体的人性，叫作“不自欺”。[②]“诚意”也就是“不自欺”。

中国传统德育研究中对“正心”这一德育过程的研究篇幅较少。所谓“正心”，是指人心的修养，是克制自身的情绪和欲望，旨在回归本心，扩充善性。中国传统思想中的从心、尽心、存心、养心以及保持内心“一于道”等概念，都是正心理念的扩展。张春英指出，孔子德育思想主张以“礼”规制人心，以“射”校正人心，以“乐”升华人心。[③] 在中国传统德育中，“心”具有显著的道德内涵。彭文超认为，孟子之“仁，人心也”将仁与心相关联，主张“仁义礼智根于心”，把恻隐之心、羞恶之心、辞让之心、是非之心看作是仁义礼智的开端，是对道德之心的完整论述。“以仁存心、

---

① 杜维明．儒家传统与文明对话［M］．彭国翔，编译．石家庄：河北人民出版社，2006：21.

② 秦帅权．《大学章句》修身思想研究［D］．兰州：西北民族大学，2017：20.

③ 张春英．论孔子“正心”的育人观［J］．齐鲁学刊，2000（3）：108－113.

以礼存心”，要求以道德原则涵养本心。他指出朱熹所言正君心方能使自身不被物欲蒙蔽，王守仁所言格物就是正心，是正心中不正之处。如此，从格物到正心都渗透去恶为善之义理。[①]杜维明指出，“正心”属于内收的道德修养过程。就正物与正心的区别来看，“正物”是对客观事物的主体自觉，而“正心”则是指发挥“心”的能动作用。作为修身的前提和基础，正心是道德自律与他律的双重修养过程，这要求“心”这一思维和认知器官能够端正而保持“中和”的状态，从而回归道德本心，发挥心本有的涵养道德的功能。[②]

在中国传统德育过程研究中，还出现了其他一些重要观点。如有学者将孔子、荀子、王充、朱熹、王夫之等人独具特色的德育过程思想加以总结，提出了五种德育模式，分别是：孔子的“志—学—思—行”德育模式；荀子的“闻—见—知—行”德育模式；王充的“任耳目—开心意—验效证—实际用”德育模式；朱熹的“立志—穷理—笃行”德育模式；王夫之的“学—问—思—辨—行”德育模式。[③]还有学者以知、情、行概括中国传统德育过程。[④]也有学者把孔子的德育过程归纳为道德认识的培养、道德情感与信念的培养、道德意志的培养、道德行为的培养四个阶段；[⑤]同样地，有学者把中国古代儒家德育过程看作是按照知、情、意、行进程中长期的品德修养过程。[⑥]另有学者从历时的过程性的视角和共时的展开性的视角，分

---

① 彭文超．以心观心：中国传统道德教育思想的内在理路［J］．当代教育科学，2021 (1)：19 − 28.

② 杜维明．仁与修身：儒家思想论集［M］．胡军，丁民雄，译．北京：生活·读书·新知三联书店，2013：65 − 80.

③ 范树成．德育过程论［D］．长春：东北师范大学，2004：172 − 181.

④ 刘志宁．先秦教育家的道德教育原则、方法及其意义［J］．甘肃理论学刊，1989 (6)：58 − 62.

⑤ 刘颖．孔子道德教育思想及其启示［J］．中国教育学刊，2003 (4)：7 − 9.

⑥ 刘祎．试论儒家德育过程论思想［J］．新疆社会科学，2006 (2)：87 − 92 + 116.

别观照了中国传统德育过程的运行。[①]总而言之，虽然不同学者对中国传统德育过程的理解不同，但“修身”“成德”的精神内核始终不变。需要注意的是，“格致诚正”的德育过程中的格物、致知，不是要去研究客观事物的自然规律，而是要求主体对伦理纲常的认知学习。诚意、正心强调的是把主体的道德认知转化成道德、情感、信念和意志品质，以达臻内圣外王的德育目标。[②]这一德育过程强调反躬修己，注重知与行的统一。

## 第五节 “知行合一”的德育原则

德育原则是德育实践的认识概括和最终结果，是实施德育活动的基本要求，也是处理德育过程中矛盾与冲突的基本准则。[③]儒家德育过程是通过一定的德育原则、方法进行的，教学内容主要是人伦道德，因而，他们提出的一些教学理论、教学原则和教学方法，大多数都可以用到道德教育上来。[④]檀传宝指出，儒家的德育思想是一种道德上“学”的思想、修养的学问，而所谓的“学”实际上是道德认知与实践的统一。[⑤]因此，在诸多德育思想中，知行关系引人注意。孔子之“言忠信、行笃敬”，朱熹之“论先后、知为先”“论轻重、行为重”，王夫之“习与性成”，都强调了知行合一的修养工夫。思想家常把德行并列使用，突出了主体修行与教养的重要性。正如张岱年所言：“中国哲人研究宇宙人生的大问题，常从生活实践出发，以反省自己的身心实践为入手处，最后又归于实践，将理论在

① 沈壮海. 中国传统德教方法论及其现代意义［J］. 教育研究, 2003 (10) : 52 − 55 + 96.
② 黄书光. 儒家德育范式的理论建构［J］. 河北师范大学学报 ( 教育科学版 ), 2009 (5) : 124 − 131.
③ 丁伯成. 德育原则新探［J］. 教育理论与实践, 1994 (6) : 55 − 58.
④ 毛礼锐. 论儒家的道德教育思想［J］. 北京师范大学学报, 1980 (3) : 73 − 82.
⑤ 檀传宝. 论儒家德育思想的三大特色与优势［J］. 教育研究, 2002 (8) : 28 − 31 + 42.

实践上加以验证。”[①] 中国古代哲学思想和教育思想总是混合的，知行观既是一套系统的哲学问题的探讨，又是关于人的道德修养和道德践履提升的思考，在中国传统道德哲学和道德教育体系中，表现为“知行合一”的德育原则。

中国传统德育思想在认识论上的一个十分重要的特点就是坚持知行并重。通过对先秦诸子百家知行关系的考察，杨志娟指出，孔子的知行观是传统知行观的立论渊源。在知行关系上，孔子主张先知重行，将“知”融汇在“行”之中，关键在于学以致用。[②] 牛伟、王英等学者认为，孔子的知行观具有“内外兼修、知行合一”的独特风格。一方面，孔子推行学思结合，以内省之道为“行”助力；另一方面，又注重身体力行，以躬行之策为“知”拓展。因此，孔子的知行观也被看作是以道德修养为旨归、实施内修外行的德育原则。[③] 刘广浩将荀子的知行德育原则概括为“行先知后、由行致知，以知导行，相资为用”的德育原则；[④] 宋志明将墨子的知行德育原则归纳为“取名以实”，“名”指的是人的认识与知识，“实”则指向人的行为与实践能力。[⑤] 在知行关系上，墨子强调知可获得于行，亦可转化为行，知是检验行之效力的标准。

一些学者对宋明理学家的知行德育原则加以研究。比如，丁为祥对宋明理学思想谱系进行梳理，总结了三种知行关系原则，即：程朱的知先行后、王守仁的知行合一、王夫之的行先知后。他指出，儒家的道德并不仅仅是人生的伦理规范或道德训条，还承担着中国文化的价值之源与价值标准的

① 张岱年. 中国哲学大纲［M］. 北京：商务印书馆，2017：25－26.

② 杨志娟. 知行合一理念：历史追溯、政策意蕴和实践模式［J］. 教育学术月刊，2021 (5)：31－36.

③ 牛伟，王英. 孔子的知行观及其现代启示［J］. 人民论坛，2016 (11)：189－191.

④ 刘广浩. 荀子“由行致知”知行观及其历史价值探析［J］. 兰州教育学院学报，2019 (9)：76－78.

⑤ 宋志明. 中国传统知行观综论［J］. 江南大学学报（人文社会科学版），2015 (4)：5－10.

作用，因此，知与行都必须服从于道德修养。[①] 杨志娟指出，在知行关系上，早期“洛学”的代表人物程颢、程颐认为知是行的先导，先有知而后有行，没有知则没有行。[②] 涂爱荣则探讨了朱熹德育方法中的五个原则。他指出，知与行相结合的原则即朱熹“知行常相须”的德育原则。朱熹主张“穷理灭欲”的唯一通途是格物、致知、诚意、正心、修身、齐家、治国、平天下。“穷理”的过程也是“行”的过程。在朱熹看来，道德教育应是“致知”与“力行”兼容并存。他秉持“知行常相须”的原则，并修正了二程的知行观，提出“知轻行重”的观点，凸显了“行”在中国传统德育中的重要性。[③] 另外，王守仁的知行合一德育原则也受到学界的集中关注。尹锡珉指出，王守仁有意识地模糊知与行的界限、取消其各自的确定性，以证明“道德意识与道德实践只是一件事情”。[④] 王守仁倡言“知行合一”，把知与行作为一个动态的过程来把握，强调知与行的互相联系、互相包容，二者构成同一个行为过程。陈谷嘉与朱汉民认为，王守仁的知行合一的德育原则主张知与行是一个相互包含、相互渗透的过程；德育过程即是学、问、思、辨、行的过程；学、问、思、辨组成知，由此延伸至道德实践意义上的行。因之，王守仁的知行合一的德育原则强调主体的道德自觉性，彰显主体最朴素的道德。[⑤] 另有学者从“知行终始不相离”“未尝离行以为知”的命题中阐释王夫之知行关系原则，即知与行相辅为用、知对行的依赖等原则。[⑥]

---

① 丁为祥．宋明理学的三种知行观：对理学思想谱系的一种逆向把握［J］．学术月刊，2019 (3)：5－16.

② 杨志娟．知行合一理念：历史追溯、政策意蕴和实践模式［J］．教育学术月刊，2021 (5)：31－36.

③ 涂爱荣．试论朱熹德育方法中的五个“相结合”原则［J］．道德与文明，2006 (2)：28－30.

④ 尹锡珉．王阳明的教育观：“知行合一”的渊源和意义［J］．吉林省教育学院学报（上旬），2012 (5)：7－9.

⑤ 陈谷嘉，朱汉民．中国德育思想研究［M］．杭州：浙江教育出版社，1998：720.

⑥ 魏义霞．王夫之的知行观及其启蒙意义［J］．理论探索，2012 (1)：28－32.

还有学者进一步归纳了王夫之的“行可兼知”与“知行日进”的观点，提出知在行之中、知通过行来检验其功效、行是知的目的之所在。①

在对中国传统德育原则的研究中，知行合一原则并非唯一的主题。一些学者还归纳了中国传统德育的其他德育原则。如有学者用“爱人”一词概括孔子德育的道德准则；②有学者将孔子的德育原则总结为“为仁由己，而由人乎哉”的自觉性原则和“耻于言而过其行”的践行原则；③还有学者将孔子的德育原则归纳为学思结合、身体力行、改过迁善、自省自克以及身教原则等。④有学者将孔子的德育原则总结为慎言敏行、克己内省、以友辅仁、见贤思齐、改过迁善、身体力行、因材施教等方面，并归纳了董仲舒“经”“权”结合的德育原则、朱熹“立志”与“积习”结合、“阶段性”与“连续性”结合、“引导”与“禁防”结合、“致知”与“力行”结合的德育原则，以及王夫之、颜元、戴震等人强调实行、实用的实践原则。⑤另外，还有人从“身体力行，言行一致的道德认识和实践原则”“潜移默化、防微杜渐的品德感化形成原则”“重视身教，以身作则的师德原则”等方面，阐述了中国传统德育原则。⑥这些德育原则有一个共同的特点，就是突出德育与实际生活的统一，强调在日常生活中体现道德原则。⑦这些关于传统德育原则的研究，丰富了传统德育研究的内容，也为现实的德育实践提供了参考，具有重要的理论价值和实践意义。

---

① 何云岩，王春源，徐文．试析王夫之“行可兼知”与“知行日进”的思想［J］．教育探索，2014 (12)：13 － 14.

② 赵家骥．孔子德育思想初探［J］．东北师大学报，1981 (2)：78 － 85.

③ 王晓珠．浅谈孔子的道德教育原则和方法：兼谈大学生的道德教育问题［J］．孔学研究，1995 (2)：53 － 58.

④ 周振波．值得借鉴的孔子的某些德育原则［J］．成人教育，1996 (11)：30 － 31.

⑤ 丁伯成．德育原则新探［J］．教育理论与实践，1994 (6)：55 － 58.

⑥ 汪世堂．我国古代若干德育原则和方法的历史借鉴［J］．天水师专学报，1994 (3)：75 － 78.

⑦ 张岱年，程宜山．中国文化精神［M］．北京：北京大学出版社，2015：188.

## 第六节 “克己内省”的德育方法

宋代大儒朱熹在其《四书集注 · 孟子集注》中说 :“事必有法，然后可成。师舍是则无以教,弟子舍是则无以学。”中国传统德育特别讲究“法”。德育方法是为达到德育目的，实现德育内容，在德育原则指导下运用德育手段进行的教育者和受教育者相互作用的活动方式的总和。① 顾友仁认为，中国传统德育历经漫长岁月的沉积，形成了独特的方法体系。在中国传统德育中，德育方法不仅是实现教育目标的途径，而且是整合教育内容的手段。② 回溯中国传统德育方法，可以认为，“克己内省”是最重要的道德修养方法，这方面的研究成果也最集中。

对“克己内省”这一德育方法的探讨始终贯穿于中国传统德育方法研究中。赵家骥认为，儒家倡导的道德观念、道德情感、道德信念和道德判断能力等，不是生来具有的，而是通过“内省”的修养方法，从学习中得来的。孔子所说的“内省”要求人们经常对自己的言行做自我省察和自我批评，即“见贤思齐焉，见不贤而内自省也”。他指出，这是道德修养不可缺少的工夫，在提倡学、闻、见、行的同时，强调“内省”思过的道德修养方法。③ 刘志宁专门论述了“自克和自省”的德育方法，认为自省、自讼、反求诸己、慎独的道德修养方法与道德教育方法具有相通之处。④ 黄钊把先秦儒家的德育方法体系分为两部分 : 关于受教育者自我教育的方

---

① 胡厚福 . 德育学原理［M］. 北京 : 北京师范大学出版社 , 1997 : 296.

② 顾友仁 . 中国传统道德教育论纲［J］. 探索 , 2012 (6) : 136 － 140 + 162.

③ 赵家骥 . 孔子德育思想初探［J］. 东北师大学报 , 1981 (2) : 78 － 85.

④ 刘志宁 . 先秦教育家的道德教育原则、方法及其意义［J］. 甘肃理论学刊 , 1989 (6) : 58 － 62.

法；关于教育者对被教育者施行教育的方法。他指出，“反省内求”是先秦儒家倡导的自我德育的最重要方法。这一德育方法经历了一个发展过程：先由孔子提出“内省”和“求”的概念,后经孟子之论辩,形成“反省内求”的修养之道，将“反省”和“内求”结合起来。基于此，孟子提出求其放心、反求诸己、反身而诚、养浩然之气等修养方法。这些方法强调主体自我修养的能动作用，具有一定的合理性。① 古良琴在探讨先秦儒家德育方法时，亦把“反省内求”作为先秦儒家倡导的自我教育的重要方式，认为所谓“反省内求”,就是主张把“反省”和“内求”结合起来。② 他认为,“反省”指的是反思领悟某种道理，“内求”就是从自身求取善良美德的本性并发扬光大。求其放心、反求诸己、反身而诚是反身内求的表现形式。刘颖将克己内省上升为孔子的德育原则；③ 唐炜则把内省、慎独视为中国传统德育评价的标准，强调德育的自我省察及自省自讼的价值。④

事实上，克己与内省二者之间存在一定的区别。曾长秋和周含华认为，“克己”强调的是主体的节制，尤其注重外在的道德约束，“克己复礼”就是建立在道德自觉基础上的外在道德规约的内化过程，是“个体通过教化与修养而向社会归化的具体途径”。从“克己”的内涵来看，其直接目的是“复礼”，要求对“礼”持敬。有“克己”需求的主体是士以上的阶层，他们既要克制过度淫欲、见利忘义、言行不一等违背道德仁义之举，又要防止礼乐崩坏、道德失格、滥用刑罚等破坏公序良俗的行为。从“克己”的条件来看，“礼”是道德主体“克己”修身的根本依循，“仁”则是其价值诉求。从“克己”的方法来看，博学是“克己”的逻辑起点，这就要求

---

① 黄钊.先秦儒家德育方法浅议［J］.管子学刊，1993(3)：63－68.

② 古良琴.试论先秦儒家道德教育特点、方法及其现实价值［J］.黔南民族师范学院学报，2003(5)：64－68＋80.

③ 刘颖.孔子道德教育思想及其启示［J］.中国教育学刊，2003(4)：7－9.

④ 唐炜.传统德育思想的现代借鉴［J］.成都大学学报(社会科学版)，2006(4)：47－48.

学思结合。[1]黄钊认为，慎言是“克己”的重要条件，需要言行一致、躬行实践。“非礼勿视，非礼勿听，非礼勿言，非礼勿动”是“克己”的内在规范，要求主体遵循礼制，不做背礼之事。“克己”意味着内求独善其身，外求兼济天下，对内修身与对外复礼相互结合，构成中国传统德育的现实路径。而“内省”之法则更侧重于主体内在的道德自觉，试图超越外在的道德约束而养成独立、完整的道德主体，形塑健全的道德人格。“内省”是反省与内求的结合，一方面通过反思领悟某种道理，另一方面以领悟到的道理为指导，到自身寻找善良美德的本性，发扬光大。从“内省”的体系来看，敏而好学为内省之开端，见贤思齐为内省之要素，忠恕之道为内省之准则，见利思义为内省之品格，迁善改过为内省之成效。“内省”的最终目的，是引导主体自我反思，学会自觉审视言行不端倾向，进而加以改进。[2]

回顾中国传统德育方法的研究成果，可以看到两种致思倾向：一是道德修养方法，即道德主题进行自我德育的方法，前述克己内省的德育方法就属于道德修养方法。二是道德教育方法，即教育者对被教育者施以道德教育的方法。一些学者对此问题做出阐述。如有人主张将提倡学思并重、注重反省内求、奉行积善成德、主张慎言力行归纳为“儒家所提倡的自我教育的德育方法”，把提倡身教示范、重视环境陶冶、实行因材施教、注重塑造理想人格归纳为“儒家设计的教育者对被教育者施行教育的方法”。[3]也有人将先秦儒家德育方法看作是教育与自我教育方法相辅相成的德育方法体系，包括学思并重、反求内省、积善成德、慎言力行等自我修养方法，以及身教示范、环境陶冶、因材施教、人格塑造等教育者实施教育之方

① 曾长秋，周含华．中国德育通史简编［M］．长沙：湖南人民出版社，2011：21.

② 黄钊．先秦儒家德育方法浅议［J］．管子学刊，1993(3)：63－68.

③ 同②.

法。[①]还有人把中国古代德育途径和方法分为通过知识教育进行道德教育，包括寓教育于教学中的德育熏陶方法和通过自我修养提高道德品质的方法两类。前者包括用格言致论、日记故事、嘉言善行等进行德育的方法；后者则包括从小事做起、自我省察、改正过错、反求得等方法。[②]另有人把中国传统的道德修养方法归纳为修身养德、反察自律、博学慎思、立志有恒、谨言慎行、知行并进、诚实守信、刚正不阿，并将好学善思、学思结合、培植情感、立志有恒、逆境磨炼、知行并重、因性而教、因材施教视为中国传统德育的具体方法。[③]有学者把先秦诸子德育方法分为关于教育者施教、受教育者自我教育、道德评估的方法，共三类150余种，并分别加以阐证。[④]这些研究通过归纳、分类、比较等方式，把中国传统德育方法的研究不断推向深入。

此外，还有学者对立志、力行、改过、穷理、去欲、立诚、主敬、忠恕等中国传统德育方法加以研究，取得了具有较高价值的成果。中国传统德育首先解决的是人生观问题，因此特别强调立志教育，主张眼前利益要服从远大理想；而立志和力行是分不开的，道德修养的高低主要通过行动来体现，也只有按照道德准则和规范身体力行，才能不断提高道德修养水平；自克和自省是道德教育的核心；改过迁善则是正确处理道德问题的一个基本原则。[⑤]有人撰文讨论了中国传统德育中的立志有恒、

---

① 古良琴．试论先秦儒家道德教育特点、方法及其现实价值［J］．黔南民族师范学院学报，2003 (5)：64 － 68 + 80.

② 孟旭．中国古代道德教育的途径和方法评述［J］．山西大学师范学院学报（哲学社会科学版），1998 (2)：66 － 68.

③ 冯益谦．比较与创新：中西德育方法比较［M］．北京：中央编译出版社，2004：160 － 196.

④ 崔华前．先秦诸子德育方法思想研究［M］．北京：中国社会科学出版社，2008：94 － 233.

⑤ 刘志宁．先秦教育家的道德教育原则、方法及其意义［J］．甘肃理论学刊，1989 (6)：58 － 62.

克己内省、身体力行、改过迁善、以身作则等方法；[1]在论及宋明理学家的德育方法时，有学者从学思结合、知行统一、立志、慎独、穷理、去欲、立诚、主敬、改过、修身诸方面，梳理了宋明理学家的自我修身方法。[2]还有学者认为，中国古代思想家倡导的诗教、乐教、积、渐、摩、节、自反、敬、分、浚、疏等德教方法，蕴含了关于德教方法的基本思想取向，即强调身教，注重自教、自得，倡扬启发教学，力主因材施教，坚持循序渐进。[3]不过，也有学者提出了一些不同意见。如有人将古代儿童道德教育的方法表述为"形"示、"情"染的德教发蒙方法；[4]有人将中国传统德育方法归纳为以爱养之、宽严相济，顺其性情、寓教于乐，量资量力、循序渐进，随读随讲、知行并进，务求精熟、力戒贪多，多加诱掖、少施惩戒，正身端品、专一尽心等方面。[5]也有学者专门讨论孔子倡导的因材施教、循循善诱、不愤不启、不悱不发、举一反三等德育方法，强调其"有针对性、层次性地施教，并以平等的态度对待弟子"的教育价值。[6]其他相关研究包括：将中国传统德育原则和方法归纳为"重知尚行与知行相须""因材施教与循序渐进""启发诱导与寓教于乐"；[7]传统德育方法论深受克己复礼、存理灭欲观念的支配，是一种以整体与社会秩序为绝对的价值取向的方法论，慎独自修、立志乐道、启发诱导、改过迁善等德育方法以肯定天道对人的绝对优势和权威为前提，蔑视人的欲望和理性，因而不

---

① 刘颖．孔子道德教育思想及其启示［J］．中国教育学刊，2003 (4)：7 － 9.

② 涂爱荣．宋明理学家德育方法思想研究［M］．武汉：湖北人民出版社，2007：90 － 138.

③ 沈壮海．中国传统德教方法论及其现代意义［J］．教育研究，2003 (10)：52 － 55 + 96.

④ 曾钊新，刘良湖．古代儿童道德教育的内容、方法及途径［J］．教育评论，1993 (5)：42 － 44.

⑤ 高谦民．明清时期小学德育原则与方法［J］．华东师范大学学报（教育科学版），1995 (3)：61 － 65.

⑥ 宋绍光．试论孔子的德育思想［J］．徐州师范学院学报，1990 (2)：94 － 97.

⑦ 姜婕，邓子纲．中国传统德育思想的原则和方法［J］．湖湘论坛，2003 (6)：94 － 96.

能达成培养独立人格以实现改造社会之目的；[①] 中国传统德育方法是一个包括说理教育法、榜样示范法、实际锻炼法、修养指导法、情感陶冶法、价值澄清法等在内的一个复杂的体系，应以现代德育话语来解释传统德育方法。[②] 中国古代德育方法包括知识教育法、示范法、自律法、劝诫法、励志法、暗示法、感染法、举例法、养气法等九种类型；[③] 孔子的德育方法可分为文化元典教育法、圣哲先贤教育法、喻评时政教育法、审美陶冶教育法、切磋砥砺教育法、躬行示范教育法；[④] 另有学者归纳了八种典型的中国传统德育方法论思想。[⑤] 以上均是对中国传统德育方法研究的新探索。

总之，中国传统德育在其长期的历史发展中形成了独具特色的德育方法。克己内省的德育方法是以人为本、由内而外的中国传统德育方法的集中体现。对中国传统德育方法持续不断的研究，丰富了中国传统教育思想的时代内涵。

## 第七节　“家教规范”的德育特点

在学界，人们从不同视角来概括中国传统德育的特色。如有学者强调情感在先秦儒家德育中的地位和价值，把先秦儒家德育称为“情感意通”

---

① 赵志毅．论传统德育方法论的现代转换［J］．教育研究与实验，1996 (3)：17 － 20.

② 方璐萍．传统德育方法的现代借鉴［J］．当代教育论坛，2005 (22)：71 － 72.

③ 马忠，张晓玲．论中国古代道德教育的基本方法及其现实意义［J］．思想政治教育研究，2016 (4)：96 － 100.

④ 蔡世华，黄军利．略论孔子道德教育方法及其对现代高校德育的意义［J］．理论导刊，2006 (2)：69 － 71.

⑤ 张忠华．论传统德育方法论思想的现代价值［J］．高校教育管理，2008 (6)：33 － 41.

的道德教育。[①]关于中国传统德育的特点，还有“三点论”“四点论”“六点论”等不同观点。如陈宇光从传统德育的“仁”“中庸”“三纲五常”“义和利”“修养治平”五大核心概念出发，提出中国传统德育内容政治化、多元价值趋同化和独特的人文性质三大特征。[②]王正平认为，中国传统德育思想具有德教与修身合一、知道与躬行合一、言教与身教合一三大特征。[③]王泽应则认为中国传统德育思想具有合知行基础上的以行为旨归、合内外基础上的以内为根本、同真善基础上的以善为核心和一群己基础上的以群体为最高价值取向四大特征。[④]江万秀、李春秋则把中国德育思想的基本特征概括为：浓厚的宗法封建伦理本位；“明人伦”“求圣贤”的道德意境；德育过程的实践理性品格；注重自我修养及其方法论特征。[⑤]而于洪燕则将中国传统德育的特点归纳为六个方面：一是德育首位，即德育在我国传统教育中处在首位或主导、核心的地位；二是德育思想的多元性，即中国传统德育思想来源多、流派多，思想内涵丰富；三是内圣外王统一基础上的知行合一，即社会责任与个人道德在生活实践和身心修养中的统一；四是追求道德理想人格；五是政治教育、思想教育和道德教育的“三位一体”；六是学校、社会和家庭教育的密切联系。[⑥]以上关于中国传统德育特点的研究，具有一定的代表性，这些研究成果有助于我们完整地把握中国传统德育思想的特征及时代价值。而现有研究中更多的是从家庭德育的角度来

---

① 古良琴.试论先秦儒家道德教育特点、方法及其现实价值[J].黔南民族师范学院学报，2003 (5) : 64 − 68 + 80.

② 陈宇光.中国传统道德教育内容的核心概念及其特征浅说［J］.苏州教育学院学报，2000 (4) : 41 − 43 + 49.

③ 王正平.中国传统道德论探微［M］.上海：上海三联书店，2004 : 35 − 40.

④ 王泽应.论中国传统德育思想的基本特征［J］.湖南师范大学社会科学学报，2005 (3) : 18 − 22.

⑤ 江万秀，李春秋.中国德育思想史［M］.长沙：湖南教育出版社，1992 : 16 − 22.

⑥ 于洪燕.中国传统“道德”内涵的现代解读与转换[D].重庆：西南大学，2010 : 67 − 78.

总结中国传统德育的特色。

中国传统伦理道德是在以宗法组织为基本单位的社会结构中建立起来的。因此,这种宗法组织本身就带有某种不言自明的德育功能。毛礼锐指出,家庭作为现实社会结构的一个必要的细胞，其维持需要有道德纪律，同时它又担负着重要的道德教化的任务。[①] 在中国传统德育体系中，家庭德育具有重要地位。以小家成大德，彰显着中国传统德育浓重的历史特色。

家教遗风，古已有之。注重家庭德育是中国传统德育的一个突出特征，也是中华民族贡献于世界的一大教育智慧。对中国传统德育“家教规范”特点的研究,是传统教育研究的重要内容。有学者在研究颜之推《颜氏家训》时指出，“教详于家”的中国传统家教德育思想，最早可追溯至西周时期的《召诰》。[②] 自此之后深受历代推崇，可谓赓续不绝。中国古代崇尚自给自足的农业生产，血缘关系是人际关系的基础，家庭则成为社会结构的缩影，建立在血缘关系基础上的宗法制度对于人伦等级秩序的维护发挥着重要作用。《颜氏家训》的编撰是继前人家教之规训,以儒家伦理道德为本位,以“德艺周厚”的修身之道、“睦亲为上”的齐家之道、“经世应务”的处世之道构筑起来的体系完备的家庭德育思想。建立在我国宗法制度基础上的家庭德育，在继承古代家教传统的同时，也不断适应社会发展的需要而变化,成为中国传统德育的重要组成部分,并使其流露出浓厚的“家教规范”的德育特点。

对中国传统家庭德育的研究，可归结为如下四个方面：

一是对中国传统家庭德育理念的研究。如冯益谦、詹文都、许国彬等学者认为，中国传统家庭德育在理念上强调“教家立范、品行为先”，要求家庭成员把道德修养放在第一位，把亲情感化与道德规范有机地统一起

① 毛礼锐．论儒家的道德教育思想［J］．北京师范大学学报，1980 (3)：73 − 82.

② 葛敏，缪建东．颜之推家庭教育思想述略［J］．中国成人教育，2017 (11)：150 − 154.

来，主张严慈相济。[①] 这也构成了中国传统德育的一大特色。

二是对中国传统家庭德育目的的研究。成德成人是中国传统家庭德育的核心目的，但不同家庭的德育目标也存在一定的差异。如洪卫中在考察《颜氏家训》时指出，颜之推主张的家教在训教子孙"务先王之道、绍家世之业"的同时，还把家教作为坚守儒家伦理、宣扬儒学的工具。[②] 一方面，颜之推"提撕子孙"遵循儒道，毕生致力于探求儒家之于个体教化与社会治理的先王之道，并教育子弟通过修养德行、学习技艺等来传承和发扬宗族的家世家风，教导颜氏子弟要积极入世、戒骄戒躁，在德行与文艺的陶冶中立德树贤；另一方面，颜之推"整齐门内"继家业。《颜氏家训》秉承儒家重道德尊人伦的教育思想，注重厘清父子、兄弟、夫妻等人际关系，以中庸之道维系家族的长久延续。

三是对中国传统家庭德育内容的研究。有学者将颜之推的家庭德育内容归纳为四个方面：一是仁爱之德，《颜氏家训 · 治家》曰"裴子野有疏亲故属饥寒不能自济者，皆收养之"；二是守礼之德，《颜氏家训》分为"箕帚匕箸，咳唾唯诺，执烛沃盥，皆有节文，亦为至矣"的礼制之德和"借人典籍，皆须爱护，先有缺坏，就为补治，此亦士大夫百行之一也"的礼貌之德；三是忠顺之德，所谓"士君子之处世，贵能有益于物耳，不徒高谈虚论，左琴右书，以费人君禄位也"（《颜氏家训 · 涉务》）；四是慎名之德，所谓"凡有一言一行，取于人者，皆显称之，不可窃人之美，以为己力"（《颜氏家训·慕贤》）。[③] 简言之，《颜氏家训》的家庭德育内容侧重四个方面：仁义亲爱（立家）、遵礼重孝（做人）、忠君尽职（仕宦）、中庸慎独（处世）。

---

① 冯益谦，詹文都，许国彬，等．比较与创新：中西德育方法比较［M］．北京：中央编译出版社，2004：202.

② 洪卫中．颜之推对儒家思想的坚守与世俗化传播：以《颜氏家训》为中心的考察［J］．郑州大学学报（哲学社会科学版），2015 (1)：154 － 159.

③ 葛敏，缪建东．颜之推家庭教育思想述略［J］．中国成人教育，2017 (11)：150 － 154.

四是对中国传统家庭德育方法的研究。如冯益谦、詹文都、许国彬等学者将中国传统家庭德育方法归纳为道德规劝、道德规范两种，二者的区别在于，道德规劝是通过形形色色的各类“家训”“家范”“家书”“碑铭”“治家格言”等进行苦口婆心的道德规劝，而道德规范则是通过道德律令性质的各种“家规”“家法”“家禁”等方式规范子弟的道德行为。[①]

## 第八节 “度德为师”的德育教师观

在中国传统德育思想的历史演进中，既包括对受教育者的道德内铄与行为养成，也包含对教育者德行修养的现实关切。从古至今，教师从来就脱不开道德教育的责任。从“尊师重教”到“师道合一”，中国传统德育的教师观实现了育人与立德的融合，而中国传统德育的递嬗、转化、革新又不断衍生出新的教师观。诚如檀传宝的见解，师德是教师和一切教育工作者在从事教育活动时必须遵守的道德规范和行为规则，以及与之相适应的道德观念、情操和品质。[②] 回顾中国传统德育研究中对教师德行的探讨，可以看到，中国传统德育教师观的研究多是从研究中国传统德育思想家的师道观入手来探讨师者之道的。

中国传统教育关于教师素质之最重要的品质就是师德：度德为师。先秦时期诸子百家争鸣，儒、墨、道、法各家都对教师的素质有过讨论。孔子、孟子、荀子乃至《学记》中都对教师的德性予以细致的规定与探讨。由此，探讨孔子的教师观、孟子的教师观、荀子的教师观、《学记》中的

① 冯益谦，詹文都，许国彬，等. 比较与创新：中西德育方法比较［M］. 北京：中央编译出版社，2004：202.

② 檀传宝，等. 走向新师德：师德现状与教师专业道德建设研究［M］. 北京：北京师范大学出版社，2009：21.

教师观的成果比较集中。如郭齐家就曾以孔子、《学记》、孟子、荀子、韩愈、王守仁等人（典籍）的教师观为代表，论述了中华优秀传统文化中学为人师、行为世范的师德与教师观。[①] 另有学者探讨了孔子、孟子、荀子以及《学记》在师道观方面的内容、地位和作用，阐论了先秦儒家在教师条件、师生关系、教师修养等方面的要求，认为“仁”是教师理应具备的条件，为师必以德。[②] 在这类研究主题中，关于孔子教师观的研究成果较多。如有学者认为，“学而不厌”“诲人不倦”表达了孔子对教师之教与学的认识，教人与自学是对立统一的；孔子能准确指出每个弟子的性格特点、学识能力，就是其关爱学生最好的证明；因材施教、启发诱导、学思结合、博约兼顾是孔子始终坚持的教学原则与方法。[③] 还有学者认为，孔子已经形成了一套较为完整的师道观，包括以身作则、为人师表的师道规范，学而不厌、勤于进取的师道要求，热爱学生、诲人不倦的师道原则，孔子的师道观蕴含着强大的文化生命力和现实意义。[④] 黄济详尽归纳了孔子诲人不倦、因材施教、教学相长、爱生如子、患难与共的教师人格和教育经验。[⑤] 在教师的内在属性上，孔子将道德作为“仁”的核心，教师对道德的传袭即是对“仁”的不懈追求。由此，教师成为具有道德生命力的社会教化者和复“礼”求“仁”的践行者。

关于孟子、荀子、韩愈、王守仁等思想家的教师观的研究虽不及对孔子的教师观的研究之多，但也有不少成果出现。比如江万秀、李春秋认为，在孔子教师观的影响下，韩愈对“师”之职责做出深刻阐释：“师者，所以传道、受业、解惑也。”于师而言，授业与解惑均从属于传道，教师具

---

① 郭齐家．中华传统文化中的师德与教师观［J］．中国教师，2018（S2）：188.

② 赵俊杰，刘卫彬，韩凤英．先秦儒家师道观研究［J］．河北师范大学学报（教育科学版），2006（4）：35－39.

③ 高尚刚．孔子教师观述论［J］．河南大学学报（哲学社会科学版），1989（3）：90－94.

④ 屈川．孔子师道观探讨［J］．宜宾师专学报，1989（3）：73－77.

⑤ 黄济．万世师表：谈孔子的教师观［J］．教育科学研究，2003（1）：43－46.

有捍卫儒家道统的使命，通过寓道于教，发挥教师传道弘德的终极价值，因而韩愈之“师”，“既应品德高尚、忠于理想、传播真理，又要学有专长、认真授业”。[①] 除传统儒家教师观外，还有学者考察了道家、墨家等其他学派对教师的要求。如有学者基于《庄子》“大宗师”思想对其师道观进行了深入阐释，指出庄子“以道为师”和“为师之道”的双重师道哲学，而“为师之道”即是其倡导的德充于内、形忘于外的师道；庄子心中“能为人师者”，本身必须是能与天合德的得道之士，如庖丁、王倪、壶子等人都是超越常俗意义上的教师形象：他们言行诡谲，处事异俗，但他们身上无不凝聚着一种特质——即“在教育方法上表现出以退为进，无为而为的智慧；在人格特质上德充于内，而形忘于外；在目的上则追求‘人师’与‘道’的合一境界”。[②]

还有一些学者对中国传统教育中的师德观作了历史梳理与探讨。如施克灿指出，中国传统教师观的发展经历了一段悠久的历程，然而，从先秦儒家、汉唐经学家、宋明理学家、明清实学家等对教师问题的诸多论述中，都可看到中国传统教师观注重师德的显著特征，即师严与道尊的统一、师道与君亲的统一、经师与人师的统一、教与学的统一、宽与严的结合等，它们共同构成了中国特有的教师文化。[③] 另有学者对以先秦诸子为代表的“先师”之道予以归纳，指出两种相对的师道观：一是孔、孟、荀、墨诸子的主张，即认为老、尊、学是为师的条件，三者彼此沟通，集于一人之身，使之庶几乎为人之师；循道而教、来学不往教、有教无类、循循善诱、因材施教是为师之原则，制约和指导是为人之师者的行为；君子之乐、传承道学、利人益国是为师之目的，也是为人之师的独特生存形式。二是道家

① 江万秀，李春秋．中国德育思想史［M］．长沙：湖南教育出版社，1992：204.
② 岳涛，李杏．《庄子》的“师道”哲学［J］．教师教育论坛，2015（6）：59－62.
③ 施克灿．传统教师观的历史沿变及意义［J］．教师发展研究，2018（2）：88－92.

老子和法家韩子，从其愚民论的观点出发，主张的废师说。[①] 还有学者从教师的职业道德、知识结构、从教能力、职业形象、师生关系等方面，对中国传统师道观进行梳理分析，认为对为师之道的规范性要求是师德的核心，其中“德行高妙为人师表”“通达国体温故知新”“循循善诱教亦多术”“尊严而惮内外兼修”“以爱相济教学相长”等，皆是古代师道观形成中恒常不变的核心内容。[②] 还有学者对中国古代教师文化进行了考察，认为中国古代教师的生存之道处于“道”与“王”的夹缝中，作为圣贤文化的代言人和传播者，他们以“圣贤”的学问及人格修养为标准严格要求自己，在文化性格上极重视成就道德，关注“道统”，也以此砥砺学生的德行。[③] 还有学者通过对传统儒学经典的主题化解读，提出了不同的儒学教师观：“教师即‘道德创造家’、教师即‘个人’、教师即‘终身学习者’、教师即‘批判性知识分子’。”[④] 还有学者认为，中国古代传统为师之道包括为师之德、为师之才和为师之方，即对教师德行、知识、方法三个方面的要求，它们共同构成了完整的儒家“师道”思想。[⑤]

从对中国古代教育家、思想家及其著作中蕴含的教师观的相关研究成果中可以看出，中国传统德育的教师观主要体现在对教师角色、地位、任务、素养、要求等方面的论述上，而德性居于首位。诚如有学者的论述：“古代‘凡学校之师，不论乡学、国学、太学，决当以德行学问为主’。”[⑥] 传统

---

① 赵东玉．先秦诸子师道观管窥［J］．齐鲁学刊，1996 (1)：57 – 62.

② 王凌皓，姬天雨．中国古代师道观评析［J］．河北师范大学学报（教育科学版），2019 (1)：15 – 20.

③ 车丽娜．中国古代教师文化的考察［J］．山东师范大学学报（人文社会科学版），2007 (2)：137 – 141.

④ 魏建培．儒学教师观［J］．教师教育研究，2010 (1)：51 – 56.

⑤ 王晓璇．中国古代传统为师之道［J］．河北师范大学学报（教育科学版），2019 (3)：28 – 32.

⑥ 郑家福，蒋亚星．中华传统师德溯源研究［J］．西南大学学报（社会科学版），2022 (2)：223 – 232.

师者基本都表现出这样一种特质：在立德树人中立为师之德、行道德之教。也就是说，中国传统教育思想中关于教师的职业操守始终秉持着“度德为师”的标准。

# 第四章
# 先秦儒家德育思想研究

中华民族是重德尚德的民族，早在上古时期就出现了推崇德行的观念。《尚书·尧典》记载帝尧“克明俊德，以亲九族。九族既睦，平章百姓。百姓昭明，协和万邦”。《尚书·舜典》记载帝舜“慎徽五典，五典克从”。崇尚父义、母慈、兄友、弟恭、子孝，化民以德成为原初时期中华文化的鲜明特色。殷周制度变迁之际，周公总结了“小邑周”打败“大邑商”的历史经验，提出“敬德保民”之政见，通过制礼作乐、建立宗法制，开启了中华民族敬德、明德、修德、用德的文化传统，也为儒家德育思想的起源预制了文化基因。孔子总结三代文化，删述六经，构建了以“仁”为核心的德育思想体系。孟子、荀子为代表的儒家学者从人性论出发，分别提出了“人皆可以为尧舜”“涂之人可以为禹”的观点，肯定了“学以成圣”的育德路径。孟子从孔子“为政以德”的思想出发，提出了“保民而王”的仁政思想，将“明人伦”视为德育教化的核心任务；荀子则从人性本恶的角度出发，通过礼义教化来规训人性、实现“化性起伪”的育德目的；曾子、子思为代表的孔门后学将道德思想与王道德政统合起来，提出了“止于至善”的育德追求，开启了儒者“内圣外王”的修己安人之路。

# 第一节　孔子“仁者爱人”的德育思想

孔子（前 551—前 479），名丘，字仲尼，是我国伟大的教育家、思想家，儒家学派的创始人。他生于当时的文化中心曲阜，年少志学，学而不厌，终成学识渊博的一代宗师。孔子在其人生的大部分时间内，将精力投入到“私学”之教育事业中,培养了三千弟子、七十二贤人的庞大儒学群体。在孔子的教育实践中，德育是中心。德行高洁成为孔门的最高褒扬。弟子樊迟问仁，孔子回答“爱人”。可以说，“仁者爱人”成为孔子德育思想最核心的表达。

## 一、孔子德育思想的研究历程

孔子是中国传统教育思想的奠基者，素有“万世师表”之美誉。纵观中国德育思想研究的历程，孔子思想研究始终作为显学存在。从中国教育学科萌生之始，孔子德育思想就是研究者关注的重要内容。回溯百年研究历程，我们可大致将其分为三个阶段。

### （一）早期建构阶段

晚清民国时期，是中国现代学科体系初创时期，关于孔子教育思想的研究大都融入一些综合性著述之中。蔡元培、胡适、冯友兰、梁漱溟等著名学者在论述孔子思想时都涉其德育思想，都注意到了“仁”作为孔子道德教育核心这一特质，都论及了仁、君子人格及其他道德品质的关系。

从教育学的相关著作来看，1904 年黄绍箕草创、1910 年柳诒徵辑补完成的《中国教育史》是第一本由中国学者撰写的中国教育史著作，成为中国教育史学科诞生的重要标志。在此书中，作者论述了孔子的“四科”

教人,认为“孔子教人之德行,无过于‘仁’”。[①]孔子的仁道就是教人尽敬、礼、忠、恕之道。20世纪20年代以后，王凤喈、陈青之、陈东原、余家菊等一批教育史学家在其作品中都关注了孔子的德育思想。陈东原与陈青之的同名著作《中国教育史》虽然都涉及了孔子的教育思想，但是对于孔子德育思想都的研究并不充分。

1937年，日军全面侵华以后，在战乱纷争之间，人们已难以安下一张安静的书桌,教育学研究处于低谷。虽然这一时期也出现了罗廷光、程俊英、张其昀、马宗荣等论述中国古代教育家、中国古代教育史的学者，但囿于时代原因，这一时期对于孔子德育思想的研究是浅尝辄止的。

### （二）批判反思阶段

1949年10月1日，中华人民共和国诞生，中国教育研究进入新纪元。教育理论界开启了学习马克思主义的新高潮，用唯物史观、阶级分析的方法评判中国传统教育思想是这一时期的典型特征。反思传统教育，孔子的教育思想是无法回避的内容。从20世纪50年代开始，孔子德育思想的研究也出现了几次高潮。

1954年6月14日,许梦瀛在《光明日报》发表《孔子的教育思想》一文,开启了孔子教育思想研究的序幕。嗣后，郭沫若、沈灌群、陈景磐等著名学者介入孔子德育思想的研究中。沈灌群认为，孔子是具有民主思想的人道主义者，仁道贯穿了孔子一生的思想和活动。仁德的实践，在消极方面要做到“己所不欲，勿施于人”的“恕”道；在积极方面要做到“己欲立而立人，己欲达而达人”的“忠”道。[②]陈景磐认为，孔子主张“爱人”,强调人的作用与价值，孔子的君子人格，以社会性和一般性道德新精神取代宗教性和贵族性的道德教育，表现出孔子是一个伟大的有人民性的教育

① 黄绍箕，柳诒徵．中国教育史［M］．福州：福建教育出版社，2011：200.

② 杜成宪．大夏文存·沈灌群卷［M］．上海：华东师范大学出版社，2017：18.

家。[1] 当然，这一时期也有学者认为孔子的仁，虽然有“安百姓”的思想，但是并不站在百姓的立场，没有人民性的因素。1962 年，在济南召开的孔子讨论会将孔子研究再次推上高潮，关于孔子教育主张及其教育实践得到进一步的挖掘。但是对于孔子的道德教育思想的认识，似乎还存在顾忌，因此少有论文发表。[2]

1966 年，中国进入“文化大革命”时期。这一时期，“批林批孔”与儒法斗争对孔子德育思想的研究产生了重大影响。这一时期很多研究都提到孔子“克己复礼”是搞复辟、开历史倒车的行为。受历史发展阶段的影响，这些研究不同程度上曲解、歪曲了孔子的教育思想。

### （三）科学研究阶段

1978 年，关于真理标准问题的大讨论和党的十一届三中全会的召开促进了教育思想的大解放。从重新评价孔子开始，中国教育学界开始了拨乱反正。张瑞璠、杨荣春、李国榕、毛礼锐、周德昌、杜成宪、罗炽、黄钊等学者都论析了孔子的德育思想及其与孔子教育、教学思想的关系。

1978 年，关于孔子教育思想的拨乱反正是从孔子私学性质的讨论展开的，随后涉及孔子的教育教学方法、学而优则仕等观点。1980 年，《教育研究》杂志开启了“孔子教育思想笔谈”，张瑞璠、何寿昌等学者提出将孔子的政治思想、哲学思想与教育思想分离，通过一分为二的方法推进孔子教育思想的研讨。这一时期，中央教科所、曲阜师院先后编纂了《孔子教育思想论文集》，将孔子教育思想研究进一步推进。

自 20 世纪 80 年代起，德育原理逐渐从教育原理分离出来成为专门的研究领域，一些专门研究中国传统德育、儒家德育的著作开始出现。罗炽

---

① 陈景磐 . 孔子的教育思想［M］. 武汉 : 湖北人民出版社 , 1957 : 2.

② 杜成宪 , 崔运武 , 王伦信 . 中国教育史学九十年［M］. 上海 : 华东师范大学出版社 , 1998 : 85.

等人合著的《中国德育思想史纲》按照学派分析了先秦诸子的德育思想，该书作者认为孔子的德育思想是其教育的主干，“仁”反映了其德育思想的核心内容和终极关怀，“礼”是“仁”的外在形式和标志。孔子德育的本质是“仁”和“礼”有机结合形成的中和境界。[①]陈谷嘉等人论述了孔子德育思想体系的建构、理想人格和道德教育实施的过程，并详细阐述了孔子以仁与礼为核心的德育规范内容，强调了仁作为孔子文化体系的核心及其表现——在政治原则上表现为忠恕之道，在道德原则上表现为孝悌本位，在个人道德上表现为克己爱人等。[②]王钰的《孔子》一书论述了孔子的道德教育思想，包括以“仁”为核心的道德教育、义利之辨、孝与友的伦理学说。[③]总之，这一时期孔子德育思想的研究伴随着儒家德育思想的系统梳理开始向精细化、理论化方向发展。

## 二、孔子德育思想研究的主要成果

从孔子德育思想的主要研究成果来看，研究的框架大同小异，主要集中在德育的目的和作用、德育内容、道德修养的原则和方法、道德修养的过程、儒家的理想人格等方面。

### （一）孔子德育目的

孔子论述了道德在人类社会生活中的重要作用。统治者自身具有高尚的道德，就能引导和示范普通民众修德向善。“为政以德，譬如北辰，居其所而众星共之。”（《论语 · 为政》）赵家骥认为，“仁”是孔子德育思想

---

① 罗炽，简定玉，李太平，等．中国德育思想史纲［M］．武汉：湖北教育出版社，1998：58－59.

② 陈谷嘉，朱汉民．中国德育思想研究［M］．杭州：浙江教育出版社，1998：28.

③ 王钰．孔子［M］．沈阳：辽海出版社，2015：3－5.

的重要内容，包含人民性，体现了重民思想。仁从积极方面应该爱人，从消极方面不能损人、害人。[①] 孙培青认为："孔子肯定道德在社会政治方面的重要作用，主张利用道德作为施政的主要手段。"[②] 孔子论述比较多的是德育的社会作用，他指出："政者，正也。"（《论语·颜渊》）"君子之德风，小人之德草。"（《论语·颜渊》）这些见解都强调了统治者为民表率、通过道德教化来化民成俗的德育目的。

孔子也论及了道德教育对于个人发展的作用。胡适把孔子的"仁"视为做人的道理，一个成人完成其人格便是仁，而且将仁与君子联系起来。[③] 冯友兰在《中国哲学史》中认为"仁"是人的真性情的流露，以同情心为本，是一种全德；仁"统摄诸德"，是孔子的一以贯之之道。[④] 王凤喈在《中国教育史大纲》中认为，孔子的教育目的就是"求仁"，仁有"生生之德"与"与物同体"的双重含义，仁既要求个人道德修养，并且推己及人，仁民爱物。[⑤] 这些研究指出了孔子道德教育目的的两个层面——个人与社会。

### （二）孔子德育内容

关于孔子德育内容的研究，众多学者都关注到了"仁"在孔子德育思想体系中的核心地位，并论述了仁与礼的关系。此外，有些学者还关注了"六经"与孔子德育内容的关系。

蔡元培在其《中国伦理学史》中认为："孔子理想中之完人，谓之圣人。圣人之道德，自其德之方面言之曰仁，自其行之方面言之曰孝，自其方法之方面言之曰忠恕。"他还认为，孔子之仁"统摄诸德完成人格之名"。[⑥]

---

① 赵家骥．孔子德育思想初探［J］．东北师大学报（哲学社会科学版），1981（2）：82.

② 孙培青．中国教育简史［M］．北京：中国人民大学出版社，2021：348.

③ 胡适．中国古代哲学史［M］．南京：江苏文艺出版社，2013：98.

④ 冯友兰．中国哲学史［M］．北京：中华书局，2014：91.

⑤ 王凤喈．中国教育史［M］．福州：福建教育出版社，2011：50－51.

⑥ 蔡元培．中国伦理学史［M］．北京：中国画报出版社，2010：12.

江万秀、李春秋的《中国德育思想史》分析了先秦诸子的德育内容，深入分析了孔子以仁、礼为核心的德育内容，并从爱人、孝悌、克己复礼等方面阐述了孔子仁德的内涵。[①] 于钦波的《中国德育思想史》认为，孔子的德育内容以“仁”为核心，以培养君子为理想，注重“六经”教学，重礼而贵仁。[②] 黄钊在《儒家德育学说论纲》中，对“六经”与孔子德育思想的来源作了论述，认为“六经”具有很强的育德功能，孔子在整理“六经”的过程中形成了自己的道德信条，并逐渐形成了自己的仁政和德政学说。[③] 仁作为孔子德育内容的核心，成为学者的共识。

### （三）孔子道德修养过程

孔子的道德修养过程主要表现为以道德认知为基础，通过一定的情感、心理活动，实现道德行为的过程。燕国材、李国榕等人对孔子道德修养过程进行了研究。燕国材论述了孔子的德育心理思想，认为孔子提出的“性相近、习相远”和“唯上智与下愚不移”是符合人的心理发展规律的。[④] 李国榕将孔子视为世界上最早的教育心理学家，认为孔子注重在德育过程中通过立志确立道德信念，要求学生言行一致，培养坚定的道德意志；孔子还将德育与学习联系起来，揭示了德育与智育的密切关系。[⑤] 从道德修养过程来看，在中西教育思想史上，道德认知与道德实践都得到了关注，但关注的重心不同。以苏格拉底为代表的古希腊学者更关注道德认知的习得，认为“美德即知识”；以孔子为代表的儒家先哲则更加强调行重于言，主张“听其言而观其行”，认为道德行为才是衡量个人道德水准的重心。

---

① 江万秀，李春秋．中国德育思想史［M］．长沙：湖南教育出版社，1992：61－62.

② 于钦波．中国德育思想史［M］．长春：吉林教育出版社，1993：79.

③ 黄钊．儒家德育学说论纲［M］．武汉：武汉大学出版社，2006：47.

④ 燕国材．孔子的德育心理［J］．上海师院学报（社会科学版），1981（1）：97－99.

⑤ 李国榕．孔子的教育心理学思想［J］．齐鲁学刊，1984（2）：45.

### （四）孔子道德修养原则与方法

孔子非常强调个体在道德修养过程中的主动性与自觉性，提出："为仁由己，而由人乎哉？"（《论语·颜渊》）个人在道德修养过程中如具有主动性和积极性，就能有效地实施仁道，所谓："我欲仁，斯仁至矣。"（《论语·述而》）关于孔子道德修养的原则，很多学者从立志、克己、内省、力行、中庸、改过等角度进行了论述。

立志强调个人的道德理想，是道德意志的保障。孔子认为："苟志于仁矣，无恶也。"（《论语·里仁》）内心若能确立坚强的意志，就能克服一切困难。孔子曰："士志于道，而耻恶衣恶食者，未足与议也。"（《论语·里仁》）孙培青等学者认为："孔子引导学生立足现在而面向未来，确定仁道为个人志向和人生理想。"① 道德意志是道德行为能否持续的保障，孔子认为："三军可夺帅也，匹夫不可夺志也。"（《论语·子罕》）个人一旦形成稳定的信仰就难以改变。

克己则是指道德行为要有一定的底线意识，能够做到推己及人。道德行为更多的是对自我行为的规范，所谓："躬自厚而薄责于人，则远怨矣。"（《论语·卫灵公》）有学者认为：孔子的"道德修养的核心是使自己的内心世界符合社会公认的道德准则与规范"。②孔子重视礼教，"内仁外礼"的君子人格是其推崇的理想人格。礼是一种"尊尊亲亲"模式下形成的社会规范，通过自我规训达到从心所欲而不逾礼，是孔子教育目的的重要内涵。由此，孔子强调"非礼勿视，非礼勿听，非礼勿言，非礼勿动"，通过克己复礼实现言行符合道德准则。

内省是指个体道德行为和道德认知之间要有一个反思的过程。内省就是要重视积极开展主观思想分析活动，进行思想监督，要使遵循道德规范

---

① 孙培青．中国教育史：第 3 版［M］．上海：华东师范大学出版社，2009：42.

② 于钦波．中国德育思想史［M］．长春：吉林教育出版社，1993：90.

成为内在自觉要求，而非外来强加限制。[①]孔子强调见贤而思齐，见不贤而内自省。内省是使自己的行为始终符合道德准则的要求，君子无终食之间违仁、君子一日三省吾身，都要求道德行为要有一个内在的监督机制，从而使得自己的言行时时刻刻受到监督，做到问心无愧，实现道德行为的自觉。

力行反映出孔子对道德实践的重视。孔子认为："君子欲讷于言而敏于行。"（《论语·里仁》）他认为力行近乎仁。评价一个人的道德品质最终还是要看他的道德行为，不但要求言行合一，甚至要求行重于言。孔子认为，评价一个学生的道德品质，要听其言而观其行，这与"道德认识依靠道德实践的检验而证实"的主张是一致的。[②]孔子的弟子子路"无宿诺"，就显示了勇于践行的品质。

中庸反映的是儒家推崇的特定的为人处世准则。中庸是不偏不倚的行事方式，孔子认为"君子中庸，小人反中庸"，君子应能时时刻刻保持中庸之道。中庸之道不仅表现为统治者管理百姓时"执中用民"，而且在普通人的生活中也不要偏执走极端。为人处世之时，往往智者过之，愚者不及。孔子认为过犹不及，并批判这种偏执一端的方式，要求人们做到一切行为依中道而行。

改过是孔子道德修养的重要原则。人非圣贤，孰能无过。他非常赞赏其弟子颜回"不迁怒、不贰过"的品性，认为自己"丘也幸，苟有过，人必知之"（《论语·述而》）。江万秀等人认为："孔子已经认识到人的道德面貌有善有过，即使尧舜也有过错，人皆有过。孔子在处理过失与改过的关系方面，强调改过，他把道德修养的过程看作是改过迁善的过程。"[③]孔子鼓励学生"过则勿惮改"，认为君子之过就像日食、月食，有过错人人都能看见，改正以后，人人都会尊敬。其弟子子路"闻过则喜"，虚心接受

---

① 孙培青．中国教育简史［M］．北京：中国人民大学出版社，2021：352.

② 孙培青．中国教育史：第3版［M］．上海：华东师范大学出版社，2009：43.

③ 江万秀，李春秋．中国德育思想史［M］．长沙：湖南教育出版社，1992：71.

别人的批评以提升自己的道德修养，就是改过迁善的典范。

### （五）孔子的理想人格

理想人格是儒家的教育目标或教育理想。孔子提出了“君子”与“圣人”两种理想人格。在《论语》中，孔子对君子的论述最为丰富，认为君子是以德立身之人，具有诸多品行，而仁德是其首要条件。君子应做到仁以为己任，能够孝悌忠恕，博学于文，约之以礼。君子有人生准则，比如君子九思；同样君子也有底线，君子有三戒。与小人相对，君子更关注道、义、德，小人则关注利、土、惠。君子之道因人而异，但恭、敬、仁、义是最基本的路径。这些都为践行君子之道确定了具体的道德准则。

圣人是君子的极致化，是人伦之至。孔子称赞尧、舜这些上古贤王为圣贤，他们修己以安人，能够做到内圣外王；他们既是道德楷模，也能造福百姓，做到立德与立功的结合。孔子的门徒给圣人添加了“学不厌、诲不倦”的伟岸人格，把圣人上升为道德与知识完满的人，成为儒家理想人格的标杆。

# 第二节　孟子“明人伦”的德育思想

孟子（约前372—前289），名轲，字子舆，儒家学派的重要代表人物。他自称私淑于孔子，对孔子之人性论、义利观都有进一步的阐发，因此被誉为“亚圣”，与孔子合称“孔孟”。孟子明确提出了“性善论”的观点，并将“明人伦”视为主要的教育目的。关于道德教育的论述成为孟子教育思想中最精彩的部分。

## 一、孟子德育思想的研究历程

孟子的思想主要体现于《孟子》一书。汉代赵岐作《孟子章句》开始出现经典注本，郑玄、刘熙都有注本。汉唐时期，《孟子》都作为“子书”存在。宋代“四书学”兴起，《孟子》超子入经，诠释版本逐渐增多，出现朱熹、焦循等人的经典诠释版本。在传统教育中，《孟子》的诠释主要是训诂、义理的解读，没有学科立场的诠释。

从教育学的角度最早阐发孟子德育思想的要数余家菊。在《孟子教育学说》一书中，余家菊结合孟子的生平及其教育事业，从性、仁、义、礼智、尽性、风范等视角阐述了孟子的教育思想①，对孟子人性论、义利观展开相关论述。王凤喈的《中国教育史大纲》亦论及孟子的“性善说”和“仁义说”，但是没有对德育内容进一步阐发。陈东原在《中国教育史》一书中对孟子的“大丈夫”人格、性善论、王政等思想都有初步阐论。②陈青之在《中国教育史》中论述了孟子的“性善论”，养心、养性、养气的培养主义理论，专一、渐进、由博返约的学习论，磨砺心志的成才论等问题。③总之，民国时期关于孟子德育思想的研究并不深入，但是已经涉及人性论、义利观、修养原则和方法等内容。

中华人民共和国成立以后，孟子德育思想的研究主要从 20 世纪 80 年代开始。在重新评价孔子思想以后，教育学界关于孟子、荀子等先秦诸子的研究开始出现。王炳照、郭齐家、程方平等学者的研究主要还是把孟子德育思想放在儒家道德教育思想或孟子教育思想中进行论述。这一时期，先秦儒家的道德教育思想、儒家的伦理教育思想、孟子的教育思想等综合性的研究较多。进入 21 世纪，关于孟子道德教育思想的专题研究开始出现。在一些学位论文中开始出现孔孟德育思想的比较、先秦儒家与西方苏格拉底等人德育思想的比较、中国传统德育方法的研究、孟子荀子德育思想的比较、儒家文化中的道德教育等专论，说明孟子德育思想的研究得到了进

---

① 余家菊．孟子教育学说［M］．上海：中华书局，1935：1－10.

② 陈东原．中国教育史［M］．福州：福建教育出版社，2009：79－81.

③ 陈青之．中国教育史［M］．福州：福建教育出版社，2009：65－69.

一步的拓展。

2005 年以后，从哲学、心理学、历史学、社会学等多学科角度研究孟子思想的成果开始涌现，进一步丰富了对孟子德育思想的认识。理想人格、修养论、德育方法、人性论、道德生成论等经典论题都得到了新的诠释；比较的方法、认知发展理论等新的方法开始出现在相关研究中。孟子德育思想对于干部教育、大学生道德修养、教师道德修养、家庭教育等方面的影响也得到了相应的关注。这一时期，研究成果开始多样化，研究内容进一步深入。

## 二、孟子德育思想研究的主要成果

孟子发扬孔子之道,在人性论上提出了“性善论”的观点,将仁、义、礼、智视为人先天具有的善端，通过“求其放心”之路达到理想的人格。在德育目的方面,孟子提出了“明人伦”的目的,明确了君臣、父子、夫妇、兄弟、朋友五对关系的标准；主张王道、反对霸道；提倡义利之辨；建构了“大丈夫”的理想人格。这一切都丰富了儒家教育思想的内涵。

### （一）德育的理论基础

《孟子 · 告子上》云：“人性之善也，犹水之就下也。人无有不善，水无有不下。”有学者认为，孟子“坚信人性本善，坚信人有一种自然向善的力量，从而为他的道德教育思想建立理论基础”。[①] 孟子认为人性有与生俱来的“善端”——“恻隐之心，人皆有之；羞恶之心，人皆有之；恭敬之心，人皆有之;是非之心，人皆有之。恻隐之心，仁也;羞恶之心，义也;恭敬之心，礼也;是非之心，智也。仁义礼智，非由外铄我也，我固有之也，

① 杨姿芳 . 孟子德育思想的整体架构［J］. 现代哲学 , 2008 (1) : 124.

弗思耳矣。”（《孟子 · 告子上》）人类区别于禽兽的根本特征在于人性本善，从善端加以扩充就能够成为善德。当然，人性也有变化的可能，如果逸居而无教则近于禽兽。性善论肯定了人的道德属性，突出了道德主体的平等性，强调了道德的内在超越性，为儒家后学所承袭。

### （二）德育的核心目的

孟子主张统治者实施仁政，要做到以德治国。他认为：“仁言不如仁声之入人深也，善政不如善教之得民也。善政，民畏之；善教，民爱之。善政得民财，善教得民心。”（《孟子·尽心上》）夏商周三代都注重教育活动，教育的核心内容都是“明人伦”，人伦明于上，小民亲于下。孟子认为：“人之有道也，饱食、暖衣、逸居而无教，则近于禽兽。圣人有忧之，使契为司徒，教以人伦：父子有亲，君臣有义，夫妇有别，长幼有序，朋友有信。”（《孟子·滕文公上》）孟子总结了涵盖家庭生活与社会生活在内的五种最重要的人际关系，并给予相应的规范。孙培青认为：“家庭是社会的基础，有三对关系，父子、夫妇、长幼，社会有两对关系，即君臣、朋友，并兼有长幼。每对关系都有相应的道德规范，那就是仁、义、礼、智、信。”[①] 这五对关系后来得到进一步阐发，成为“三纲五常”的核心内容。

### （三）德育的理想人格

相较于孔子的“君子”和“圣人”人格，孟子基于当时的社会现状，提出了“大丈夫”的理想人格。后学景春在向孟子的提问中认为公孙衍、张仪“一怒而诸侯惧，安居而天下熄”，是大丈夫，孟子否定了这种看法。孟子认为“居天下之广居，立天下之正位，行天下之大道。得志，与民由之；不得志，独行其道。富贵不能淫，贫贱不能移，威武不能屈，此之谓大丈

① 孙培青．中国教育简史［M］．北京：中国人民大学出版社，2021：355.

夫。”（《孟子·滕文公下》）孟子认为大丈夫有浩然正气，至大至刚，穷则独善其身，达则兼善天下。即使在君王面前也不卑躬屈膝，“说大人，则藐之，勿视其巍巍然。”（《孟子·尽心下》）孟子提出了“天爵”与“人爵”的分类，认为天爵是“仁义忠信，乐善不倦”，即每个人都具有的道德良知；人爵是“公卿大夫”的爵位。“古之人修其天爵，而人爵从之。今之人修其天爵，以要人爵；既得人爵，而弃其天爵，则惑之甚者也，终亦必亡而已矣。”（《孟子·告子上》）孟子显然看重天爵而藐视人爵，呼吁君子能够勇敢用天爵而抗人爵，开启了我国道统高于政统的文化进路。

### （四）德育的主要内容

孔曰成仁，孟曰取义。孟子认为“仁之实，事亲是也；义之实，从兄是也”。（《孟子·离娄上》）仁以爱父母为根本，义以敬兄长为根本。孟子把仁义结合起来，作为处理人际关系的主要法则。孟子认为：“亲亲，仁也；敬长，义也。”（《孟子·尽心上》）孟子将尊亲敬长的家庭伦理扩展到社会道德规范，认为一个人能够老吾老以及人之老、幼吾幼以及人之幼，就能够从爱亲到爱人。他推崇“保民而王”，希望君王能够实施仁政，让老百姓有恒产，不仅能够赡养父母妻儿，而且能够暖衣饱食，并进一步接受教育。这一理想的治国方案被称为王道政治。唯有通过礼仪教化而非暴力征伐，方可得民心，并进一步实现“王天下”之鹄的。

### （五）德育的基本方法

孟子提出了尽心知性则知天的观点。在其德育修养方法中，存心养性是重要的内容。孟子认为：“君子所以异于人者，以其存心也。君子以仁存心，以礼存心。仁者爱人，有礼者敬人。”（《孟子·离娄下》）存其心，养其性，所以事天。一个人了解善良的本心，就晓得人的本性，进而懂得天命。“存心”就是保持仁义之心，“放心”则是让仁义之心外显化的过程。这也成为道德修养的主要路径。

在“存心”的同时，孟子也注重“养气”。他认为士要尚志，志向是一种道德意志，气则是道德情感，强烈的浩然正气充塞体内，能使意志坚定。气由集义而成，长期从事正义之事则能够养成浩然正气；同样，长期做不义之事则使浩然之气消散。这就要求一个人不但要经常内省自己，而且要磨炼意志，节制欲望。“天将降大任于是人也，必先苦其心志，劳其筋骨，饿其体肤，空乏其身，行拂乱其所为，所以动心忍性，曾益其所不能。”（《孟子·告子下》）寡欲是养心之最好的方式，“其为人也寡欲，虽有不存焉者，寡矣；其为人也多欲，虽有存焉者，寡矣”（《孟子·尽心下》）。寡欲不是禁欲，而是对欲望的合理节制。不管是统治者，还是普通民众，合理节制欲望都是道德修养的重要途径。

## 第三节　荀子“化性起伪”的德育思想

荀子（约前313—前238），名况，字卿（一说时人相尊而号为卿），战国末期赵国人。据传荀子为孔子后学子弓的传人，他学无常师，知识渊博，曾游历稷下学宫，三为祭酒，讲学“最为老师”，成为著名的传经大师。他发展了孔子的儒家学说，重视礼仪，提倡人性本恶，培养了李斯、韩非等杰出的思想家。

### 一、荀子德育思想研究历程

《荀子》一书是我们研究荀子思想的主要文本，据传原有文章300余篇，西汉刘向重新整编合为32篇，定名《孙卿新书》。唐代中叶，杨倞对其重新编排注释，改名《荀卿子》。清代王先谦总结前人著述，编纂《荀子集解》，成为研究荀子最好的注本。

晚清以降，我国学科分类从传统的经史子集四部分类法向现代西方的

"七科之学"转变，从不同学科研究传统典籍成为主要范式。谭嗣同、梁启超等学者反对荀子的"君本主义"，章太炎则看重荀子"法后王"的观念。五四运动之后，蔡元培、冯友兰、胡适在其哲学史相关著述中都论述了荀子天与性、修为方式、礼论等方面的内容。这一时期，还没有专门论述荀子德育思想的著作出现。

在教育学领域，20 世纪 30 年代，陈青之和陈东原的同名著作《中国教育史》中都出现了对荀子教育思想的论述。陈青之认为荀子为儒家的左党，孟子为右党。其区分主要表现在：孟子是法先王的，荀子是法后王的；孟子以性为善，荀子以性为恶；孟子言礼主节，荀子言礼主分；孟子言教育重培养，荀子论教育重积伪。[①] 陈青之进一步论述了"性"与"伪"的含义，认为通过积伪主义使涂之人可以为禹。陈东原论述了荀子的性恶学说，认为："唯其性恶，所以才（一）教育是必需的，（二）教育是可能的。"[②] 陈东原也注意到"化性起伪"是荀子教育的核心内容，亦是荀子德育的主要目的。

中华人民共和国成立以后，尤其是改革开放以后，荀子德育思想的研究开始展开。首先是在儒家德育思想研究的框架内，展开了孟子与荀子、荀子及其后世儒家学者思想的对比研究。其次，从伦理学、文化学、社会学等角度对于荀子的人性论、天人关系、心性理论等展开了研究。这一时期，从荀子评传、荀学源流、荀子礼学等角度都有专门的研究。张瑞璠认为：荀子的教育思想的政治思想基础是那一个特定社会所产生的王霸结合的政治主张，在此基础上构成了以"性恶论"为基础的"化性起伪"论，培养"大儒""雅儒"的教育目的论；重视理性判断作用，提倡"重己而役物"的道德修养论；从"法后王、一制度"出发的教育内容论；"天官"与"天君"

---

① 陈青之．中国教育史［M］．福州：福建教育出版社，2009：76.

② 陈东原．中国教育史［M］．福州：福建教育出版社，2009：96.

并重的智力发展论；“尊师”“积渐”、学以致用的教学方法论。[①] 毛礼锐、沈灌群、孙培青、杨少松等人的中国教育史相关著作中都对荀子的德育思想做了概述。

从中国知网以“荀子”与“德育”为关键词的搜索来看，关于荀子德育思想的硕士论文 7 篇，博士论文 1 篇。主要关注的是荀子德育思想及其当代启示、荀子德育思想对高校德育的启示、孟荀德育思想的比较等方面，对于荀子德育目标、方法、实现途径、历史贡献等方面都有相关研究。

## 二、荀子德育思想研究的主要成果

从荀子德育思想的研究成果来看，主要关涉“性恶论”的人性观、“化性起伪”的理想目标、以礼为重的德育内容以及诵经读礼、积善成德、贤师良友、提升道德素养的德育方法等方面。

### （一）德育目标

在战国诸侯混战、流血漂橹的时代，荀子提出了人性本恶的观点。他认为：“今人之性，生而有好利焉，顺是，故争夺生而辞让亡焉；生而有疾恶焉，顺是，故残贼生而忠信亡焉；生而有耳目之欲，有好声色焉，顺是，故淫乱生而礼义文理亡焉。然则从人之性，顺人之情，必出于争夺，合于犯分乱理而归于暴。”（《荀子·性恶篇》）既然人性本恶，所以圣人治国“立君上之势以临之，明礼义以化之，起法正以治之，重刑罚以禁之，使天下皆出于治、合于善也”（《荀子 · 性恶篇》）。

荀子认为，人性为先天所有，饥而欲饱、寒而欲暖、劳而欲休，这些都是与生俱来的原始的质朴的自然属性。人类的这种自然本能如果不加节

---

① 张瑞璠 . 全面评价荀况的教育思想［J］. 华东师范大学学报（教育科学版）, 1985 (1) : 71 － 82.

制，就会产生罪恶。他认为通过“人为”，也就是后天的环境与教育就可以改造人性，达到“涂之人可以为禹”的目的。人之所以可以成圣，是因为人性向善，可以通过良好的环境与教育潜移默化地改变品性。由此，有学者认为：“荀子认为道德‘真积力久则入’，人的道德积累愈多，修养愈丰富，道德思想、道德意识、道德准则就会入脑入心，最终化为行动。”[①]

荀子认为人性是先天具有的，不可学，不可事；礼义是圣人所做，可以学，可以事。这种可以学而能，可以事而成的就是“伪”。“无性则伪之无所加，无伪则性不能自美；性伪合，然后成圣人之名，一天下之功于是就也。”（《荀子・礼论篇》）对人性的改造是一个非常艰巨的任务，需要两个基本条件，即师法之正和礼仪之治。[②]

### （二）德育内容

荀子非常重视“礼”在规范人的道德行为中的重要作用。他认为人生来就具有欲望，欲而不能满足，就会外求争夺，争夺就会导致混乱和贫穷。圣人忧虑这些问题，故制定礼义，使欲必不穷于物，物必不屈于欲，两者相持而长。“礼”是在人类共同生活过程中为调节利益和诉求而制定的规则。“人无礼则不生，事无礼则不成，国家无礼则不宁。”（《荀子・修身篇》）“礼”就是为了使人类社会长幼贵贱各得其所之目的而制定的。孙培青认为：荀子的礼对人的社会位置做了合理的处置，使贵贱有等、长幼有差、贫富轻重有相应的安排，就是儒家所主张的封建等级制度的社会秩序。[③]

荀子认为礼对于人的道德修养非常重要，如果王公士大夫子弟不能实施礼义就归于庶人；庶人子弟能够积文学，正身行，行为符合礼义就归于卿相大夫。个人若没有礼的规范，便没办法过道德的生活。国家没有礼

---

① 曾长秋，周含华．中国德育通史简编［M］．长沙：湖南人民出版社，2011：35.

② 孙培青．中国教育简史［M］．北京：中国人民大学出版社，2021：358.

③ 同②359.

的规范，也会走向制度失范，最终走向混乱。荀子认为礼是“人道之极”，圣人为道德生活而立礼的标准，学者通过学习礼义，完全地认识和践行礼义就能达到圣人的境界。

### （三）修养途径

对于道德修养方式，荀子首先提出了积善成德的方式。人性本恶，要想“化性起伪”就要逐渐积善，“故圣人者，人之所积而致矣”。(《荀子·性恶篇》）积善的过程要注意自己主动地修养，既然涂之人可以成为圣人，那为什么很少有人成为圣人呢？荀子认为非不能也，是不为也。君子之所以是君子，是因为他不愿做小人，小人则反之。个人只有自愿主动地积善，才能日积月累成为圣人。

荀子还指出，道德修养要亲近好的老师，所谓:“学莫便乎近其人”“学之经莫速乎好其人”。(《荀子·劝学篇》）学习的过程最方便的途径莫过于名师的指点。教师的责任主要是正礼,没有老师的指导,学生就不知道“礼”具体的行为规范。相反，若得到好的老师，在其正面引导下就可以使言行举止符合礼义，进而不断提升道德修养。

### （四）理想人格

相比起孔孟的理想人格，荀子在《儒效篇》中区分了俗人、俗儒、雅儒和大儒的人格特征。荀子认为，俗人没有信仰，仅是为了追求财富和利益。俗儒虽然读诗书，但是不遵守礼法，治学驳杂，不懂得礼义之道。这些都是荀子所不齿的人格。雅儒能够效法后王，推崇礼义之道，刻苦学习，言行符合先王之道，但是还没达到触类旁通。大儒是最理想的人格，他们能够效法先王，把古今的礼义制度统一起来，面对从未出现过的事情，他们处理起来也能够符合礼义规范。大儒虽居穷阎漏屋，王公不能与之争名。即使只拥有大夫的职位，他们的盛名和诸侯一样显赫。即使仅有百里之地，也能统一天下，仲尼和子弓就是这类典型的代表。大儒也成为荀子的理想人格，他们是功名和学问完美结合的个体。

从荀子德育思想的研究成果来看，21 世纪以来研究成果逐渐丰富，内容有所扩展。但仍存在一些需要完善的问题，比如学科限制依然存在，比较研究的深度不够，研究视野相对比较狭窄等。20 世纪荀学的相关研究在考据和辨伪中增加了很多新观点、新视角。比如,关于荀子是儒家还是法家、荀子是性恶论还是性朴论等问题的争鸣，这些新的研究可以融入德育思想研究中。关于从西方学科例如进化论、知识论、逻辑学、心理学、宇宙观等角度对荀子思想的解读，关于从康德哲学、黑格尔哲学和现象学等角度对荀子思想的跨文化阐释等，都是值得进一步拓展的研究路向。此外,《荀子》与先秦和汉代典籍中德育思想的比较研究也是值得深入探讨的学术问题。很多思想史家认为思想家总是解决前人遗留的问题，并不断启发后人的研究。总之，借鉴跨学科的研究成果来丰富荀子德育思想的研究，是未来荀子研究的一个重要方向。

## 第四节　《礼记》“止于至善”的德育思想

《礼记》是记录先秦儒家典章制度的重要文集,. 分《大戴礼记》与《小戴礼记》。我们今天看到的是西汉礼学家戴胜编纂的《小戴礼记》，该书对于先秦儒家的哲学思想、教育思想、政治思想和美学思想等都有论述。其德育思想主要反映在《大学》《中庸》《学记》等篇目之中。

### 一、《礼记》德育思想的研究历程

相较关于孔孟荀等先秦诸子德育的研究，关于《礼记》德育思想的研究成果较少。20 世纪 30 年代,陈青之在《中国教育史》一书中简要阐发了《大学》的“三纲八目”,《中庸》中的“中和”与“慎独”工夫。同时期其他的教育史著作未见相关研究。

20世纪末期，《礼记》的研究开始伴随儒家思想研究走向繁荣。燕国材在第八届全国心理学学术会议上提交的论文中阐述了《礼记》的教育心理思想，比如《大学》的“三纲领”即“明明德”“亲民”“止于至善”表明了德育的目的与价值；《中庸》的“自明诚”与“自诚明”为德育的两条基本途径；格物致知为道德认识阶段，诚意正心为道德情意阶段，修齐治平为道德实践阶段。[①]徐朝旭论述了先秦礼的德育功能，对于《礼记》中道德行为的养成、道德认知的提升、道德情感的培养、礼教与乐教融合等内容进行了专门论述。[②]《礼记》中的孝道、《礼记》中的情本教育、大学生礼仪教育、先秦儒家的教化思想等都有一定的研究成果出现。

《礼记》德育思想主要体现于《大学》《中庸》《学记》三篇文献。也有部分学者提到了《乐记》中的道德教化思想，比如礼教重视外在、乐教重视内在等观点。对于《大学》德育思想的研究来说，相关研究主要关注儒家对“内圣外王”理想人格的论述，《大学》对德育目标、内容和方法的阐释。对于《中庸》德育思想的研究，则主要关注德育目标、内容、方法和现代价值等方面。对于《学记》的德育思想的研究，主要关注国家层面的化民成俗、个人层面的学为圣贤、教师的为师之道等方面的内容。

## 二、《礼记》德育思想研究的主要成果

《礼记》是记录儒家后学思想的一部作品。从德育思想来看，主要集中在《大学》《中庸》《学记》等篇章之中。其主要的研究成果也多集中在这几篇文献中。朱熹《四书章句集注》认为：“《大学》之书，古之大学

---

① 燕国材.《礼记》的教育心理思想研究[C]//第八届全国心理学学术会议文摘选集，1997：289－290.

② 徐朝旭.论先秦礼的德育功能[J].教育研究，2007(4)：79.

所以教人之法也。"《大学》作为"初学入德之门",自宋代列入"四书"以后,对传统教育的课程体系产生了深远的历史影响。

### (一)《大学》中的德育思想

《大学》是儒家德育思想的总结之作,其中对德育的目的、任务、原则、方法、途径都有涉及。《大学》首先揭示了"三纲领",即"明明德""亲民""止于至善"。"明明德"是指使人先天具有的德行——明德得以发扬光大，这符合思孟学派性善论的观点；"亲民"是指亲爱人民，实施仁政，朱熹认为"亲民"即为"新民"，取"去其旧染之污"之义，君子能够推己及人，修己以安百姓；"止于至善"是指把儒家倡导的道德伦理做到完美、极致。毛礼等人就认为：止于至善是"儒家伦理思想的总结，是大学教育的最高目的"。①

"八条目"是"三纲领"的具体化,包括"格物、致知、诚意、正心、修身、齐家、治国、平天下"八个前后相接的方面。有学者就曾认为,"八条目"实则包括"道德认识的'格物致知'阶段;道德信念的'正心诚意'阶段;'齐家、治国、平天下'的修身功用阶段"。② 八条目中以"修身"为本,以"格物"为始,以"平天下"为终,开启了"士→君子→圣人"的"内圣外王"之路。格物主要依靠儒家经典的研习，最终达到融会贯通、彻底实现儒家社会伦理的道德内化。除了格物、致知以外，还有诚意、正心，目的在于自觉地用道德规范约束自己，做到表里如一，达到无须外在监督之"慎独"境界。

### (二)《中庸》中的德育思想

《中庸》是《礼记》的第三十一篇，被称为"孔门传授心法"。《中庸》的核心内容是阐述"中庸之道"。朱熹认为："不偏之谓中，不易之谓庸。"

---

① 毛礼锐,瞿菊农,邵鹤亭.中国古代教育史[M].北京:人民教育出版社,1979:141.
② 陈谷嘉,朱汉民.中国德育思想研究[M].杭州:浙江教育出版社,1998:222.

《中庸》中“智、仁、勇”的理想人格，“不诚无物、成己成物”的德育理念，自明诚与自诚明的修养方法，都是中国传统德育思想的精华，因而也都得到众多研究者的关注。

《中庸》中首先阐发了“中和”的概念。喜怒哀乐之未发，谓之中；发而皆中节，谓之和。中是天下之大本，和是天下之大道。中和就是为人处世不走极端，不偏激，能够做到恰到好处。对于个人来说，能够做到无过无不及；对于国家来说，也要执中用民。“君子中庸，小人反中庸。”君子时中，即时时刻刻恪守中庸之道，小人则为了追逐名利而无所顾忌。

《中庸》重视“修身以道”。《中庸》提出了“君臣、父子、夫妇、兄弟、朋友”之“五达道”，同时也提出了“智、仁、勇”之“三达德”，并且认为“好学近乎智，力行近乎仁，知耻近乎勇”。有学者认为：履行三达德，不仅是推行五达道的关键所在，也是修己治人的关键所在。[①] 要想实现“智、仁、勇”的品德，就要按照“博学之，审问之、慎思之、明辨之、笃行之”的为学之序进行道德修养，而且要有“人一能之己百之，人十能之己千之”的韧劲，如此，最终就能实现理想的道德人格。

《中庸》还提出了“诚”这一个儒家传统哲学的重要范畴。“诚”包括两种：“诚者，天之道也；诚之者，人之道也。”诚者是天理，是客观存在的天之道；诚之者是人道，需要人通过切身的道德修养来实现。诚如《中庸》所指出的：“自诚明，谓之性；自明诚，谓之教。”自诚明是先天具有的诚德，不勉而中，不思而得；自明诚是通过后天教育得到的诚德，需要择善固执而得之。君子要想通过教育获得诚德，就要坚持“慎独”，戒慎乎其所不睹，恐惧乎其所不闻，进而实现始终坚持中庸之道，最终达到尽人性、尽物性之鹄的。

① 黄钊．儒家德育学说论纲［M］．武汉：武汉大学出版社，2006：113.

### （三）《学记》中的德育思想

《学记》作为《礼记》中的一篇，是先秦儒家教学思想的总结，是中国教育史上最早比较系统论述教学理论的专著。[①]《学记》中对德育目的、德育内容和德育方法都有一定的描述，因而也成为人们探讨儒家德育思想的重要文本。《学记》中提出了“如欲化民成俗，其必由学”的观点，认为教育是提升民众道德水平最主要的手段。通过教育能够培养内圣外王之人，实现百姓安乐之理想。学习的过程，首先要立志，“凡学，官先事，士先志”。而学习的内容都偏重于德行的培养，比如离经辨志、敬业乐群、博习亲师、论学取友等，无一离德。学习的方法则包括豫时孙摩、藏息相辅、启发诱导、长善救失等。

《学记》中对于师德教育有很精辟的论述。认为，社会首先要尊师，师严而后道尊，道尊而后民知敬学。作为教师甚至可以享受君王礼拜之礼遇。当然，对于教师的师德与学养的要求也比较高。教师要善于启发学生，记问之学不足以为人师；教师要善于博喻，了解学生，用各种方式引导学生，做到因材施教，启发以时。善教者，使人继其志。教师的语言要简洁而通透，微妙而精善，善于以很少的比喻讲明深奥的道理。学生也要善于学，善于问。善于学习者，师逸而功倍，问问题时，如攻坚木，循序渐进，最终实现融会贯通。

通过梳理《礼记》德育思想的相关研究成果，可以发现，相关研究的内容尚需拓展，比如《礼运》篇关于“大同”与“小康”的德育思想，《王制》《大略》等篇目中关于礼的价值的思想，都值得进一步地深入挖掘；此外，研究的层次尚须提高，这也是后续研究需要关注的两个主要问题。

---

① 毛礼锐，瞿菊农，邵鹤亭．中国古代教育史［M］．北京：人民教育出版社，1979：149.

# 第五章
# 秦汉至明清儒家德育思想研究

在中国教育发展史上，儒家教育最为耀眼。可以说，是儒家教育成就了中国教育与中华文明的辉煌。作为儒家教育的重要组成部分，德育是儒家教育思想与实践体系的核心。在儒家德育发展历程中，秦汉至明清时期是核心阶段，依次经历了成熟期、拓展期和保守期等阶段。秦汉至明清时期涌现了一大批星光闪耀的思想家、教育家，正是他们深邃的思想汇聚成了中国儒家德育思想的历史长河。认真梳理和总结儒家德育思想的研究成果，不仅能为新时代德育理论和实践提供基于历史智慧的源源不断的理论滋养和精神动力，而且对弘扬中华民族优秀德育思想，实现传统德育思想的创造性转化和创新性发展，意义重大。

## 第一节　秦汉至隋唐儒家德育思想

秦汉到隋唐时期出现了董仲舒、王充、颜之推、韩愈等一批影响深远的思想家与教育家。他们皆在道德教育领域有独特的见解，并形成各自的德育思想，为传统儒家德育思想的演变与发展贡献良多。就学术史的梳理而言，中华人民共和国成立以来，关于秦汉至明清时期儒家德育思想的研究成果相对较多。

## 一、董仲舒“纲常有度”的德育思想

董仲舒（约前 179—前 104），广川（治今河北景县西南）人，汉景帝时曾为博士。他先后担任过江都王刘非和胶西王刘瑞的国相，但在政治上终不得志，于公元前 121 年托病弃官归家，开始著书讲学。代表作为《春秋繁露》。他首倡“罢黜百家，独尊儒术”的治国方略，创建了一个以儒家思想为核心、杂以阴阳五行学说，将神权、君权、父权联系起来的新的思想体系。其“天人感应”与“三纲五常”思想对后世影响深远。董仲舒的德育思想以“纲常有度”为突出表征。“纲常”乃“三纲五常”的简称，是指封建礼教所提倡的人与人之间的道德标准。其中，“三纲”指父为子纲、君为臣纲、夫为妻纲；“五常”的具体含义有所差异，通常指仁、义、礼、智、信。“纲常有度”是指人与人之间相处合乎法度，即符合封建礼教下“三纲五常”的道德标准与行为准则。

### （一）研究的历程

20 世纪 60 年代，少量研究成果中有关于董仲舒人性论与道德教育思想的论述，且论述带有明显的“阶级斗争论”色彩，认为董仲舒“性三品说”及道德教育思想具有封建落后属性。至 20 世纪 90 年代，关于董仲舒道德教育思想研究的专门成果开始出现，对其人性论、三纲五常的道德教育内容之评价开始趋向客观、公正、辩证。21 世纪以来，相关研究成果更多地涉及董仲舒道德教育思想的当代价值，研究内容更加具体化、专门化。

### （二）主要研究成果

关于董仲舒“纲常有度”德育思想的研究成果，大体包含德育来源、德育内容、德育原则与方法、德育目的几个方面。

1.“道之大原出于天”的德育来源论

为维护统治阶层的政治需求，董仲舒提出了“天人感应”的理论，将先秦儒家学说神学化。董仲舒认为，“天”创造万事万物、创造人，也是人的道德之起源与最高原则。[①]“三纲五常”是天道与阴阳五行相统合的表现，是一切教育包括道德教育的核心内容。

2. 人性论

董仲舒认为：“性比于禾，善比于米；米出禾中，而禾未可全为米也；善出性中，而性未可全为善也。”(《春秋繁露 · 深察名号》)“圣人之性，不可以名性；斗筲之性，又不可以名性；名性者，中民之性。”(《春秋繁露·实性》) 董仲舒在确立了神赋予伦理纲常以绝对权威这一观点之后，又讨论了人能否向善、如何向善的问题。他在继承孔子、孟子、荀子人性论基础上，创造性提出了“人性三品”说。认为，需要接受教育和道德教化的是具有“中民之性”的人。[②]

3.“三纲”“五常”的德育内容

关于“三纲五常”的德育内容是董仲舒德育思想研究的一个重要领域。董仲舒将传统儒家“君至尊”“父至尊”“夫至尊”的主张（即臣以君为纲、子以父为纲、妻以夫为纲）作为基本概念，用“天意”“阳尊阴卑”等理论将其神圣化。[③] 孟子把孔子提出的“仁、义、礼”扩充为“仁、义、礼、智”，后董仲舒提出“信”，再次扩充为“仁、义、礼、智、信”，后称“五常”。“五常”成为“三纲”的重要补充。在“三纲”中，“君为臣纲”为核心内容，“父为子纲”“夫为妻纲”从属之，即教化臣民忠于君主，子待父孝，妻事

① 于钦波 . 中国德育思想史［M］. 长春：吉林教育出版社，1993：211.

② 毛礼锐 . 论董仲舒的教育思想［J］. 北京师范大学学报（人文社会科学版），1963 (1)：65 － 78；王东虓 . 董仲舒道德教化思想述评［J］. 郑州大学学报（哲学社会科学版），1990 (2)：102 － 108.

③ 张鸣岐 . 董仲舒教育思想初探［M］. 长春：吉林教育出版社，1988：68.

夫顺。而在“五常”中,“仁”居首位,然后辅以“义”“礼”“智”“信”。[①]

4. 德育原则及方法

有些学者对董仲舒道德教育的原则及方法进行了归纳、总结与分析,大体包含“以仁安人,以义正我”“强勉行道”“必仁且智”“经权结合”“重智贵意”“明于性情”等方面内容。对于每一原则及方法应当如何操作,也都作了具体阐述与分析。

5. 德育目的

董仲舒以天意、阴阳五行等理论为依据,在儒家礼教的基础上提出了“三纲五常”的德育内容,并归纳整理出相应的道德教育原则,其最终目的都是在于教化人们的思想品行,以为汉王朝推行儒家“养士”“化民”的教育政策,培养善于维护封建专制和等级秩序的“成性”“制欲”的“贤臣”与“良民”,提供目标指引与教育指导。[②]

6. 影响与启示

以“三纲五常”为核心的德育思想体系,对汉代及后世封建政权的巩固、维护产生过重要作用,但同时也束缚了人们的思想、阻碍了生产的发展与社会的进步。[③] 在当代社会,董仲舒德育思想在推动人民伦理道德教育、净化社会风气、培养德才兼备的人才等方面,仍然可以发挥重要借鉴作用。[④] 因此,董仲舒德育思想值得进一步研究。

---

① 王永祥 . 董仲舒评传[M]. 南京:南京大学出版社,1995:280－315;李宗桂 . 董仲舒道德论的文化剖析[J]. 孔子研究,1991(3):58－66.

② 张鸣岐 . 董仲舒教育思想初探[M]. 长春:吉林教育出版社,1988:66.

③ 王永祥 . 董仲舒评传[M]. 南京:南京大学出版社,1995:400.

④ 邓艳兰 . 董仲舒德育思想研究[D]. 桂林:广西师范大学,2015:32－37.

## 二、王充“渐渍以德”的德育思想

王充（27—约 97），字仲任，出生于会稽上虞（今浙江绍兴上虞区），东汉思想家、文学批评家。王充虽出身“细族孤门”，但自小聪慧好学，博览群书，过目成诵，后就读于洛阳太学，师从班彪。曾做过小官，但因与上级官员政治主张不同而遭贬谪。王充继承了道家自然无为的思想，以“天”为天道观的最高范畴，以“气”为核心范畴，形成了宇宙万物生成理论，与天人感应理论相对立。王充的代表作为《论衡》。

渐渍以德，是王充德育思想的鲜明标记。“渐渍以德”出自王充《论衡·率性篇》：“今夫性恶之人……教导以学，渐渍以德，亦将日有仁义之操。”意指以道德规范来逐渐感化人，使其具备良善的德性。

### （一）研究历程

高时良在 1957 年发表《王充的教育思想》一文。[①] 该文是探讨王充教育思想的开端，文中对王充的人性论及其教育价值作了阐述，较为客观。20 世纪 60 年代至 80 年代，相关研究成果不多，基本以“阶级斗争论”为主色调，多给予正面评价。比如，有学者评价：王充的唯物主义哲学，是和唯心主义思想作斗争而形成和发展起来的。[②] 20 世纪 90 年代后，有关王充人性论、认识论等内容的研究成果不断出现，研究者也开始关注王充教育思想的当代价值，研究视角、研究方法渐趋多样化。

### （二）研究成果

与董仲舒德育思想的相关研究成果相比，王充德育思想的研究成果相

① 高时良．王充的教育思想[J]．福建师范大学学报（哲学社会科学版），1957 (2)：54－71.

② 徐敏．王充哲学思想探索［M］．北京：生活 · 读书 · 新知三联书店，1979：33.

对较少。已有相关成果涉及王充德育思想的理论基础、人性论、德育内容、德育目的、德育作用等方面。

1. 以“元气自然”论作为道德教育思想的理论基础

有研究者认为，王充继承了道家自然无为的思想并以其为理论依据，将“天”作为最高范畴。王充认为，天与地都由自然生成，是自然存在的物质实体；包括天地在内的宇宙万物皆是自然无为所成。人也是自然的产物，而非由天所生成。同时，王充思想以“气”为核心概念，他认为，元气、精气、和气等“气”构成了庞大的宇宙生成模式。他批判鬼神之说，认为精神离不开肉体，肉体死去精神即消失。这些思想皆与董仲舒提出并流行于世的“天人感应”思想呈对立之势。①

2.“禀气成性”的人性论

王充认为，万事万物是由“元气”构成的，而万事万物因为元气程度不同而呈现出不同的特质。人性也与万事万物一样，由“气”生成，但因所禀气多少存在差异，使人产生不同的特征，形成善恶、愚贤的分别。由此，王充提出了“人性有善有恶”的人性论。②王充将人性分为上、中、下三个等级：“中人以上者性善”；“中人以下者性恶”；“善恶混者则为中人”。王充从孔子“性相近也，习相远也”“上智与下愚不移”等人性论的观点中受到启发，认为只有“中人”这一群体才可以通过道德礼法教育改变自身，使之完善；而“中人以上”及“中人以下”则“不能移复易也”。王充认为人性可变，善可能变成恶，恶也可能变成善。③道德教育与道德教化在其中起着至关重要的作用，正确的道德教化可改变原来恶的禀性；反之亦然。

---

① 钟肇鹏，周桂钿．桓谭，王充评传［M］．南京：南京大学出版社，1993：218－288.

② 于钦波．中国德育思想史［M］．长春：吉林教育出版社，1993：224.

③ 冯鹏．试论王充的教育思想［J］．西南师范学院学报，1957（1）：27－46；陈谷嘉，朱汉民．中国德育思想研究［M］．杭州：浙江教育出版社，1998：307－314.

3.“博通百家”的德育内容

王充十分注重道德教化的社会作用，他极力劝告统治者要推行德治。为发挥道德教化的作用，他提出“博通百家”与“为文劝善”的观点。“诸子尺书，文篇具在，可观读以正说，可采掇以示后人。……知经误者在诸子。诸子尺书，文明实是。”（《论衡 · 书解篇》）王充认为，诸子百家之言可正经学之缺误。王充虽崇尚孔孟等儒家圣人及经传，但对圣人经传并不盲目信从，而是主张从客观的角度来看待经传的阙失和错误。[①] 东汉时期，作为主流的今文经学严重束缚士人思想，导致人们目光短浅、知识面狭窄。王充认为，诸子百家之言与儒家思想同样具有巨大的政治与社会作用，都需要民众学习。[②] 诸子之书皆可纳入德育内容的范围，所谓“夫贤圣之兴文也，起事不空为，因因不妄作；作有益于化，化有补于正”。（《论衡·对作篇》）

4.“为国为事”的贤人君子之德育目的

王充非常认同道德教育的价值，这与孔子、孟子等儒家学者的观点是一致的。道德教育可陶冶人的情操，使人善的本性得以扩展，同时引导人的才能健康发展。王充将人才划分为儒生、通人、文人、鸿儒等几个等级，主张按照不同等级予以培养。“能说一经者为儒生，博览古今者为通人，采掇传书以上书奏记者为文人，能精思著文连结篇章者为鸿儒。”（《论衡·超奇篇》）鸿儒之才品德高尚、才华出众、具有创新能力，是王充最为推崇的人才培养目标。王充厌恶“不晓政事”“不能言事”“空虚无德”的文吏，认为这类人无才无德，私欲过剩。

5.德育作用

王充特别重视德育的教化作用。“教导以学，渐渍以德，亦将日有仁义之操。”（《论衡·率性篇》）因人性有善有恶，且人性具有可塑性、可变性，

---

① 吴从祥．王充经学思想研究［M］．北京：中国社会科学出版社，2012：114－115.

② 孙培青．中国教育简史［M］．北京：中国人民大学出版社，2021：125.

所以王充认为可以通过教化特别是道德教育，引导人向善，从而使个体更加完善。[①]王充在论述道德对个体发展的重要作用时也将其上升到治国安邦的高度。“治国犹治身也。治一身，省恩德之行，多伤害之操，则交党疏绝，耻辱至身。推治身以况治国，治国之道，当任德也。”（《论衡·非韩篇》）王充认为，“治国之道，所养有二”，即养德与养力。他对以韩非子为代表的法家只以力而不以德治国治民持否定态度，认为实现德治首先取决于统治者是否为圣君贤臣，其次则是要重视礼义、教化万民，最后达到“以德治国”之目的。[②]

6. 道德起源与品德评价

王充认为，人们的道德水平与其外在物质生活状况紧密相关，“礼义之行在谷足”。若人基本的生存温饱问题尚未解决，则难以企求达到极高的道德水平。判断一个人的道德品质要“观善心”——通过其言观察是否具有善心。当然，王充这一观点具有明显的时代局限性，因为其对道德品质的评价更多地关注主体内在的道德动机而忽视道德行为及道德效果。[③]

总括既有研究发现，对王充德育思想的探讨仍然缺乏学术深度，对其思想的理论基础挖掘不深。比如，对王充反对当时固守师法家法之经学教育学风的辩证评价，对其德育思想中存在的明显的矛盾与不合理之处的深度分析，都需加强。王充德育思想中有许多超越时代的内容，他力求在实践中践行自己的教育理念，其思想体系中也确有不少值得人们肯定的地方。例如反对谶纬神学、“天人感应”论，提倡“天道自然”、博通百家之言等。如何从王充道德教育中吸取其精华部分，进而丰富当下中国现代道德教育理论研究，促进现代教育的进步与发展，是王充德育思想研究的发

① 罗炽，简定玉，李太平，等．中国德育思想史纲［M］．武汉：湖北教育出版社，1998：194－195．

② 陈谷嘉，朱汉民．中国德育思想研究［M］．杭州：浙江教育出版社，1998：323－324．

③ 于钦波．中国德育思想史［M］．长春：吉林教育出版社，1993：230－231．

展趋势。

## 三、颜之推“人伦为重”的德育思想

颜之推（531—约 595），字介，金陵人（今江苏省南京市），祖籍琅邪临沂（今山东省临沂市），中国古代教育家、文学家。颜之推出身士族，其家世传《周官》《左氏》之学。他早年传承家学，博览群书，一度受梁元帝赏识，曾任散骑侍郎；梁亡后，被俘至西魏；后逃至北齐，任黄门侍郎；北齐亡，入北周任御史上侍；隋取代北周，被太子召为学士，不久因病去世。颜之推一生经历三次亡国之变，曾四朝为官，多次险遭杀身之祸，命运多舛。他晚年所著《颜氏家训》，意在告诫子孙，保持儒学传统，注重道德修养，对中国传统社会家庭教育影响颇深。

“人伦为重”是颜之推德育思想的浓缩。“人伦为重”源自颜之推《颜氏家训》第三篇“兄弟”篇：“夫有人民而后有夫妇，有夫妇而后有父子，有父子而后有兄弟：一家之亲，此三而已矣。自兹以往，至于九族，皆本于三亲焉，故于人伦为重者也，不可不笃。”颜之推认为，家庭中的夫妻、父子、兄弟三对关系在人伦关系中尤为重要，一定要严肃对待。颜之推的德育思想主要集中在家庭德育方面。

### （一）研究历程

颜之推著作颇丰，然而除现存《颜氏家训》和《冤魂志》之外，其余《文集》《诫杀训》等皆未能保存下来，只《急就章注》《证俗音字》《集灵记》有辑本。因而，了解与研究颜之推德育思想的文献材料较为欠缺，目前已有研究基本上依据其《颜氏家训》一书。20 世纪 80 年代初至今，出现不少关于颜之推《颜氏家训》中的教育思想及家庭德育思想的研究成果。2000 年之前的相关成果以简单介绍颜之推教育思想、家庭德育内容为主，学术评价较少，例如伍文《评〈颜氏家训〉的教育思想》[①]；2000年之后，研究者逐渐关注颜之推道德教育思想及其当代价值，以为当代家庭教育提供有益的历史借鉴。

### （二）主要研究成果

关于颜之推道德教育思想的研究主要围绕其家庭德育展开，包括家庭教育的作用及地位、家庭德育的培养目标、家庭德育内容、家庭德育原则及方法等方面。

1. 家庭教育的作用及地位

颜之推十分重视家庭教育在德育中的重要作用，将家庭教育置于首位。“夫同言而信，信其所亲；同命而行，行其所服。”（《颜氏家训·序致》）他认为，家人之间的亲密关系相对于其他人更近，家庭教育的效果更明显。人幼年时期多数时间在家庭度过，因而应及早实施道德教育以奠定良好的道德基础。骄傲、怠慢的性格品行一旦生成，再行制止为时已晚，待其长大成人后易滋生道德败坏。颜之推注重家庭教育的原因有四：当时官学衰落，士族之家的教育基本依靠家庭教育；作为家长易于在家庭中贯彻教育主张；颜之推经历多次人生起伏，熟知士族没落的原委，士族子弟只知贪图享乐、平庸无为；希望通过有效的家庭教育保证家族不走向衰落。[②]

2. 培养德行高尚、济世救民、有实用能力的贤能之才

颜之推继承董仲舒等人的人性论观点，主张“上智不教而成，下愚虽教无益，中庸之人，不教不知也”。“中庸之人”的一大群体是地主阶级，地主阶级子弟必须接受一定的教育才能成为未来的统治阶层，而要成为统

① 伍文．评《颜氏家训》的教育思想［J］．华中师院学报（哲学社会科学版），1981 (2)：114－116.

② 张锡生．中国德育思想史［M］．南京：江苏教育出版社，1993：330－331；于钦波．中国德育思想史［M］．长春：吉林教育出版社，1993：232－233.

治者，就要先修身养德，增益自身德行，然后才能致用济世，移风易俗。[①]

3. 家庭德育的内容

为实现培养具有“应世经务”能力的实用人才，颜之推主张“德艺周厚”，即“德”与“艺”并重。首先应当回归儒学道德传统，加强孝悌仁义的道德教育。而“艺”的教育，则是指恢复儒家的经学教育并兼习“百家之书”。儒家经学教育及“百家之书”（包括农工商等各类技艺知识，书、画、数、医、琴、棋、射等杂艺）也有助于“德”的提高。[②]孙培青将颜之推家庭德育的内容总结为：孝为德本，早加教习；家族之亲，人伦为重；识别善恶，仁义为怀；欲不可纵，唯在知足；俭而不吝，施而不奢。[③]

4. 家庭道德教育原则和方法

关于家庭道德教育原则和方法的研究主要包括三个方面：第一，家庭道德教育要及早施教，不要错过最佳教育时间；第二，父母要做到严格要求与关心慈爱相结合，切忌偏宠偏爱，过于严格或过于娇惯都将导致家庭道德教育的失败；第三，父母要做到以身作则，发挥潜移默化的作用。父母的言谈举止对子女有深刻的影响，父母要作为道德榜样来发挥作用。[④]有学者认为，除爱与教相结合、潜移默化之外，颜之推家庭德育原则及方法还应当包括“孝为百行之首，犹须学以修饰之”；知识学习是道德教育的基础，读书以利于德行，孝为百行之首；[⑤]要注意言行一致，重视学以致用。[⑥]还有学者认为，颜之推的家庭德育方法包括：早期教育，养成习惯；长者示范，随风而化；与善人居，潜移暗化；读书学问，利于德

① 孙培青. 中国教育简史［M］. 北京：中国人民大学出版社，2021：384.

② 罗炽，简定玉，李太平，等. 中国德育思想史纲［M］. 武汉：湖北教育出版社，1998：236－237.

③ 同①385.

④ 郭齐家. 颜之推的道德教育观［J］. 中小学管理，1994（11）：34－36.

⑤ 于钦波. 中国德育思想史［M］. 长春：吉林教育出版社，1993：240.

⑥ 段文阁.《颜氏家训》中的家庭道德教育思想初探［J］. 齐鲁学刊，1989（3）：126－129.

行等方面。[①]

5. 影响及评价

有学者认为颜之推德育思想中的许多观点具有浓厚的封建色彩，需要予以辩证分析与批判。颜之推强调家庭德育应尽早进行，是科学的、合理的，但他的所谓胎教之法则含有较多的糟粕成分。[②]有学者对《颜氏家训》的时代意义给出了公正合理的评价：《颜氏家训》的出现，体现了地主阶级对于盛行已久的“玄学”思潮的历史反思，反映了他们要求振兴正统儒学的迫切愿望。[③]《颜氏家训》对当代中国家庭德育与良好家风建设的形成也具有重要的启示作用；[④]研究《颜氏家训》中的家庭德育思想有利于树立德育为本的家庭教育观念，丰富家庭教育方式，优化家庭教育方式；[⑤]《颜氏家训》中的家庭德育思想有助于优化家庭教育方法，构建和谐的家庭人际关系。[⑥]

目前关于颜之推德育思想的研究成果多以平铺式介绍、文献式整理为主，缺少深入细致的研究与辩证的分析、评价，相关研究成果亦存在概念混乱的现象。因此，未来的研究应着重于对颜之推道德教育思想体系的理论建构、道德教育不同范畴的清晰界定、《颜氏家训》中的家庭德育智慧等予以系统阐释与创造性转化。

## 四、韩愈维护“道统”的德育思想

韩愈（768—824），字退之，河南河阳（今河南孟州南）人，自称“郡

① 孙培青．中国教育简史［M］．北京：中国人民大学出版社，2021：385.

② 张锡生．中国德育思想史［M］．南京：江苏教育出版社，1993：330－331；于钦波．中国德育思想史［M］．长春：吉林教育出版社，1993：332.

③ 江万秀，李春秋．中国德育思想史［M］．长沙：湖南教育出版社，1992：197.

④ 李萍．《颜氏家训》的家教思想及其当代启示［D］．海口：海南大学，2016.

⑤ 胡仪美．《颜氏家训》对当代家庭教育的借鉴价值研究［D］．合肥：安徽大学，2018.

⑥ 李腾．《颜氏家训》家庭道德教育思想及当代价值研究［D］．济南：山东师范大学，2020.

望昌黎”，世称“韩昌黎”或“昌黎先生”。唐代文学家、思想家、教育家。贞元八年（792）韩愈登进士第，两任节度推官，累官监察御史。后因谏迎佛骨一事被贬至潮州。晚年官至礼部侍郎，长庆四年（824）病逝，追赠礼部尚书，谥号“文”，故称“韩文公”。元丰元年（1078），追封昌黎伯，并从祀孔庙。韩愈是唐代古文运动的倡导者，被后人尊为“唐宋八大家”之首，有“文章巨公”和“百代文宗”之名。现有《韩昌黎集》传世。

韩愈是虔诚的孔孟信徒，一生重视教育工作。在教育哲学上，力图维护儒学的独尊地位；同时，为了根除佛教的流传，以其人之道还治其人之身，仿照佛教的传法世系，预置了“道统”范畴用以反抗佛教的“法统”。韩愈明确提出“道统”之说，在《原道》中提出：“斯吾所谓道也，非向所谓老与佛之道也。尧以是传之舜，舜以是传之禹，禹以是传之汤。汤以是传之文、武、周公，文、武、周公传之孔子，孔子传之孟轲。轲之死，不得其传焉。”[①]他自谦曰：“韩愈之贤不及孟子。孟子不能救之于未亡之前，而韩愈乃欲全之于已坏之后。”[②]期冀重振儒家思想之正统地位的信心，可谓溢于言表。

### （一）研究历程

中华人民共和国成立后关于韩愈的研究成果多集中在其文学方面的成就。最早涉及韩愈德育思想的研究是关于韩愈《师说》的论述。季镇淮在《韩愈〈师说〉的思想和写作背景》一文中认为，韩愈赋予教师“传道授业解惑”之功用，主张师生平等，打破封建壁垒。[③]2000年之前的相关研究成果较少，且多以介绍韩愈人性论、教师观等内容为主；2000年后的研究成果数量有所增加，开始关注韩愈教育思想及其道德教育的当代价值，

---

① 韩愈．韩愈集［M］．北京：国家图书馆出版社，2019：287.

② 同①430.

③ 季镇淮．韩愈《师说》的思想和写作背景［J］．语文学习，1959(9)：16－17.

并有少量研究者开始研究韩愈教育思想的海外传播及其影响。

### （二）主要研究成果

目前已有关于韩愈道德教育思想的研究成果，主要集中在韩愈以“道统”为中心的德育内容、“性三品说”的人性论、尊师重教等几个方面。

1. 建构以“道统”为中心的德育内容

韩愈生活在安史之乱后的中唐，其时藩镇割据、政局动荡不安，又兼佛教及道教兴盛，形成“十分天下之财佛有七八”的现象。面对此种现实，韩愈反对藩镇割据，主张制止佛教与道教盛行的乱象。他认为佛教与道教（特别是佛教）破坏社会经济、违背伦理纲常。韩愈提倡取缔佛教与道教，极力遵奉孔孟之道，要求人人立言行事“务使合于孔子之道”。① 为了与佛道二教相抗衡，韩愈仿照佛教的法脉传承，为儒家构造了一个传承世系——“道统”。他厘定了儒家正统传道顺序：尧、舜、禹、汤、周文王、周武王、周公、孔子、孟子，孟子之后，儒家的“道”就断了。韩愈认为，这与秦代坑儒和汉代黄老、魏晋至隋之间的佛教兴盛不无关系。② 儒家的道德与佛老所讲道德存在根本区别，佛教与道教的说教内容违背了儒家提倡的君臣、父子等伦理关系。韩愈认为佛教道教追求摆脱或超越伦理关系，达到寂灭、清净的境界，是不可取的。③ 韩愈所讲的“道”，就是抽象化了的儒家纲常名教，是儒家传统的“仁义之道”“先王之道”与“圣人之教”。④“道”是以仁政为主而以刑罚为辅的政治制度，是儒家所确认的士农工商等社会分工结构和三纲五常的伦理秩序等。⑤

---

① 黄明喜，于述胜．中国教育哲学史：第2卷［M］，济南：山东教育出版社，2000：71.

② 曾长秋，周含华．中国德育通史简编［M］．长沙：湖南人民出版社，2011：119.

③ 黄钊．儒家德育学说论纲［M］．武汉：武汉大学出版社，2006：164－165.

④ 罗炽，简定玉，李太平，等．中国德育思想史纲［M］．武汉：湖北教育出版社，1998：259.

⑤ 黄明喜，于述胜．中国教育哲学史：第2卷［M］，济南：山东教育出版社，2000：73－75.

2. “性三品说”的人性论

韩愈也有关于人性论的论述，他提出：“性之品有上、中、下三：上焉者善焉而已矣，中焉者可导而上下也，下焉者恶焉而已矣。”（《原性》）即上品之性为善性，以仁德为主；中品之性可善可恶、尚未定型，仁德有所不足或有所违背；下品之性为恶性，违背仁德。韩愈将人性直接与人的道德品质相联系起来，将性三品演绎到人的道德品质的善恶分别，认为“中焉者”可以通过仁、义、礼、智、信等儒家伦理纲目及道德教育内容予以教化，使之向善，并认为后天的修养和发展十分重要。[①]

3. 尊师重教

韩愈所处的时期，儒学地位削弱、师道衰颓、人们“耻学于师”。为改变社会风气，韩愈作《师说》以提倡尊师重教，宣传其师道观。根本目的在于崇儒卫道，恢复崇儒与尊师之间的紧密关系。“一方面，儒家思想的传播最终还是要靠教育来宣传和引导，另外，在儒家的道德思想中就提倡尊师重教，重视道德教育的功能。因此可以看出韩愈在尊儒和尊师二者之间是相辅相成的。”[②] 韩愈还具体论述了教师的任务——“师者，所以传道、受业、解惑也。”这里，所传之道为儒家道统，所授之业为儒家经典，所解之惑为“道”与“业”的疑难。此外，韩愈还提出“道之所存，师之所存也”，将道作为划分教师资格的重要标准，品德高尚、学有所成、认真授业是教师应具备的品质。[③]

4. 关于德育目标、内容等方面的研究

已有研究成果也涉及韩愈德育目标、德育内容、德育原则及方法等方

---

① 陆德阳．从性三品说到性不可变化说：韩愈和荻生徂徕比较之一［J］．华东师范大学学报（哲学社会科学版），1999 (3)：45－51.

② 方浩然．韩愈道德思想研究［D］．哈尔滨：哈尔滨工业大学，2010：21.

③ 罗炽，简定玉，李太平，等．中国德育思想史纲［M］．武汉：湖北教育出版社，1998：262－263.

面内容的论述。韩愈的道德目标论可概括为："各致其能以相生"的士农工商之民（普通民众）；独善其身与兼济天下相结合的圣贤。韩愈的德育方法主要涉及四个方面：一是自我教育方法和态度，强调应严格要求自己，客观评价他人："责于己者重以周，待于人者轻以约。"二是明确努力方向及道德标准；三是踏实学习、长久努力，"病乎在己，顺乎在天"，见贤思齐，不改初衷；四是坚定信念。[①] 有学者认为，韩愈的教育伦理思想有利于形成浓厚的尊师重道的社会风气，有利于培育良好的师德师风，有利于形成优良的学风。[②] 韩愈德育思想对当代学校道德教育具有重要的借鉴意义，表现为：制定层次分明的德育目标；建立平等和谐的师生关系；倡导反思和独创相结合的道德学习观。[③]

相对韩愈较为系统、已成体系的教育思想而言，其道德教育思想的研究成果较少。专门以"韩愈德育思想""韩愈道德思想"为主题的研究成果仅有屈指可数的论文，且多论述不够深入精细，只是对韩愈之道统、人性论、师道观的德育思想的简单叙述。其他著作或论文集中论述韩愈德育思想的篇幅亦不大，仅将其视为诸多传统德育思想代表人物的其中之一，论述也不够深入细致。一些研究成果尝试阐发韩愈德育思想的当代价值，内容涉及学校德育、师德师风、家庭德育等方面，但其论述的合理性及可操作性还有待加强。

通过梳理关于韩愈及其教育思想的研究成果，我们不难看出，韩愈是一位具有重要历史地位的教育家及思想家。但关注其德育思想的研究成果相对匮乏且论述不够深入系统，这不能不说是一种缺憾。关于韩愈道统思想的内涵及价值、人性论、德育目的与德育方法、师道观及其之于当代师

---

① 龚抗云，湘湘．论韩愈的德育思想［J］．船山学刊，1996（1）：101 － 111.

② 胡颖．韩愈教育伦理思想探析［D］．衡阳：南华大学，2018：39 － 42.

③ 蔡晨晨，张晓静．韩愈教育思想对当代中小学道德教育的启示［J］．现代教育科学，2014（4）：19 － 21.

德师风建设的意蕴、教育伦理及当代家庭德育意义等问题，皆值得深入研究。此外，关于韩愈教育思想或其德育思想的海外影响与传播，也可以作为一个新的研究方向。这对丰富中国传统德育思想及理论研究成果具有重要意义。

## 第二节　宋明理学德育思想

### 一、张载“明善为本”的德育思想

张载（1020—1077），字子厚，宋凤翔府郿县（今陕西眉县）人，宋仁宗嘉祐二年（1057）进士。张载出身于官宦世家，后举家侨居凤翔府眉县横渠镇聚徒讲学，世称“横渠先生”。其学术思想在学术史上被称为“横渠之学”，其学派被称为“关学”，是北宋著名的理学家之一。张载将人性分为“天地之性”和“气质之性”，“天地之性”是人类的共性，于人无不善，但因本能、习染等原因形成“气质之性”，如果不通过教育进行改造，就会戕害天地之性，据此，提出了“明善为本”的德育思想。

#### （一）研究历程

民国时期，谢无量、冯友兰、张岱年等学者撰写的中国哲学史类的著作中，都提到了张载的人性论、宇宙观、认识论等问题。比如，冯友兰在《中国哲学史》中论及了张载“天人合一”思想。认为，普通人以自己为我，其余为非我，生成桎梏；圣人破此执着，以天下之物与己为一体，即“能体天下之物”。“其视天下，无一物非我，即破除我与非我之界限，以我与其余之非我为一，亦即全宇宙为一大我。天大无外，我之修养若至此境界，则我与天地合而为一矣。”[①]冯友兰对张载“民胞物与”的思想作了深入阐发。蔡元培在《中国伦理学史》中亦对张载的理一分殊、天命之性、气质之性、笃守礼志等命题作了深刻论述。但是这一时期的著作中尚无专门针对其道德教育思想的研究成果。

20世纪80年代之后，一些学者着手从教育思想的角度论述张载的德育思想，出现了研究理学家群体的学术气象。朱永新、郭齐家、高时良、陈本铭、杜成宪、余永德等学者对张载的学习思想、教育思想等进行了阐论。杜成宪认为，张载将人性分为“天地之性”与“气质之性”，确证了教育之于人的发展的必要与可能。张载以“学贵有用”为指引，鲜明地提出了“知礼成性，变化气质，求为圣人而后已”之教育目的。[②]张载认为，道德教育的目的就是通过解决现实中的问题，实现个人道德与学问的合一，最终实现求为圣人、道济天下之理想。陈本铭论述了张载“变化气质，学为圣人”的教育目的、知礼成性的教育内容观以及立志、虚心、努力思考、有所作为、力戒自满的道德修养观与学习方法论。[③]郭齐家以宋明理学家群体为例，论述了其道德教育思想。[④]可以发现，这一时期关于张载的道德教育思想研究还是融入其教育思想研究的范畴之中。

龚抗云专门论述了张载的道德教育思想，认为张载的道德教育主要包括“学以变化气质”的德育目标，“礼以持性”的道德教育内容，志、知、诚、行的道德教育过程，虚心的道德修养等方面。[⑤]涂爱荣专门探讨了张

---

① 冯友兰．中国哲学史［M］．北京：中华书局，2014：744.

② 杜成宪．张载的教育思想［J］．华东师范大学学报（教育科学版），1985 (4)：81 － 94.

③ 陈本铭．论张载的教育思想及其哲学基础［J］．福建师范大学学报（哲学社会科学版），1984 (1)：137 － 159.

④ 郭齐家，宋明理学道德教育思想散论［J］．北京师范大学学报（哲学社会科学版），1984 (3)：71 － 77.

⑤ 龚抗云．论张载的道德教育思想［J］．河北学刊，1996 (4)：46 － 50.

载的儿童德育思想。[①] 这一时期，关于张载的人性论与教育、德育教化思想、家风家训、伦理思想、孔子与张载道德教育的比较、圣人观、乡村治理理论等内容都得到了相应的关注，研究的视野不断拓展。

### （二）主要研究成果

张载的德育思想主要表现在“学以变化气质”的德育目的论，“礼以持性”的德育内容论，“民胞物与”的理想人格论、“穷理尽性”的道德修养论等方面。

#### 1. 道德教育目的论

张载基于唯物主义气一元论提出了“天地之性”与“气质之性”的人性分类。天地之性虽然至善，但气质之性更为关键；如在修养气质上善加用心，则必发展为有才之人，否则，则沦为不才之辈。张载认为：“为学大益，在自能变化气质。”（《经学理窟·义理》）学习必须以变化气质为目的，否则就沦为无用之学；人的本质在于天地之性，“学”正是让人认识到人之为人的本质，即学会变化气质而立于天地之性；[②] 通过变化气质，彰显人性，从而成为一个真正的人。

#### 2. 道德教育内容论

张载认为，变化气质就是通过道德教育成就天地之性的过程，在这一过程中学会“持礼”至关重要。“礼所以持性，盖本出于性，持性，反本也。凡未成性，须礼以持之，能守礼已不畔道矣。”（《经学理窟·礼乐》）圣人所做的礼乐符合人的本性，即天地之性，礼出自本心，反映天道自然；学者通过明礼、守礼能够崇德立道。黄宗羲在《明儒学案》中曾言：“关学世有渊源，皆以躬行礼教为本。”[③] 恪守礼教成为关学弟子的主要特点，宋

---

① 涂爱荣．张载“蒙以养正”德育思想探究［J］社科纵横，2012 (1).

② 曾长秋，周含华．中国德育通史简编［M］．长沙：湖南人民出版社，2011：132.

③ 黄宗羲．明儒学案［M］．北京：中华书局，2008：11.

代蓝田吕大临兄弟，明代吕柟，清代王心敬、李元春、贺瑞麟等关学学者都表现出守礼不辍的人格特点。①

3. 理想人格论

张载思想中最著名的当数其横渠四句："为天地立心，为生民立命，为往圣继绝学，为万世开太平。"此"四为"乃儒者的最高理想，也反映了张载道德教育的理想人格。张载认为，"天本无心，及其生成万物，则须归功于天，曰此天地之仁也。"天地生生不息，寒来暑往，这种毫不懈怠的心胸正是君子所要效法的精神；为生民立命，则是指通过切实的措施让民众生活有保障、精神有寄托；人乃万物之灵，与天地父母浑然一体，圣人与万民同为天地之子，应该通过道德修养、修身立命、实施仁政，让百姓生活富足、教养有法；张载感慨于佛道思想流行之弊，认为佛家宣扬转世学说、厌苦求免，道家追求长生不死，消极遁世，这些论调都侵蚀了儒家学说，故而必须"为往圣继绝学"，重振儒学尊礼贵德、乐天知命的学说。②张载从民胞物与的观点出发，结合孔子"大同"理想，提出了"以责人之心责己，以爱己之心爱人"的观点，最终实现推己及人的理想社会。

4. 道德修养论

在道德修养方式上，张载提出了很多切实可行的方法。首先是立志，志向不能太小，小了虽然学了也没有很大成就。其次是穷理，万事万物都存在"天理"，穷理就是通过读书、实践来实现道德修养。有学者认为，张载所说的穷理，实际上是一个十分广泛的道德教育和道德修养的途径。③在张载看来，所观所求都是学习，不仅成人要进行道德修养，儿童甚至胎儿都要通过胎教进行道德熏染。三是尽性，穷理的目的在于尽性，即穷尽

---

① 方光华，曹振明．张载思想研究［M］．西安：西北大学出版社，2014：5.

② 蒋纯焦，杜成宪．"道尽高，言尽醇"：写在教育家张载诞辰1000周年［J］．教育研究，2020（12）：40－47.

③ 于钦波．中国德育思想史［M］．长春：吉林教育出版社，1993：267.

天地赋予人的善性。人的道德修养过程要穷尽物性、穷尽人性，进而达到与天性合一，进入“诚明”之境。

张载的德育思想尽管已经取得了很多研究成果，但是与其他思想家的研究相比，研究的视角还比较狭窄。张载不仅重视个人品德的养成，也重视社会道德的养成。因而，从理学流派的角度看，从关学史、西方学科的视角、比较研究的角度、经学思想、乡村理论、社会道德建设，甚至“四书学”的角度系统剖析、阐释张载的道德教育思想，将成为张载思想研究的新课题、新方向。

## 二、程颢程颐“至善至诚”的德育思想

程颢（1032—1085），字伯淳，世称“明道先生”。程颐（1033—1107），字正叔，世称“伊川先生”。程颢和程颐合称“二程”。兄弟二人为河南洛阳人，出身官宦世家。二人从年少时拜周敦颐为师，成为宋代理学的重要奠基人。二程在短暂从政生活之余，将绝大多数时间用于讲学著述，其弟子中很多不远千里而来，皆为名士。从其德育见解看，“至善至诚”是二程德育思想的核心。他们重视“天理”，提出“灭私欲则天理明”，强调德育在“变化气质”中的作用，强调人皆可以成圣人，主张通过诚敬、穷理等道德修养方式实现德育目标。

### （一）研究历程

二程德育思想的研究与先秦诸子德育思想的研究类似，也经历了从综合性著述到专业化研究的过程。民国时期，冯友兰、张君劢、梁漱溟、钱穆等思想家的研究中都涉及了二程德育思想的探讨。冯友兰在《中国哲学史》中论述了二程的天理、性、气等概念，并进一步论述了明道（程颢）与伊川（程颐）修养方法的不同，认为宋明道学的确立自二程开始。明道认为，吾人实本来与天地万物为一体，不过吾人多执个体以为我，遂将我

与世界分开，吾人修养之目的，即在于破除此界限而回复于万物一体之境界；伊川的修养法则更注重穷理，注重今日格一物，明日格一物，以求脱然自有贯通处。[①] 张君劢认为："二程子之着力处主要是道德和知识问题。他们将中国思想的趋势从当时的宇宙论转变为人生问题的探讨。"[②] 钱穆认为，二程最精彩处在于其"人生修养与心理修养上"。[③] 中华人民共和国成立以后，港台新儒家牟宗三、唐君毅等人对宋明理学进行了系统邃密的研究。唐君毅的《中国哲学原论》对程颢、程颐的思想进行了细致梳理、区分。牟宗三在《心体与性体》《中国哲学十九讲》等著述中论述了从孔子"为己之学"到程颢以"天理"为中心的"为道之学"的转变，对后学研究影响极大。

改革开放之后，儒学进入了复兴发展的时期。任继愈、张岱年、李泽厚、陈来、张立文等人的哲学史、思想史著作中都不同程度地辨析了二程关于天理、道、仁、性、持敬、格物、人欲、饿死、失节等核心范畴，讨论了二程在宋明理学甚至整个中国哲学史中的地位，对于其中隐含的人性论、神秘主义、政治论等都有进一步的拓展与推论。

从教育学的研究领域来看，周德昌、苗春德、郭齐家等学者从 20 世纪 80 年代就开始关注二程的德育思想。周德昌认为二程的德育宗旨为学为圣人，明确提出"存天理，灭人欲"的德育任务，以儒家经典和封建道德规范为德育内容，并提出了主敬、存诚、立志、寡欲等道德修养方式。[④] 郭齐家认为，程颢、程颐从宇宙论的高度为封建社会等级秩序及封建伦理做辩护，并提出了"孔颜乐处"的道德修养境界。[⑤] 苗春德、申淑琴从"重

① 冯友兰．中国哲学史［M］．北京：中华书局，2014：761 － 769.

② 张君劢．新儒家思想史［M］．北京：人民出版社，2006：124.

③ 钱穆．宋明理学概述［M］．北京：九州出版社，2010：64.

④ 周德昌．程颢、程颐德育思想论略［J］．华南师范大学学报（社会科学版），1991(3)：50 － 55.

⑤ 郭齐家．宋明理学道德教育思想散论［J］．北京师范大学学报，1984(3)：71 － 77.

整道德”的角度分析了二程在德育内容、德育原则等方面的推进，系统形成了蒙以养正、志道圣学、主敬存诚、真知力行的德育原则体系。[①] 潘富恩、徐余庆等人的《程颢程颐理学思想研究》专门论述了二程教育思想与德育思想。[②] 这一时期已经出现了专门研究二程德育思想的成果，研究的内容框架也基本明确。

进入 21 世纪以来，关于程颢、程颐教育思想的研究渐入佳境。张瑞璠主编的《中国教育哲学史》、卢连章的《程颢程颐评传》、蔡方鹿的《程颢程颐与中国文化》等重要著作中都出现了程颢程颐教育思想、道德教育哲学的章节。[③] 丁静的《二程教化思想研究》、王睿的《宋代理学家道德养成思想研究》,则是专论二程德育思想的成果。[④] 此外,关于二程的禅学思想、心学思想、蒙学思想等研究成果也不断出现。这预示着二程德育思想的研究开始进入精细化阶段。

### （二）主要研究成果

从二程德育思想的相关研究成果看，主要涉及德育目的、德育内容和德育方法三个方面。

#### 1. 以“明天理”为中心的德育目的论

在二程的思想体系中，“天理”是一个重要范畴。程颢认为“天理”是他自己体悟出来的。二程将天理视为推至四海而皆准、考诸三王而不易的真理，也就是君臣父子、仁义忠信的儒家伦理道德。二程将遵循封建伦

---

① 苗春德，申淑琴．程颐、程颢道德教育思想浅探［J］．教育史研究，1990 (1) : 58 − 63.

② 潘富恩，徐余庆．程颢程颐理学思想研究［M］．上海：复旦大学出版社，1988.

③ 张瑞璠．中国教育哲学史［M］．济南：山东教育出版社，2000; 卢连章．程颢程颐评传［M］．南京：南京大学出版社，2001; 蔡方鹿．程颢程颐与中国文化［M］．贵阳：贵州人民出版社，1996.

④ 丁静．二程教化思想研究［M］．南京：南京大学出版社，2018; 王睿．宋代理学家道德养成思想研究［D］．长春：东北师范大学，2019.

理道德规范视为人之所以为人的根本依据，即“己与理一”，要求人的视听言动与封建伦理规范保持高度一致，实现高度的道德自觉。

二程提出了“天命之性”与“气质之性”的说法。程颢认为：“论性不论气，不备；论气不论性，不明。”（《二程遗书》卷六）天命之性对应天理至善至纯，气质之性对应人欲，因禀气清浊而有善与不善的分别。人性中的恶来源于人的利己私欲，与天理有着根本对立的价值取向。前者趋利，营私、利己；后者向义，为公，利他。[①] 所以，二程公开宣扬“损人欲以复天理”。当然，他们将“天理”与“人欲”对立起来，而漠视它们之间的相互转化和受现实生活制约的一面，显然走向了极为浪漫的道德理想主义。

2. 以“圣贤之学”为中心的德育内容论

在德育内容方面，二程从“学为圣人”的角度重新规划了课程内容。《宋史·程颐传》中提到程颐之为学“以《大学》《语》《孟》《中庸》为标指，而达于六经”。北宋“四书学”兴起以后，理学家对于以“四书”为中心的经学课程体系进行了重构。例如，将《大学》的篇章重新排列与“新民”“格物致知”说相对应。二程也非常重视“六经”的学习，例如他们将《易传》中的宇宙本体论、认识论与儒家的伦理道德观贯穿起来，作为学习的内容。

3. 以“主敬存诚”为中心的德育方法论

二程在吸收前儒道德修养方法论的基础上，提出了“主敬存诚”为中心的道德修养论。二程的弟子曾言先生之学“以诚为本”。“诚”是《中庸》的核心概念，二程将“诚”视为天理的根本道德属性和人伦的根本道德标准，所谓：“诚者，天之道；敬者，人事之本。”（《二程遗书》卷十二）至诚通神，要想达到诚的境界，首先要立志，志立则有本。坚定的道德信念、坚强的道德意志、执着的道德情感、慎独的道德精神，是达到至诚境界的保障。人的道德修养还要力求“反身存诚”“诚者自诚”。存诚要靠自己的道德自觉。

---

① 陈谷嘉，朱汉民. 中国德育思想研究［M］. 杭州：浙江教育出版社，1998：530.

二程进一步提出“敬以直内，义以方外”的修养原则。主张入德必自敬始，主敬就是既坚持道德理想又不能操之过急，做到心中始终存有天理，保持敬于心而容于外。

从二程德育思想的研究成果来看，研究的广度和深度在不断扩展，但是研究成果层次还有待提升。二程对于中国古代教育影响最大，贡献最突出的是他们的道德教育思想。[①]将二程的德育思想放在整个中国德育思想史的角度进行考察，尚待进一步阐发。从比较研究的角度来说，关于二程与程门后学的学术史梳理、二程思想与先秦诸子甚至国外相关思想家的比较研究成果相对较少；关于二程的道德修养论及对“孔颜乐处”的阐发，也值得进一步系统研究。

## 三、朱熹“穷理居敬”的德育思想

“穷理居敬”是宋儒提倡的一种认识世界和道德修养的方法。所谓穷究事物之理，自处以敬。朱熹是“穷理居敬”德育思想的突出代表。清代颜元《存学编 · 性理评》指出：“朱子称上蔡直指穷理居敬为入德之门，最得明道教人之纲领。”朱熹（1130—1200），字元晦，又字仲晦，号晦庵，晚称晦翁，别称紫阳；南宋时期思想家、哲学家、教育家、诗人，闽学代表人物，被后世尊称为朱子。祖籍徽州婺源县（今属江西），生于南剑州尤溪（今属福建）。庆元六年（1200）逝世，后被追赠为太师、徽国公，赐谥号“文”，故世称朱文公。朱熹是二程的三传弟子李侗的学生，与二程合称“程朱学派”。他是唯一非孔子亲传弟子而享祀孔庙、位列大成殿的十二哲之一。朱熹是理学集大成者，其理学思想影响很大，成为明清两代的官方哲学。朱熹著述甚多，有《四书章句集注》《太极图说解》《通书解》《周易本义》《楚

① 苗春德，申淑琴．程颐、程颢道德教育思想浅探［J］．教育史研究，1990（1）：58－63.

辞集注》等,后人辑有《朱子大全》《朱子语类》《晦庵先生朱文公文集》等。其中,《四书章句集注》成为钦定的教科书和科举考试的标准教材。

### （一）研究历程

20 世纪 80 年代之前，关于朱熹道德教育思想的研究成果相对较少，且以批判其封建性、落后性为主；20 世纪 80 至 90 年代，相关研究成果逐渐增多，研究内容及评价更加客观公正；2000 年之后，在纠正以往研究偏差的基础上，有关朱熹德育思想不同视角的研究成果开始出现，对其德育思想的内涵及当代价值的探讨呈增长之势。

### （二）主要研究成果

1. 道德教育哲学基础（宇宙本体论与人性论）

朱熹继承并发展了二程的“天理论”，围绕“理”建立了宇宙本体的系统理论，认为“理”乃天地万物运行的规律，支配着自然与人伦社会，三纲五常符合“理”的标准。“宇宙之间，一理而已。天得之而为天，地得之而为地，而凡生于天地之间者，又各得之以为性。其张之为三纲，其纪之为五常。盖皆此理之流行，无所适而不在。”（《晦庵先生朱文公文集》卷七十）理先于天地万物而存在并主宰天地万物，具有至高的地位。以此推论，符合“理”的标准的三纲五常则具有“理”的权威性。[①]

人性论是中国思想史上历代教育家、哲学家皆关注的重要问题，并通过人性问题的讨论来展开对道德教育的论述。朱熹关于人性论的论述与其“理”的论述紧密交织。他将二程的“性即理”命题进一步深化，提出“天命禀受说”。认为天地之间有理有气，天地之间的万事万物（包括人在内）都“禀受天地之气以为体,禀受天地之理以为性”。因此,“天命之性”与“气

① 陈谷嘉，朱汉民．中国德育思想研究［M］．杭州：浙江教育出版社，1998：591 － 593.

质之性”也可用以说明人性。[①]“性只是理，万理之总名。此理亦只是天地间公共之理，禀得来便为我所有。”(《朱子语类》卷一一七）这里的“性”，就是人所禀受的“理”；“理”是存在于人的生活中的一种特殊方式。“天地之间如同大海，人、物之性则如同被盛入器皿中的海水，它们的性质完全一致，如果两者有差别的话，也只是在存在形式上有随气流行和被气拘定的分别。”[②]“天命之性”是指人所禀受的仁义礼智的天理所形成的性它，至善至纯，是“天理”所赋予人的性；与“天命之性”不同，“气质之性”受理与气相互杂糅的影响，“理”坠入“气”中，人之气质具有清浊与偏正的差异，因而对人产生不同的影响。

2. 德育的地位与作用

朱熹长期从事道德教育实践活动，并将道德教育置于教育的首位。就道德与个人才能的关系而言，朱熹更注重个人的道德品质，人若“寡廉鲜耻”，虽能文又有何用？就道德与政治的关系而言，能否有效推行道德教育与道德修养，决定着国家治乱及王朝兴衰。儒家主张“自天子以至于庶人，壹是皆以修身为本。”就道德与社会风气的关系而言，通过道德教育可以提高个人道德品质，从而改善整体社会风貌。[③]气有清浊偏正之分，理与气相杂构成不同人性，从而导致人性善恶之分。只有变化气质才可改变人性中的不足，变化气质的途径就是“为学”。通过道德教育来保持人人皆有、至纯至善的“天命之性”，改变人身上因为“气质之性”而导致的不足之处，直至恢复“天命之性”，实现“存天理、灭人欲”之修学目的。

3. 道德教育目的

朱熹将天命之性比作大海，人物之性则如盛于器皿中的海水，把心比

---

① 于述胜．朱熹与南宋教育思潮［M］．济南：山东大学出版社，1996：39－40.

② 罗炽，简定玉，李太平，等．中国德育思想史纲［M］．武汉：湖北教育出版社，1998：359.

③ 边慧民，孙玉杰．朱熹“力行”德育思想及其现代价值［M］．济南：山东大学出版社，2010：70－71.

作器皿。他将心分为“人心”与“道心”:“人心”指以人的情欲为内容的心；“道心”指合乎道德原则的心。必须以“道心”来统帅“人心”，使人的一切情欲受道德意识及道德观念的支配，不能深陷外在物质欲望的泥淖。朱熹提出“心统性情”的观点,主张心对性情的统摄作用。性为心之本体，如仁义礼智等符合“天理”的内容；性感发而为情，情为心之用，如恻隐羞恶辞让是非等情绪情感。如何将仁、义、礼、智之性无偏差地表现出来，则需要做到主观精神的统帅，需要做到“心统性情”，不为外物所诱惑。①

“天理”是至诚至善的，而“人欲”则有正当、非正当之分。朱熹举例解释“天理”与“人欲”的区别:“饮食者，天理也，要求美味，人欲也。”(《朱子语类》卷十三）朱熹认为，人的正当需求符合“天理”，而正当需求之外的要求则是“人欲”。朱熹不主张笼统地“灭欲”，而是主张遏制人过分的欲望。与天理相对的是不正当的欲望，并非禁欲。②朱熹最终追求的教育目标为“以明人伦为本”，这与先秦儒家一脉相承。“熹窃观古昔圣贤所以教人为学之意，莫非使之讲明义理以修其身；然后推己及人，非徒欲其务记览、为辞章，以钓声名取利禄而已也。”(《晦庵先生朱文公文集》卷七十四）教育的目的在于讲明义理、修身，这都关涉道德教育。道德教育的目标是培养能够自觉做到修身养性、遵循道德“天理”的“圣贤”“醇儒”。一言以蔽之，朱熹的道德教育培养目标就是要培养圣人，求学为学的士人要通过文化知识的学习与品德修养，最终成为道德典范及完美人格的圣人。③

① 黄明喜，于述胜．中国教育哲学史：第2卷［M］，济南：山东教育出版社，2000：159－161＋166－168；于述胜．朱熹与南宋教育思潮［M］．济南：山东大学出版社，1996：39－45.

② 罗炽，简定玉，李太平，等．中国德育思想史纲［M］．武汉：湖北教育出版社，1998：366－367.

③ 陈谷嘉，朱汉民．中国德育思想研究［M］．杭州：浙江教育出版社，1998：598－599.

4. 道德教育方法

为实现培养圣人的道德教育目标，朱熹深入探讨了道德教育的方法，包括：第一，“立志”。要督促受教者确定道德教育目标及人生发展方向，激发学生奋勇向前的斗志与不屈不挠的决心，是德育的重要环节。第二，“居敬”。这是道德教育的主要方法。“敬字工夫，乃圣门第一义。彻头彻尾，不可顷刻间断。”（《朱子语类》卷十二）居敬需要道德主体态度慎重、意志力集中，不可道德意志松弛，需要确立精神专一、不随意改变的道德目标，需要道德意志对自我行为的支配。第三，“穷理”。认识天理、体认天理、遵循天理，即所谓“穷理”。“穷理”亦是一条重要的道德教育方法。具体说来，则是要体认社会的纲常伦理，采用学、问、思、辨、行等教学方法来学习与训练。第四，“省察”。朱熹继承儒家历来注重“内省”的德育方法，要求学习者“无时不省察”，将省察的工夫贯穿“未发”（情感意念尚未激发）与“已发”（情感意念已被激发）两种状态之中。第五，“笃行”。道德教育最终指向道德实践，道德实践是深化道德认识的重要方法，是纠正各种弊端、检验道德修养是否符合标准的重要方式。[①]

5. 道德教育内容

为达到培养圣贤之目标，朱熹确立了“三纲五常”的道德教育内容。即君臣、父子、夫妇“三纲”及仁义礼智信“五常”。这些德育内容既包括日常行为仪礼的养成，又包括来自儒家经典的道德义理的理论学习。朱熹还依据年龄特征，划分了两个学习阶段：小学与大学。“小学与大学的教育目的，前者要达到理事，后者要达到明理，前者属基础教育，后者属提高阶段，并依照‘古之学者，始乎为士，终乎为圣人’的教育目的进行人才培养。”[②]“小子之学，洒扫、应对、进退之节，《诗》、《书》、礼、乐、射、御、

① 陈谷嘉，朱汉民．中国德育思想研究［M］．杭州：浙江教育出版社，1998：603－610.

② 陈国代，姚进生，张品端．大教育家朱熹：朱熹的教育历程与思想研究［M］．北京：中国社会科学出版社，2010：353.

书、数之文是也。”(《晦庵先生朱文公文集》卷十五)洒扫、应对、进退事宜，是对道德规范及内容的践行，这一阶段儿童不具备很深的理解力，故教给他们如何做，养成良好的习惯。[①]“小学教育的精神却在于从小就培养孩童的道德之心，从而让他们的性命得以渐渐滋长。”[②]大学阶段的道德教育内容有所不同:“大人之学，穷理、修身、齐家、治国、平天下之道是也。”(《晦庵先生朱文公文集》卷十五)这一阶段学生的理解力得到提升，德育内容为穷理、正心、修己、治人，以此培养德才兼备的贤能之人。[③]

6.“五伦”“五常”的德育规范

朱熹对三纲五常的道德规范进行了系统整理与论述。对仁、义、礼、智、信进行解释的同时，重新解读了君臣、父子、夫妇、长幼、朋友五伦关系，其中，对君臣、父子用力最多；在讨论三纲时，将“夫妇”列为三纲之首。此外，还讨论了忠恕(尽己为忠，推己及人为恕)、诚敬等日常生活普遍常见的道德规范。

7. 德育原则

朱熹从四个方面阐述了德育原则。第一，为善去恶原则。朱熹认为，天理是善的，“三纲五常”符合天理也是善的；而人的私欲是恶的。因此需要为善去恶、遏制人的私欲，这一过程就是“存天理、灭人欲”的过程。第二，“知行统一”原则。道德认识与道德行为必须统一，缺一不可，反对言行不一。第三，正面引导与规范禁防相结合。坚持正面耐心说服、晓之以理、动之以情，同时制定合理的规章制度，进行禁防及约束，二者互相补充。第四，立大志向与做小事相结合原则。反对胸无大志的庸碌之辈，

① 张立文．朱熹评传［M］．南京：南京大学出版社，1998：545.

② 陈国代，姚进生，张品端．大教育家朱熹：朱熹的教育历程与思想研究［M］．北京：中国社会科学出版社，2010：353.

③ 同①548－549.

但又要求从一点一滴的小事做起，日渐积累。[①]

8. 朱熹道德教育思想的现代价值

一些学者指出，现代德育方法存在诸多问题，比如重外律、轻内修，重理论、轻实践，重立志、轻积习，重灌输、轻践行，重说理、轻引导等，朱熹倡导的诸如严于律己、勤于反思、躬身实践、自我修养、正面教育知行合一等德育方法，对加强个人修养、提高学校德育成效、实施社会德治都有重要参考价值；[②] 朱熹道德教育思想对当下中国青少年素质教育的养成及弘扬儒家优秀传统文化，发挥着巨大作用；[③] 朱熹《大学章句》关于道德教育的论述，为当代大学思想政治教育、当代公民道德建设提供了可借鉴的宝贵资源。[④] 此外，还有一些研究成果涉及朱熹德育思想中自我修养、道德教育阶段论等内容。这些研究都极大地推进了关于朱熹德育思想的深入探讨。

关于朱熹德育思想的研究尚存在一些需要深化研究的问题。比如，关于朱熹教育思想中德育目标论述的不同理解，关于朱熹德育方法的论述差异，都需要在研究视角、研究方法等方面不断加强提高。鉴于朱熹理学思想在儒家教育思想史中的分量及重大影响，可以想见，关于朱熹德育思想之更加科学化、理论化、系统化、细致化的成果，必将随着弘扬中华优秀传统文化进程的加速，而呈现更加丰富多彩的研究图景。

---

① 罗炽，简定玉，李太平，等．中国德育思想史纲［M］．武汉：湖北教育出版社，1998：376－381.

② 刘培军．朱熹的德育方法及其现代价值［D］．西南大学，2008：34－44.

③ 汤恩佳．朱熹思想与当代中国的道德建设［M］//蔡方鹿，等．新视野 新诠释：朱熹思想与现代社会（上）．成都：四川大学出版社，2007：8－9.

④ 鄢建江．朱熹《大学章句》道德教育理论的当代启示［J］．伦理学研究，2006（4）：43－46＋58.

# 第三节　陆王心学德育思想

陆王心学是传统儒学的一个重要思想派别。它由陆九渊创立，经南宋杨简，明代陈献章、湛若水等人的发展，至王守仁集之大成，形成了一整套逻辑严密、内容丰富的主观唯心主义思想体系。改革开放以来，陆王心学的学术探讨渐入佳境。特别是 1980 年和 1981 年连续在杭州召开了中华人民共和国成立后第一次宋明理学国际学术研讨会，1987 年在贵阳举办的“中国古代心学讨论”，标志着陆王心学的研究进入拨乱反正、复苏发展的阶段。作为中国历史上的思想巨擘和陆王心学的标志人物，陆九渊、王守仁皆在德育领域有独到见解，影响深远。

## 一、陆九渊“明心觉理”的德育思想

陆九渊（1139—1193），字子静，抚州金溪人，南宋思想家、教育家，陆王心学的奠基者。因讲学于象山书院（今江西贵溪西南），被世人称为“象山先生”。他鲜明地树起了“尊德性”的大旗和“明心觉理”的理念，提出了独树一帜的德育思想。

### （一）研究历程

改革开放四十多年来，陆九渊德育思想研究的基本历程，大体可以分为三个阶段：

1. 初步探索阶段

1978—1990 年是陆九渊教育和德育思想研究的初步探索阶段。已知最早提出陆九渊道德思想的当属尹协理的《陆九渊认识论和修养方法的特点》，论者对陆九渊的认识论、道德修养方法、道德教育救国的思想做了详细论述。此后，相关研究陆续出现。陈炎成的《陆九渊教育思想特色初探》，张建仁的《论陆九渊的教育思想》，郭齐家的《评朱陆之争》等都对陆九渊的教育思想、德育思想做了进一步阐述。[①] 这一时期关于陆九渊德育思想的研究尚处于起步阶段，研究视角较为狭窄，研究成果相对较少，研究的系统性和专题性也有待深化。

2. 平稳发展阶段

1991—2003 年，陆九渊的德育思想研究进入平稳发展阶段，相关研究较为丰实，产生诸多较有影响的成果，如：杨晓光的《陆九渊“切己自反，改过迁善”的道德教育》。[②] 这是目前已知最早以陆九渊道德教育思想为主题的成果，论述了道德教育与道德修养的地位以及“存养”“剥离”“减担”等道德教育方法。顾春的《陆九渊“心学”教育思想的特质及其历史命运》则论及了陆九渊关于道德修养理论与方法、道德和教育哲学、德育心理等思想。[③] 这一阶段，也出现关于陆九渊德育思想的学术著作，代表性的有：郭齐家、顾春的《陆九渊教育思想研究》、刘宗贤的《陆王心学研究》、汪传发的《陆九渊王阳明与中国文化》、顾春的《来源 · 争论 · 特性——陆九渊教育思想三论》等。[④] 而在中国德育史的相关著作中均有专论陆九渊德育思想的篇章，如江万秀、李春秋的《中国德育思想史》，于钦波的《中

---

① 陈炎成．陆九渊教育思想特色初探［J］，上饶师专学报（哲学社会科学版），1987（2）：87 – 91；张建仁．论陆九渊的教育思想［J］，江西社会科学，1988（3）：122 – 125 + 129；郭齐家．评朱陆之争想［J］北京师范大学学报，1990（6）：47 – 53.

② 杨晓光．陆九渊“切己自反，改过迁善”的道德教育［J］．江西教育科研，1992（5）：76.

③ 顾春．陆九渊“心学”教育思想的特质及其历史命运．江西教育科研［J］．1995（5）：60 – 65；顾春．陆九渊“心学”教育思想的特质及其历史命运（续）［J］．江西教育科研，1995（6）：64 – 68.

④ 郭齐家，顾春．陆九渊教育思想研究［M］．南昌：江西教育出版社，1996；刘宗贤．陆王心学研究［M］．济南：山东人民出版社，1997；汪传发．陆九渊王阳明与中国文化［M］．贵阳：贵州人民出版社，2003；顾春．来源 · 争论 · 特性：陆九 · 渊教育思想三论［M］．北京：教育科研出版社，2003.

国德育思想史》，张锡生的《中国德育思想史》，罗炽等人的《中国德育思想史纲》，陈谷嘉、朱汉民编的《中国德育思想研究》等。

3. 深化研究阶段

2004 年至今，可视为陆九渊德育思想的深化研究阶段。在加强思想道德建设、弘扬优秀传统文化的政策性际遇下，陆九渊德育思想研究迎来高潮，出现了一批有影响的成果，代表性成果有：尧新瑜的《主体精神：陆九渊道德教育理论的本真意蕴》，从道德教育本体、主体、方法三个维度对象山心学的主体精神予以重新“发明”和“去蔽”。① 燕国材的《陆九渊的德育心理、差异心理与教师心理思想》，论及了陆九渊的德育心理及德育过程、原则与方法等思想。② 邓名瑛、吴建国的《陆九渊德性修养思想研究》，阐述了陆九渊的德性修养内容、德育思想的现实转换等问题。③ 在论著方面，涉及象山德育思想的有：黄钊的《儒家德育学说论纲》、赵康太等人的《中国传统思想政治教育理论史》、涂爱荣的《宋明理学家德育方法思想研究》、张立文的《心学之路——陆九渊思想研究》等。④

## （二）研究的主要成果

1. 陆九渊德育思想的理论基础

王炳照、郭齐家认为，陆九渊试图从本体论和人性论的角度来建立其教育思想体系，坚持以“道”和“理”为根本范畴的本体论、以“天人合一”

---

① 尧新瑜．主体精神：陆九渊道德教育理论的本真意蕴［J］．华东师范大学学报（教育科学版），2003，21（4）：48 － 54.

② 燕国材．陆九渊的德育心理、差异心理与教师心理思想［J］．南通大学学报（教育科学版），2008（6）：50 － 54.

③ 邓名瑛，吴建国．陆九渊德性修养思想研究［J］．道德与文明，2014（2）：42 － 46.

④ 黄钊．儒家德育学说论纲［M］．武汉：武汉大学出版社，2006；赵康太，李英华．中国传统思想政治教育理论史［M］．上海：华东师范大学出版社，2006；涂爱荣．宋明理学家德育方法思想研究［M］．武汉：湖北人民出版社，2007；张立文．心学之路：陆九渊思想研究［M］．北京：人民出版社，2008.

和“心即理”为中介的心性论、以传统儒家伦理道德思想为核心内容，批判吸收了佛老的本体论、心性论、教育方法论等有益思想，建立了一个完整并独具特色的以“心学”为根本标志的教育思想体系。①顾春认为，陆九渊的教育思想体系的理论依据是以“道”和“理”为中心的本体论、以“心即理”为核心内容的心性论、以“尊德性御道问学”为根本宗旨的易简方法论、以追求“完人”和“超人”人格的目的论的有机统一，形成了一个“天人合一”的儒家教育思想体系。②对陆九渊思想内核的探讨，为对其德育思想的探究奠定了理论基础。

2. 陆九渊的德育目的观

关于陆九渊德育目的和培养目标的研究，多数相关研究者都有述及，观点也较为一致。比如，张建仁认为，陆九渊的教育目的“在于培养人，使之成为一个堂堂正正的人，一位顶天立地的大丈夫”。③江万秀、李春秋认为，陆九渊从他的主观唯心主义道德起源论出发，构建了其“明理、立心、做人”的德育目标；“做人”包括做伦理道德上的“完人”（即圣贤君子）、做独立的“超人”（即体现“天地之心”的“主宰者”）两个方面；道德教育是教育的首要任务，是整个教育的核心和基础。④郭齐家、顾春阐述了陆九渊的教育目的论，认为其既重视教育的社会功能，力图建立一个“人有人道”“人尽人道”的理想社会，又在个人发展上追求实现一种“自作主宰”的“完人”和“超人”的理想人格。⑤张立文提出，陆九渊的教育目的在于“明理”，即培养具备为统治阶级所需要的、为平天下服务的伦理道德的合格

---

① 王炳照，郭齐家．中国教育史研究：宋元分卷［M］．上海：华东师范大学出版社，2009：97.

② 顾春．陆九渊“心学”教育思想的特质及其历史命运［J］．江西教育科研，1995(5)：60－65.

③ 张建仁．论陆九渊的教育思想［J］．江西社会科学，1988(3)：122－125＋29.

④ 江万秀，李春秋．中国德育思想史［M］．长沙：湖南教育出版社，1992：250－253.

⑤ 郭齐家，顾春．陆九渊教育思想研究［M］．南昌：江西教育出版社，1996：155－165.

人才，即“成孝敬，厚人伦，美教化，移风俗”。[①]

3. 陆九渊的德育原则观

有学者指出，陆九渊的德育原则和方法可概括为“存心”“去欲”，主张要下“易简工夫”，包括：先立“大者”，自存本心；切己反省，改过迁善；洗心涤妄，习善寡欲。要通过道德教育，使人们“去欲”“剥落”；道德教育应“从日用处开端”，重视“践履”或“行”的重要作用。[②]罗炽等人认为，陆九渊尚心、尊德、重行、倡疑的德育原则是其德育理论基础的体现，具体内涵包括：整体明了；以“尊德性”为主；注重力行；提倡怀疑精神。[③]黄钊则认为，陆九渊德育的一个重要原则就是强调“收拾精神，自作主宰”。[④]

4. 陆九渊的德育方法观

有学者认为，陆九渊的道德修养方法来自佛教禅宗与道教的影响，提出理在心中，“要明白封建道德规范的理，就必须到心中去寻求。这实际上就是佛教禅宗的‘明心见性’‘见性成佛’和‘即心是佛’。”[⑤]方法有三，即存心、复心和养心。陆九渊极力主张道德教育和修养过程要“切己自反”或“反省内求”，路径则是要下“易简工夫”，再具体说来就是要靠“存养”和“剥落”。存养，就是“自存本心”，而“剥落”则需要依靠外力相助，主要是外部教育力量，即师友切磋。[⑥]另有学者认为，陆九渊的德育方法是一个系统的体系，强调“致疑切思”“立志辨志”“消磨私欲”“改过迁善”“收

---

① 张立文．心学之路：陆九渊思想研究［M］．北京：人民出版社，2008：350.

② 江万秀，李春秋．中国德育思想史［M］．长沙：湖南教育出版社，1992：253－257.

③ 罗炽，简定玉，李太平，等．中国德育思想史纲［M］．武汉：湖北教育出版社，1998：396－399.

④ 黄钊．儒家德育学说论纲［M］．武汉：武汉大学出版社，2006：249.

⑤ 尹协理．陆九渊认识论和修养方法的特点［J］．江西社会科学，1983 (1)：83.

⑥ 于钦波．中国德育思想史［M］．长春：吉林教育出版社，1993：309－312.

拾精神、自作主宰”。[①]还有学者详细分析了陆九渊的教育方法论思想，认为陆九渊从其“心即理”“万物皆备于我”的理论命题和“立大本,求放心”的教育根本目标出发，遵循“以尊德性御道问学”的宗旨和“易简”的基本原则，提出了一系列教育方法，如辨志立志、改过迁善、学当知本、优游读书、师友相辅、剥落减担、不陷事中与顿悟等。[②]这些均属德育方法。

5. 陆九渊德育思想的比较研究

探讨陆九渊德育思想的另一个视角是，与相关思想家进行比较研究。其中，以探讨陆九渊与朱熹、王守仁、康德、禅宗等思想的比较研究成果为主，而陆朱之争研究相对较多。郭齐家认为，陆朱之争首先是“易简”与“支离”之争，即“朱以陆之教人为太简，陆以朱之教人为支离”，认为烦琐支离容易丢失教育涵养的根本，粗率易简又难免会造成空洞，应该把两者辩证统一起来；其次是“尊德性”与“道问学”之争，前者主张德性之知，强调辨志、明心、自发自动，而道德自律最为紧要；后者重视见闻之知，更强调经验知识积累。把两者割裂开来都不是成功的道德教育，应将其辩证统一起来。[③]黄钊把朱陆之争上升到了程朱理学和象山心学之争，表现为三个方面：一是关于道之本体的分歧，前者将“理”视为道德本体，属于客观唯心主义道德本体论，后者将“心”作为道德本体，属于主观唯心主义道德本体论；二是关于“理”之存在的分歧，前者认为“理”是外在于“心”的东西，后者认为“理”是内在于“心”的东西；三是关于入德之方的分歧，朱熹“道问学”强调“穷理”“格物”而实现“致知”或“明理”，而象山则注重“尊德性”，强调敬德，主张以隆德为宗旨。[④]

---

① 涂爱荣．宋明理学家德育方法思想研究［M］．武汉：湖北人民出版社，2007：93．103．118．129．133.

② 郭齐家，顾春．陆九渊教育思想研究［M］．南昌：江西教育出版社，1996：166.

③ 郭齐家．评朱陆之争［J］．北京师范大学学报，1990（6）：47－53.

④ 黄钊．儒家德育学说论纲［M］．武汉：武汉大学出版社，2006：240－248.

此外，李振纲、蒋国保、连凡、余龙生等学者也对朱陆之争的表现及实质做了深入探讨。①

总而言之，关于陆九渊思想研究呈不断增长之势，但就德育思想的研究而言仍存在一些问题：一是相关研究成果仍较少，研究视角较为狭窄，其“德育”的成分挖掘不充分，学科特色不够鲜明；二是相关研究归纳总结成分多、学理探讨、辩证分析不够，存在研究的重复性、同质化现象；三是对陆九渊德育内容的研究较少；四是比较研究主题较为单一，关于象山学说在国外的传播和影响研究较少。未来陆九渊德育思想的研究，应注意关注对其德育思想的整体性和系统性，使其德育思想的形成和发展轨迹更加清晰，从而规避只关注某个论点的片面性研究；应注意拓宽象山学研究的国际视野及其对国外的传播与影响；应把陆九渊德育思想的核心理念与现代学校德育的理论与实践研究结合起来，将其主张的“易简工夫”的德育原则和方法、“尊德性”的教育宗旨以及辨志立志、优游读书、剥落减担等教学方法，与现代学校德育改革的需要结合起来，以真正体现传统德育思想的创造性转化、创新性发展。

## 二、王守仁“致良知”的德育思想

王守仁（1472—1529），字伯安，号阳明，浙江余姚人，明代杰出的思想家、教育家，世称“阳明先生”。阳明心学是中国主观唯心论成熟的标志，

---

① 李振纲．象山心学与朱陆之辩［J］．河北大学学报（哲学社会科学版），2004（4）：1－4；蒋国保．“性即理”与“心即理”本义辨析［J］．江南大学学报（人文社会科学版），2011（5）：23－30＋35；余龙生，余龙斌．分歧与交集：朱熹、陆九渊教育心理思想之检视［J］．朱子学刊，2015（2）：160－172；连凡．朱陆修养工夫论的思想渊源及其异同：以“尊德性”与“道问学”为宗旨［J］．道德与文明，2017（6）：56－68；连凡．“尊德性而道问学”：朱、陆修养工夫论的思想渊源及其比较［J］．武陵学刊，2017（5）：1－14.

他强调人的主观能动性，呼吁思想和个性的解放，提出的“致良知”的道德本体论、“知行合一”的认识论和方法论，影响深远。

### （一）研究历程

改革开放四十多年来，关于王守仁德育思想的研究大体可分为三个阶段：

1. 解放复苏阶段

1978—1990 年是陆王心学教育思想和德育思想研究的思想解放与复苏阶段，特别是 1980—1987 年一系列学术会议的召开，标志着大陆陆王心学研究开始突破左倾思想的藩篱，步入思想解放、学术探讨的正轨。在此历史境遇下，关于阳明学的研究也逐渐兴起，其德育思想也不断被学者所重新关注，出现了一些重要研究成果，主要体现在：从伦理思想史、教育思想史等学科视角对王守仁德育思想的系列论述；[①] 关于王守仁道德教育理论基础、目的和任务、修养工夫等思想的系统研究；[②] 关于王守仁教育或德育心理学思想的研究；[③]“知行合一”德育思想的阐发；[④] 关于王守仁德育思想的批判和继承的研究[⑤]。

---

① 邪椿．古代教育思想论丛（中）［M］．北京：北京师范大学出版社，1985；郭齐家．中国教育思想史［M］．北京：教育科学出版社，1987；王炳照，郭齐家．简明中国教育史［M］．北京：北京师范大学出版社，1987；毛礼锐，沈灌群．中国教育通史：第 3 卷［M］．济南：山东教育出版社，1987；陈瑛，温克勤，唐凯麟，等．中国伦理思想史［M］．贵阳：贵州人民出版社，1985；沈善洪，王凤贤．中国伦理学说史（中）［M］．杭州：浙江人民出版社，1985.

② 郭齐家．宋明理学道德教育思想散论［J］．北京师范大学学报，1984 (3)：71 − 77.

③ 刘兆吉．王守仁的心理学思想［J］．师范学院学报，1984 (2)：79 − 83；燕国材．明清心理思想研究［M］．长沙：湖南人民出版社，1988.

④ 龚振黔．王守仁“知行合一”说新探［J］．贵州社会科学，1983 (5)：20 − 24 + 35.

⑤ 王炳照．批判地继承古代道德教育思想遗产［J］．北京师范大学学报，1984 (3)：63 − 70.

2. 活跃繁荣阶段

1991—2003 年，王守仁德育思想研究进入到活跃繁荣时期，产生了许多有相当学术深度、影响力较大的研究成果，研究者探讨的主要内容有：对王守仁等历代先贤德育思想的总结概括和评价研究；[①] 以教育史、伦理思想史的学科视角对王守仁德育思想的研究；[②] 对王守仁教育思想的专题研究；[③] 关于王守仁儿童德育思想研究；[④] 佛学对王守仁德育思想的影响研究。[⑤] 此外，还有关于王守仁道德教育原则和方法研究、王守仁良知教育理论与实践研究、王守仁道德修养思想比较研究、王守仁道德内化思想研究、王守仁"四句教"研究等。

3. 深化拓展阶段

2004 年至今，王守仁德育思想研究成果更为丰硕，且研究内容不断深化，研究视角不断拓展。特别是 2004 年中共中央、国务院印发《关于进一步加强和改进未成年人思想道德建设的若干意见》和 2016 年习近平总书记主持召开哲学社会科学工作座谈会之后，基于弘扬中华传统美德教育的相关研究方兴未艾，传统德育思想研究迎来了深化拓展的时期，产生了诸多学术水平较高的研究成果，其中也包括王守仁德育思想研究，研究的主要内容有：王守仁德育思想的梳理、评价、启示；王守仁德育原则和

---

① 江万秀，李春秋．中国德育思想史［M］．长沙：湖南教育出版社，1992.

② 喻本伐，熊贤君．中国教育发展史［M］．武汉：华中师范大学出版社，1991；李国钧，金林洋．中国教育思想通史（第四卷：明清）［M］．长沙：湖南教育出版社，1994；孙培青，李国均．中国教育思想史［M］．上海：华东师范大学出版社，1995；陈少峰．中国伦理学史（上、下）［M］．北京：北京大学出版社，1996；等等．

③ 毕诚．儒学的转折：阳明学派教育思想研究［M］．北京：教育科学出版社，1992；余文武．王阳明教育思想研究［M］．成都：西南交通大学出版社，2000.

④ 李贤荣．种德·养德·考德：王守仁的德育理论与实践［J］．教育研究，1997（3）：66－70.

⑤ 张学强．试论佛学对王守仁教育思想的影响［J］．华东师范大学学报（教育科学版），1999（1）：18－27.

方法的研究；“知行合一”和“致良知”德育思想的深化研究；从教育史、伦理史和思想史等多学科视角对王守仁德育思想的研究；王守仁德育心理思想、师德思想研究；王守仁德育思想的现代价值研究；王守仁道德修养思想的比较研究；王守仁乡约教化思想研究。

### （二）研究的主要成果

关于王守仁德育思想研究的内容，主要包括德育思想理论基础、德育目标、德育原则、德育方法、德育过程、儿童德育、德育思想比较等方面。

1. 王守仁德育思想的理论基础

有学者认为，王守仁德育思想的哲学底蕴为“心性合一”说，主要体现在：“心即性”；“致良知”，由于心会被遮蔽，故需“致良知”，“良知”作为天理，本就在人心中，不假外求，圣愚皆有良知，而“致良知”之要在于“静坐息思虑”；“知行合一”，强调道德行为的重要性，主张知也是行。[①] 有学者认为，王守仁提出了“心即理”的道德本原论，包括“心即是理”“心外无理”，在道德观上主张道德主体化和人心本体化。[②] 还有学者认为，王守仁之学继承发挥了孟子的心性论、二程“唯理唯实”的基本观点、程朱的“存天理，灭人欲”的修身要诀和陆九渊“心学”思想（包括“心即理”“心”为道德本体、“理非外铄”），是从孟子到陆九渊心学思想的集大成者；王守仁“致良知”的思想深刻阐述了“良知”的概念、功能及“致良知”的必要性等。[③] 这些理论基础为思考其德育思想提供了前提。

2. 王守仁的德育目的观

有学者认为，王守仁的道德教育目的在于达到“大人之学”，道德理

① 张锡生．中国德育思想史［M］．南京：江苏教育出版社，1993：516－520.

② 陈谷嘉，朱汉民．中国德育思想研究［M］．杭州：浙江教育出版社，1998：712－718.

③ 黄钊．儒家德育学说论纲［M］．武汉：武汉大学出版社，2006：273－278.

想人格是“大人”，是“内圣外王”的理想道德典范；其任务在于通过“知行合一”“致良知”来培养学生对道德行为的选择能力与道德是非的判断能力，从而培养和发展人的道德主体性。①还有学者认为，王守仁与陆九渊一样，强调“不假外求”和“尊德性”，重视道德教育与道德修养，提出了“知行合一”的道德教育目标或总要求。②也有学者认为，王守仁的德育目标即理想人格可分为两个层次：一是“圣人的人格”，圣人之心是纯乎“天理”，不索外事，即有仁民爱物之心，又无人己、物我之分，人人可为“圣人”；二是“大人的人格”，此层次较“圣人”层次更高，不仅要做到“明明德”的内圣，还要做到齐家、治国、平天下的外圣。③另有学者论及了王守仁学为圣人、明人伦、学以去其昏蔽的教育目的观。④

3. 王守仁的德育原则观

有学者指出，王守仁的道德论强调了两个基本原则，即心理情感原则和道德实践原则，而这两个原则的统一正是其“知行合一”的道德教育思想的理论基础。王守仁极为重视道德修养的原则，道德教育要坚持“知行合一”“博约一贯”“真善美合一”的原则。⑤有学者则认为，王守仁的德育原则有五个：第一，“知行合一”原则，个体的道德行为均要以真情实感为基础，德育过程的每一环节都要进行自我道德评价;第二，“博约一贯”原则，博文和约礼要互为体用，不可分离；第三，“整体明了”原则，要求从总体上直观地把握良知本体；第四，“学贵自得”原则，追求自己豁

---

① 毕诚.儒学的转折:阳明学派教育思想研究［M］.北京:教育科学出版社,1992:230－234.

② 江万秀,李春秋.中国德育思想史［M］.长沙:湖南教育出版社,1992:262－265.

③ 罗炽,简定玉,李太平,等.中国德育思想史纲［M］.武汉:湖北教育出版社,1998:478－481.

④ 余文武.王阳明教育思想研究［M］.成都:西南交通大学出版社,2008:55－81.

⑤ 毕诚.儒学的转折:阳明学派教育思想研究［M］.北京:教育科学出版社,1992:211－212,244－250.

然醒悟的“解化”而不是别人指点的“点化”;第五,“随人分限所及”原则,即实行因材施教。[①]

4. 王守仁的德育方法观

不少学者专门讨论了王守仁的德育方法，认为王守仁主张一种“复其心体之同然”的德育方法，从“心外无学”“求理于吾心”的观点出发，主张道德教育要效法圣人之法，注重开导良知，恢复本心，具体方法有：第一,“顺导其志意,调理其性情”,反对“鞭挞绳缚,若待拘囚”的方式;第二，循序渐进，因材施教，主张随人分限所及；第三，教育者须谦虚谨慎。[②]有学者将其德育方法概括为：说理教育法、情感陶冶法、实事磨炼法、道德评价法、修养指导法。[③]还有学者详细阐述了王守仁“致良知”的德育方法，包括：第一，自明本心，首要在于祛欲蔽习害，其次要“静坐息虑”；第二，要自得于心与自家解化；第三，事上磨炼。[④]另有学者专题阐论了王守仁的德育方法及其现代价值,从“为学不偏”“盈科而进”“施教不可躐等”“顺导性情”“知行合一”“学莫先于立志”“致中和在慎独”“胜私复理”“改过迁善”“致良知”诸方面，作了详尽而系统的推论。[⑤]

5. 王守仁的德育过程观

王守仁一向主张知行问题是道德和德育过程的核心问题，他反对程朱理学的“先知后行”,提出了“知行合一”的德育过程观。其含义包括:首先,从“知”与“行”作为一个动态的完整过程来看，两者互相包含、相互渗

---

① 罗炽，简定玉，李太平，等．中国德育思想史纲［M］．武汉：湖北教育出版社，1998：483－491.

② 江万秀，李春秋．中国德育思想史［M］．长沙：湖南教育出版社，1992：265－267.

③ 毕诚．儒学的转折：阳明学派教育思想研究［M］．北京：教育科学出版社，1992：250－260.

④ 陈谷嘉，朱汉民．中国德育思想研究［M］．杭州：浙江教育出版社，1998：726－734.

⑤ 涂爱荣．宋明理学家德育方法思想研究［M］．武汉：湖北人民出版社，2007：62－135.

透;其次，强调从“知”与“行”的本义上理解“知行合一”，真知就是行，行就是真知；第三，“知”与“行”是“合一并进”的。王守仁由此证明，道德教育过程完全是一个知行不可分离、完整统一的过程。[①]王守仁在晚年将道德教育过程概括为“四句教”，即“无善无恶是心之体，有善有恶是意之动，知善知恶是良知，为善去恶是格物”。它以主观唯心主义为理论基础，以“知行合一”为根本旨归，按照道德形成的规律和道德教育的目的，将知、情、意、行四个基本环节构建成一个在心理发展和教学上较为严密的逻辑体系。[②]王守仁的德育过程也是一个种德、养德和考德的过程，涉及德育任务、德育方法和德育评价等过程。[③]

6. 王守仁的儿童德育观

余怀彦较早地论述了王守仁的儿童德育思想，认为《训蒙大意示教读刘伯颂等》是世界上比较早的专门论述儿童教育的精彩文字，论者以此为文本梳理分析了蕴含其中的儿童教育思想和道德教育方法。[④]李贤荣较为新颖地论述了王守仁关于儿童德育的“种德”“考德”两个德育概念，细致分析了“养德”的独创性经验及其对现代儿童德育的启示。[⑤]有学者从王守仁的良知论出发，归纳了其儿童德育观：反对以灌输和强制为特征的道德教育；儿童德育具有自身的特殊性；儿童德育内容和实践活动要立足儿童生活经验；要采用顺应自然、知行合一的方法，凸显儿童道德主体地位。[⑥]也有学者从童谣历史变迁的视角分析了王守仁的“童子之情”的儿

① 陈谷嘉，朱汉民．中国德育思想研究［M］．杭州：浙江教育出版社，1998：718－726.

② 毕诚．儒学的转折：阳明学派教育思想研究［M］．北京：教育科学出版社，1992：235－243.

③ 李贤荣．种德·养德·考德：王守仁的德育理论与实践［J］．教育研究，1997(3)：66－70.

④ 余怀彦．王阳明的教育哲学思想初探［J］．贵州社会科学，1981(6)：31－38.

⑤ 同③.

⑥ 张惠娟．简论王阳明的儿童道德教育思想［J］．船山学刊，2009(1)：139－141.

童教育观及其德育启示。①

7. 王守仁德育思想的比较研究

从比较研究的视角研究王守仁的哲学、教育或德育思想的成果也屡见不鲜，主要涉及与不同时期人物思想或流派的比较，例如王守仁与孔子、朱熹、陆九渊、王艮、牟宗三、杨贤江等人物思想的比较；王守仁与康德、卢梭、海德格尔、萨特、柯尔伯格、席勒、杜威、罗尔斯、舍勒等国外人物思想的比较研究；陆王心学与程朱理学之比较；中日、中韩阳明学派的比较。其中，代表性成果有：对王艮与王守仁教育思想的比较研究；②对王守仁与柯尔伯格德育思想异同的研究；③对中日阳明学派道德教育理念的比较研究；④对王守仁与孔子教育方法的比较研究；⑤对朱熹与王守仁蒙养教育观异同及现代启示的比较研究。⑥

此外，关于王守仁德育思想的研究成果还包括德育实效评价、德育内容、德育心理、师德建设、社会教化等方面的零星成果，此不赘述。

综上所论，可以发现，关于王守仁德育思想研究还存在一些问题，比如：对阳明心学德育原则和方法的论解存在重合、交叉现象，对阳明心学德育内容的把握也存在一些歧义，缺乏对其德育思想形成和发展思想轨迹的梳理，关于阳明后学各派德育思想的系统和比较研究也不多见，这不利于把

---

① 张梦倩，杜成宪．“荧惑说”与“童子之情”：从童谣的历史变迁透析传统儿童观和儿童教育观［J］．教育学报，2009 (6)：107 － 113.

② 张树俊．王艮与王守仁教育思想之比较［J］．华东师范大学学报（教育科学版），2001 (2)：91 － 96.

③ 白璟．王阳明与柯尔伯格德育思想之比较分析［J］．求实，2005 (S2)：71 － 72.

④ 王凌皓．中日阳明学派道德教育理念比较研究［J］．河北师范大学学报（教育科学版），2007 (1)：47 － 50.

⑤ 王胜军．优入圣域：王阳明、孔子教育方法之比较［J］．贵州师范大学学报（社会科学版），2014 (6)：24 － 29.

⑥ 范国盛．朱熹与王阳明蒙养教育观之异同及现代启示［J］．宁波大学学报（教育科学版），2020 (2)：61 － 67.

握其思想演进的历史脉络，从而影响其潜在德育价值的挖掘。因而，为挖掘其“道德教育”的独特见解，彰显其“致良知”“知行合一”等核心思想的德育理论研究价值,如何变“抽象的继承”为“创造的继承”,强化“创造性继承”与“创造性诠释”在文化传承发展中的作用,[①] 成为未来阳明心学德育思想研究的重点。

## 第四节　明末至清代儒家德育思想

在中国历史上，明末至清代出现了许多著名的思想家、教育家，一些进步思想家对宋明理学和心学持批判态度，流露出某种反封建的思想启蒙色彩，从而推动了中国传统文化与教育思想的发展，也促进了这一时期德育思想的变革与发展。

### 一、王夫之“继善成性”的德育思想

王夫之（1619—1692），字而农，号姜斋，湖广衡阳（今湖南衡阳）人，因晚年居住在衡阳县石船山，后人称之为“船山先生”，是中国明末清初著名思想家、教育家、唯物主义哲学家，与黄宗羲、顾炎武并称“明末清初三大家”。王夫之著作等身，学术成就甚高，思想体系庞大，“继善成性”的德育思想是其重要组成部分，具有很高的学术价值。

#### （一）研究历程

回溯改革开放四十多年来，王夫之德育思想研究的基本历程，大体上

① 陈来．从道德的“抽象的继承”转向“创造的继承”：兼论诠释学视野中的文化传承问题［J］．文史哲，2017 (1) : 5 − 20 + 166.

可分为三个阶段：

1. 恢复重建阶段

1978—1990 年是王夫之教育和德育思想研究的恢复重建阶段。1982 年，船山学社正式恢复活动；1984 年，创刊于 1915 年的《船山学报》复刊，标志着王夫之思想研究进入恢复重建阶段。这一时期关于王夫之教育与德育思想的研究不断出现。通过学术期刊网站检索发现，早在 1988 年，唐凯麟就发表了专论王夫之道德教育的文章《简论王夫之的道德教育论和道德修养论》，较为系统地分析了王夫之的德育思想，重点阐述了其德育思想的“性者生理也”及“性日生而日成”的人性论基础、德育的原则、德育过程、德育内容和目的、德育方法等内容。[①] 此外，唐凯麟的《王夫之的道德论述评》，王泽应的《王夫之的道德修养理论》，陈伙平的《王夫之的人性论和教育观浅析》[②] 等都是这一时期研究王夫之德育思想的代表性成果。

2. 深化拓展阶段

1991—2014 年是王夫之德育思想研究的深化拓展期。1989 年《船山学报》一度停办，但 1991 年又由湖南省社会科学界联合会复办，并易名《船山学刊》，从此船山思想研究迎来了蓬勃发展。据统计，1991—2014 年共出版了 94 期《船山学刊》，其中涉及王夫之教育、道德和德育思想的论文百余篇，成为王夫之教育思想研究的重要阵地。这一时期的王夫之德育思想研究主要涉及王夫之的教育与德育思想及其价值、道德修养理论、人格思想、教育方法、“以德治国”思想、“成德之学”思想、师德思想、德育

① 唐凯麟．简论王夫之的道德教育论和道德修养论［J］．郑州大学学报（哲学社会科学版），1988 (2)：62 − 66 + 39.

② 唐凯麟．王夫之的道德论述评［J］，船山学刊，1987 (2)，4 − 9 + 16；王泽应．王夫之的道德修养理论［J］，衡阳师专学报（社会科学版），1988 (1)，13 − 18 + 28；陈伙平．王夫之的人性论和教育观浅析［J］，福建师范大学学报（哲学社会科学版），1990 (1)，20 − 25.

心理、儿童教育、伦理学研究等。同时，也产生了专论王夫之学术思想的研究性著作，具有代表性的有：唐凯麟、张怀承的《六经责我开生面——王船山伦理思想研究》，张立文的《正学与开新——王船山哲学思想》，萧萐父、许苏民的《王夫之评传》，陈来的《诠释与重建——王船山的哲学精神》。①此外，中国德育思想史方面的一些研究著作，都辟有王夫之德育思想的专论。②

3. 平稳发展期

2015年以来，王夫之德育思想研究进入到平稳发展阶段，代表性文章主要集中在《船山学刊》，比如：李长泰的《论王夫之君子人格思想的四层面向》，杨明的《论王船山的君子与小人之辨》，曾长秋和罗序明的《论王船山的道德教育思想》，高恒天的《王船山的道德人格及其当代价值》，谢芳和王学锋的《"诚""思诚""至诚"：王船山批判性思维视域下的道德教育思想摭论》等。③

---

① 唐凯麟、张怀承．六经责我开生面：王船山伦理思想研究［M］．长沙：湖南出版社，1992；张立文．正学与开新：王船山哲学思想［M］．北京：人民出版社，2001；萧萐父，许苏民．王夫之评传［M］．南京：南京大学出版社，2002；陈来．诠释与重建：王船山的哲学精神［M］．北京：北京大学出版社，2004.

② 江万秀，李春秋．中国德育思想史［M］．长沙：湖南教育出版社，1992；于钦波．中国德育思想史［M］．长春：吉林教育出版社，1993；陈谷嘉，朱汉民．中国德育思想研究［M］．杭州：浙江教育出版社，1998；黄钊．儒家德育学说论纲［M］．武汉：武汉大学出版社，2006；曾长秋，周含华．中国德育通史简编［M］．长沙：湖南人民出版社，2011；王正平．中国传统道德论探微［M］．上海：上海三联书店，2004；涂爱荣．宋明理学家德育方法思想研究［M］．武汉：湖北人民出版社，2007.

③ 李长泰．论王夫之君子人格思想的四层面向［J］．船山学刊，2015 (1)：34－50；杨明．论王船山的君子与小人之辨［J］．船山学刊，2015 (1)：96－100；曾长秋，罗序明．论王船山的道德教育思想［J］．船山学刊，2015 (6)：1－7；高恒天．王船山的道德人格及其当代价值［J］．船山学刊，2016 (6)：1－7；谢芳，王学锋．"诚""思诚""至诚"：王船山批判性思维视域下的道德教育思想摭论．船山学刊，2017 (6)：57－63.

### （二）研究的主要成果

1. 德育思想的理论基础

王夫之主张人性是后天学习而成的，“性者天道，习者人道”；“性”与“习”是统一的，人性是“日生则日成”“继善成性”的。王夫之把人性分为“先天之性”和“后天之性”，两者都是不断“生长”和“生成”的，这些变化要靠“习”，即环境的影响和教育的作用，故提出“习成而性与成”的见解。正是由于人之“继善成性”，故即可通过力行实践，把自然与社会存在的客观之道转换为主观之道，“取纯用粹”，从而为“性”增加新成分。在道德观方面，他坚持理与欲的统一，主张“人欲”和“天理”相统一，反对“存天理，灭人欲”。[①] 王夫之提出元气不灭论，形成了“性者，生理也，日生则日成也”或“习与性成”的道德起源论。这里的“习与性成”不仅包括“未成可成”，也包括“已成可革”的德育思想，体现出重视教育、学习、环境和实践作用的见解。[②]

2. 王夫之德育与政治经济关系的思想

王夫之对于道德教育与社会政治、经济之间关系认识是较为深刻的。第一，以教为本，以政为先。体现了政治制约教育（德教）、教育反作用政治，政教相通的思想，含有辩证法的韵味。第二，提出“理寓于欲中”“以理导欲”“以义制利”的主张，道德原则和规范离不开人们物质生活的欲求，但欲求的满足须在道德原则和规范的指导下进行。[③] 王夫之对《管子》之“仓廪实则知礼节，衣食足则知荣辱”作了精辟论述，认为这是“执末求本”，当衣食和财物不足之时，道德教育愈加重要；否则，谋利之徒会无所不为。他认为，物质的“有余”和“不足”没有绝对的标准，应当辩证分析，教

① 郭齐家. 中国教育思想史［M］. 北京：教育科学出版社，1987：332 – 337.

② 于钦波. 中国德育思想史［M］. 长春：吉林教育出版社，1993：331 – 335.

③ 同② 335 – 338.

化人们“知足常乐”;要通过教育使人学会知足,发挥“仁”“义”“和”“道”等道德精神对人们私欲的制约作用，充分发挥道德教育的功用。[①]

3. 德育目的观

王夫之十分重视“志”在道德教育中的重要作用,把“立志”与“正志”作为道德教育的主要目标。[②]王夫之修正和融合了宋儒的“圣贤气象”，认为“内圣”型的圣贤人格存在道德虚无之弊，不再适合社会生活，遂提倡树立“经天纬地、建功立业”的豪杰精神，以与圣贤气象结为一体，实现更加完善的理想人格。[③]有学者认为，王夫之的德育目标在于希望通过德育使人达到“成圣”与“成性”相统一以及具有“以身任天下”的豪杰精神，呈现出“义”“勇”双全、“以身任天下”以及“生从道、死从义”的特点。[④]还有学者分析了王夫之君子人格的四个层面，分别是：“德性人格是基层面向，圣人人格是理想面向，道德实践是日用面向，内外合一是审美面向，四个面向思想体现了内圣外王的学术路线。”[⑤]

4. 德育过程观

王夫之提出,道德修养与德育过程的本质就是“知（道德认知）行（道德实践）并进”，知与行“相资互用”，从而实现社会道德个体化和个体的道德成长。具体来说包括：第一，重视“致知”即道德认知和道德理性的重要性，而理性的培养要坚持“正志”和“立志”;第二，强调“应事接物”的生活实践中“行”的重要性，认为“行”和“躬行实践”是德育过程中最根本的环节；第三，提出了“知行相资以为用”的德育过程思想，认为知和行是一个并进而有序的整体，但并不意味着知行同样重要，力行是最

① 黄钊．儒家德育学说论纲［M］．武汉：武汉大学出版社，2006：305－308.

② 涂爱荣，王娟．王夫之德育思想探究［J］．教育探索，2012 (2)：3－4.

③ 朱汉民．船山人格精神与近代湖湘士人［J］．船山学刊，2013 (4)：1－6.

④ 曾长秋，罗序明．论王船山的道德教育思想［J］．船山学刊，2015 (6)：1－7.

⑤ 李长泰．论王夫之君子人格思想的四层面向［J］．船山学刊，2015 (1)：34.

根本的。[1] 王夫之认为，道德教育的过程应当遵循“施之有序”，包括前后相继、紧密联系的五个阶段：“始教之以粗小之事”“继教之以粗小之理”“继教之以精大之事”“继教之以精大之理”“终以大小精粗理之合一”。[2] 燕国材从心理学的视角论述了王夫之的德育过程思想，认为德育过程即“悟”或“自悟”的过程，教者善教，学者善学；德育过程即知行统一的过程，包括四个阶段：以“智统四德”为基础的道德认识论，以情感自律为支柱的道德情感论，以志统帅意为条件的道德意志论，以知行统一为机制的道德行为论。[3]

5. 德育原则和方法

在德育原则和方法方面，王夫之提出了四个主张：第一，循序渐进，“立教有序”；第二，因材施教，“因人而进”；第三，学思结合，“学思相资”；第四，道德修养，“正志为本”。[4] 罗国杰分析了王夫之的教育原则和方法，主要观点是：教育的原则应该是在“顺乎其性”的基础上，“广大三主”，而转化“三辅”，即以正面教育为主，“蒙以养正”，而辅之以批评惩罚；以塑造性的“壅培”为主，而辅之以改造性的“斤削”；以自觉教育为主，启其“自爱之心”，而辅之以“强制”。[5] 由此，王夫之认为只有改造“三辅”，以“三主”为主要手段，才能收到教育成效。因为“三辅”是外因，“三主”是内因。此外，他反对传统的那种“师其成心”或“以心为师”的唯心主义修养论，提出了建立在朴素唯物主义认识论的基础上“以物为师”的修养原则及“虚中受外”“以中裁外”的修行方法，认为只有通过“正志”“养

① 陈谷嘉，朱汉民．中国德育思想研究［M］．杭州：浙江教育出版社，1998：772－778.

② 王正平．中国传统道德论探微［M］．上海：上海三联书店，2004：245－246.

③ 燕国材．中国教育心理思想史［M］．济南：山东教育出版社，2004：543－547.

④ 涂爱荣．宋明理学家德育方法思想研究［M］．武汉：湖北人民出版社，2007：69－105.

⑤ 罗国杰．中国伦理思想史（下）［M］．北京：中国人民大学出版社，2008：687.

志”才能实现“修身”的目的。[①]

王夫之德育思想研究也存在一些问题，主要有：对其德育思想的专题研究成果较少，大多散见于其哲学、伦理学、德育思想史等综合研究之中；缺乏全面系统的研究梳理，亦未出现影响力较大的德育专著和研究，研究主题和内容陈陈相因，在王夫之道德人格思想、儿童启蒙教育、道德修养等研究方面存在同质化倾向；相关研究结论流于形式，存在标签式考察取向，如把王夫之德育思想的缺陷简单地归于机械唯物主义、历史和阶级的局限等，很少聚焦到王夫之德育见解本身的理论探讨。由此，未来王夫之德育思想研究，要注重研究视角和方法的创新，注重挖掘原著中的德育思想文献，不断拓宽研究视野，进而产生有较大影响力的研究成果。此外，要积极探索和发挥其“习与性成”“知行并行”“三主三辅”等核心思想在德育研究和实践中的当代价值。

## 二、黄宗羲“存养心性”的德育思想

黄宗羲（1610—1695），字太冲，号南雷，浙江余姚人，后人尊称梨洲先生，是明末清初伟大的经学家、思想家、民主主义的启蒙教育家，被誉为“中国思想启蒙之父”。其学问渊博，著作宏富，一生著述 50 余种，300 多卷，其中不乏深邃的德育思想。“存养心性”是黄宗羲德育思想的表征。

### （一）研究历程

检视黄宗羲德育思想的研究成果发现，多数研究散见在其哲学、政治、伦理或教育思想中，也有一些专门的研究成果出现。其基本历程可分为两

① 罗国杰．中国伦理思想史（下）［M］．北京：中国人民大学出版社，2008：688－690.

个阶段：

1. 萌芽探索阶段

根据目前已收集的文献显示，冯契 1985 年发表的《论黄宗羲的“工夫所至即是本体”说》，是最早阐释黄宗羲德育目标思想的研究之一，论者探讨了黄宗羲的哲学思想、人道观思想、“豪杰”人格理想诸问题。[①]1992 年之前的相关研究多散见于对其教育思想、伦理思想的研究中。例如，毛礼锐、沈灌群论述了黄宗羲“学用一致”的教育方法，通过积累和“实行”窥见“圣学本体”的德行培养方法；[②]陈瑛等人分析了黄宗羲“人各有私、人各自利”的人性论和道德观，“务得于己、不求合于人”的反盲从奴性的思想，“作圣之路”思想，重视“清议”和“公其是非于学校”的思想，注重发挥社会舆论、进行道德评价、改变社会道德风尚作用的思想。[③]

2. 平稳发展阶段

1992 年至今，研究进入到一个平稳发展时期，相关成果较之前一时期丰富得多。几乎所有的德育思想通史著作都对黄宗羲的德育思想作了论述，如江万秀、李春秋的《中国德育思想史》，陈谷嘉、朱汉民的《中国德育思想研究》，罗炽等人的《中国德育思想史纲》，黄钊的《儒家德育学说论纲》等，围绕黄宗羲德育思想中理论基础、德育目标、德育原则和方法、德育心理等内容展开讨论。还有一些关于黄宗羲的专著和文集也涉及其德育思想，例如金林祥的《教育家黄宗羲新论》，徐定宝的《黄宗羲评传》，黄敦兵的《黄宗羲伦理思想的主题及其展开》，吴光等人编的《黄梨

① 冯契．论黄宗羲的“工夫所至即是本体”说［J］．浙江学刊，1985 (2).

② 毛礼锐，沈灌群．中国教育通史：第 3 卷［M］．济南：山东教育出版社，1987：549.

③ 陈瑛，温克勤，唐凯麟，等．中国伦理思想史［M］．贵阳：贵州人民出版社，1985：683－693.

洲三百年祭——祭文·笔谈·论述·佚著》等。[1]这一时期专门研究黄宗羲德育思想的文章较少，部分观点也只散见在一些关于黄宗羲教育思想的文章中，如陈增辉的《黄宗羲教育思想试评》，尉浩的《黄宗羲“德”范畴论析》，邓名瑛、尹文芳的《黄宗羲道德哲学思想新探》，王慧的博士论文《黄宗羲政治与教化思想研究》等等。[2]可见，关于黄宗羲德育思想的研究尚不够系统和深入，有待进一步深化拓展。

### （二）研究的主要成果

1. 德育理论的思想基础

黄宗羲主张“理气、心性”一元论的哲学观，“人各有私，人各自利”的人性观和道德观。认为人性都是自私自利的，正是在私利的基础上才形成了国家公利。所以，道德教育是为了调和私利和公利而产生的，目的在于防止人们“无教”“无养”，使社会能够“防其淫”“防其乱”，继而达到个人利益与社会利益、义理与功利的统一。他把基于个人私利的“天下之利”“天下之法”作为最高的道德原则和道德理想。[3]人的道德和政治素质对社会政治的影响极大，他反对封建君主“以天下之利尽归于己、天下之害尽归于人”的“君为主”的思想，批驳了“君为臣纲”的道德观，提出了“为天下、非为君”的政治道德要求，主张君臣不是主仆关系，而是同

---

① 金林祥．教育家黄宗羲新论［M］．西宁：青海人民出版社，1993；徐定宝．黄宗羲评传［M］．南京：南京大学出版社，2002；黄敦兵．黄宗羲伦理思想的主题及其展开［M］．北京：中国社会科学出版社，2012；吴光，等．黄梨洲三百年祭：祭文·笔谈·论述·佚著［M］．北京：当代中国出版社，1997．

② 陈增辉．黄宗羲教育思想试评［J］．孔子研究，1995（2）：74－81＋83；尉浩．黄宗羲“德”范畴论析［J］．济南大学学报（社会科学版），2007（5）：78－81；邓名瑛，尹文芳．黄宗羲道德哲学思想新探［J］．伦理学研究，2015（2）：27－32；王慧．黄宗羲政治与教化思想研究［D］，南京：南京理工大学，2016．

③ 陈瑛，温克勤，唐凯麟，等．中国伦理思想史［M］．贵阳：贵州人民出版社，1985：683－686．

事和师友关系。[①] 在这一认识的基础上，他重新审视了旧的是非标准，否定了“以天子之是非为是非”的标准，主张“公其是非于学校”，凸显了学校的社会地位。还有学者提出，黄宗羲在理气一元论的基础上，坚持心性一元论，“首先，他坚持心性一元论，只承认气质之性，反对变化气质之说；其次，坚持反对人性的先验论；再次，坚持性是心不断活动的法则，性是不断变化发展的。”[②] 这些主张是理解黄宗羲德育思想的前提。

2. 德育目标观

黄宗羲关于人之自私自利本性的思想，体现在人生态度和人格上就是追求一种反对盲从和奴性、提倡理性和个性的“豪杰之士”的人格理想。冯契深刻阐述了黄宗羲“豪杰”人格理想，认为“‘工夫所至，即是本体’的思想贯彻于人道观，那就要求高度发挥人的主观能动作用，努力用‘工夫’把自己培养成为‘证得本体分明’的理想人格……黄宗羲心目中的理想人格是能‘经纬天地、建功立业’的豪杰，而并非朱熹所说的‘醇儒’”。[③] 此后，朱义禄对黄宗羲“豪杰”人格理想作了阐发，认为黄宗羲提倡的经世致用的学风与豪杰精神的人格理想是一致的，都具有强烈的功利主义色彩；黄宗羲反对内圣、醇儒的人格范式，主张“学贵适用”，学道和事功的统一，故而推崇“豪杰”人格；达臻豪杰人格的条件是：为国家和民族建功立业，对国家和民族的命运与前途抱有强烈的责任感，即“扶危定倾”的责任感。[④] 此外，还有学者分析了黄宗羲“仁义、事功、气节合一”的德育目标学说。[⑤]

---

① 陈谷嘉，朱汉民．中国德育思想研究［M］．杭州：浙江教育出版社，1998：746－749.

② 罗炽，简定玉，李太平，等．中国德育思想史纲［M］．武汉：湖北教育出版社，1998：548.

③ 冯契．论黄宗羲的“工夫所至即是本体”说［J］．浙江学刊，1985 (2)：70.

④ 朱义禄．黄宗羲与中国文化［M］．贵阳：贵州人民出版社，2001：146－187.

⑤ 陈谷嘉，朱汉民．中国德育思想研究［M］．杭州：浙江教育出版社，1998：741－746.

3. 德育原则和方法观

在邱椿先生看来，黄宗羲关于道德修养或道德教育的见解，坚持了三个原则："第一个原则是：道德教育应注重动机或心性的涵养，而不应从言行迹象，知识义理，治平事业，客观事务上着手。端正动机是道德教育的始基……第二个原则是：道德教育是意志教育，是培养和贯彻真诚的意志之教育。这便是诚意或致良知。在培养和贯彻真诚的意志时，亦不应夹杂恶念或善念，不应有丝毫勉强造作的因素……第三个原则是：道德教育是情感教育，是培养'浩然之气'或崇高伟大的道德情感之教育。在实施道德教育时，应照顾到受教育者的情绪。"[①] 冯契先生也对如何用"工夫"造就豪杰之士提出了自己的看法：首先，要立为豪杰之志，要养浩然之气；其次，强调知意情的全面发展，认为从哲学、政治到文学艺术、科学等领域的成果都是历代豪杰人格精神寄寓之所，都需要学习以达到心体的"一本而万殊"；最后，具有豪杰的胸怀不应满足于"温柔敦厚"的"诗教"，而应善于召唤出变征之声、风雷之文，勇敢面对社会矛盾，才是真正豪杰精神之所寓。[②] 另有学者认为，黄宗羲强调以"学用一致"为中心的德育方法，主张学问与事功为一，教育要以"应务救国"为目的，要有"真见"和"真行"，做到"学用一致"，注意"实行"。[③] 此外，还有一些学者论及了黄宗羲的道德修养原则和教学方法，主张道德修养应从根本处入手，将"一本万殊"原则贯彻到道德修养领域；心之修养依靠对"仁义之道"的真诚践履；"尊德性"与"道问学"的统一。[④]

可以发现，专门论述黄宗羲德育思想的成果较少，有一定学术创建的成果屈指可数，相关讨论集中在伦理思想史、教育思想史、德育史等著述

---

① 邱椿．古代教育思想论丛（中册）[M]．北京：北京师范大学出版社，1985：115 − 125.

② 冯契．论黄宗羲的"工夫所至即是本体"说 [J]．浙江学刊，1985 (2)：66 − 72 + 3.

③ 江万秀，李春秋．中国德育思想史 [M]．长沙：湖南教育出版社，1992：278.

④ 尉浩．黄宗羲"德"范畴论析 [J]．济南大学学报（社会科学版），2007 (5)：78 − 81.

中；关于黄宗羲德育思想研究成果的“德育要素”较少，关于其德育内容、德育过程、德育评价、德育比较等领域均未涉及。此外，在其道德教育的人性论基础方面,关于个人私利与“天下之利”的阐述存在争议或矛盾之处。作为近代民主启蒙教育家，其德育思想有待进一步挖掘。展望未来，我们认为，关于黄宗羲在人性论基础的矛盾之处，“无玷清议”“慎重师道”等师德思想对当前师德建设的启示，“学用一致”“一本而万殊”的德育方法及其创造性转化等问题，都值得进一步研究。

## 三、颜元“习动贵行”的德育思想

颜元（1635—1704）,原字易直,更字浑然,号习斋,博野（今属河北）人。明末清初著名的思想家、教育家，颜李学派创始人。颜李学派主张彻底批判宋明理学，其富国强兵、崇尚艺能、经世致用等思想，在中国思想史上独树一帜，被称为“中国 17 世纪思想界中的一支异军”。在德育思想史上，颜元有许多独到精辟的见解，蕴含着近代启蒙思想因素，具有重要的研究价值。颜元的德育思想可概括为“习动贵行”。

### （一）研究历程

颜元的教育思想研究成果较为丰实，涉及德育研究的成果也相对较多。回溯改革开放四十多年颜元德育思想研究的基本历程，大体可分三个阶段：

1. 复苏探索阶段

自 1978 年改革开放后，学术思想逐渐活跃，对颜元思想的研究呈复苏之势。1984 年在河北保定召开的“颜李学派讨论会”，掀起了颜元思想研究的高潮，出现了一些有分量的研究。如：李国钧的《颜元教育思想简论》，论述了颜元的生平与教育活动、教育作用、目标、内容和教学法等思想，德育思想亦有提及；[①] 姜广辉的《颜李学派》也涉及颜元基于理学批判的教育主张。[②] 此外，一些教育史、伦理思想史的著作也涉及颜元的教育思想与德育思想，如郭齐家的《中国教育思想史》，王炳照、郭齐家等人的《简明中国教育史》，毛礼锐、沈灌群的《中国教育通史》（第三卷），陈瑛、温克勤等人的《中国伦理思想史》，沈善洪、王凤贤的《中国伦理学说史》（下）等。

2. 平稳发展阶段

自 20 世纪 90 年代起至 2003 年，颜元的教育思想研究进入一个新的阶段，这一时期产生了许多德育思想史研究的专著，多有涉及颜元的德育思想研究，且相关文章的发表也较之前一时期明显增加。涉及颜元德育思想的著述主要有：江万秀、李春秋的《中国德育思想史》，陈谷嘉、朱汉民的《中国德育思想研究》，罗炽等人的《中国德育思想史纲》，等，都有专论颜元德育思想的章节。代表性的专题论文有：邹大炎的《试论颜元的教育心理思想》，唐凯麟的《清初颜李学派道德教育思想述评》，肖永明的《颜李学派的功利主义德育观》，王晓华、钱丽欣的《颜元实学教育思想及其现代意义》，陈山榜的《颜元教学方法论探析》等。[③]

3. 拓展深化阶段

2004 年颜元逝世 300 周年之际，学界开展了一系列研讨活动。2004 年 10 月，在河北师范大学举办的“颜元教育思想与现代教育改革”国际学术研讨会，为颜元教育和德育思想研究注入了新的活力。这一时期的颜元思想研究涉及其教育或德育思想的代表著作主要有：陈山榜的《颜元评

---

① 李国钧．颜元教育思想简论［M］．北京：人民教育出版社，1984.

② 姜广辉．颜李学派［M］．北京：中国社会科学出版社，1987.

③ 邹大炎．试论颜元的教育心理思想［J］．心理学报，1992 (3)：276 － 281；唐凯麟．清初颜李学派道德教育思想述评［J］．求索，1993 (3)：119 － 123；肖永明．颜李学派的功利主义德育观［J］．广西师范大学学报（哲学社会科学版），1995 (2)：59 － 63；王晓华，钱丽欣．颜元实学教育思想及其现代意义［J］．教育研究，1999 (12)：57 － 61；陈山榜．颜元教学方法论探析[J].河北师范大学学报(教育科学版)，2003 (5)：92 － 95.

传》，朱义禄的《颜元李塨评传》，陈山榜、邓子平主编的《颜习斋和杜威哲学思想及教育思想的比较研究》，吴雅思的《颜李学派伦理思想研究》，吴洪成、罗佳玉的《颜元实学教育思想与实践》，王东杰的《乡里的圣人：颜元与明清思想转型》，等等。[①] 值得一提的是，2009 年，陈山榜、邓子平主编的《颜李学派文库》出版，凡 10 卷，300 余万字，时间跨度超过三百年，收录了颜元、李塨的全部行世著作及后世学者的研究成果，是研究颜元德育思想的珍贵文献。这一时期，颜元德育思想研究较有代表性的成果有：李伟波的《颜元的豪杰人格及其现代意义》，夏国英的《颜元实学道德教育思想及其现代启迪》，王炳照、周慧梅的《关于颜元教育思想研究的几点思考》，方玉芬、余子侠的《论颜元的实学教育思想》，陈山榜的《颜元的教学目的与培养目标论》《颜元人性论探析》《颜元义利观及其当代价值》，熊吕茂的《颜元的德育思想及其现代启示》等。[②] 此阶段的研究成果丰硕，极大地丰富了颜元教育思想的研究。

---

① 陈山榜 . 颜元评传［M］. 北京：人民教育出版社，2004；朱义禄 . 颜元李塨评传［M］. 南京：南京大学出版社，2006；陈山榜、邓子平 . 颜习斋和杜威哲学思想及教育思想的比较研究［M］. 石家庄：河北教育出版社，2009；吴雅思 . 颜李学派伦理思想研究［M］. 北京：中国人民大学出版社，2016；吴洪成，罗佳玉 . 颜元实学教育思想与实践［M］. 太原：山西人民出版社，2018；王东杰 . 乡里的圣人：颜元与明清思想转型［M］. 南京：南京大学出版社，2021.

② 李伟波，颜元的豪杰人格及其现代意义［J］. 河北大学学报（哲学社会科学版），2004 (5)：16 − 19；夏国英 . 颜元实学道德教育思想及其现代启迪［J］. 社会科学战线 ,2004 (5)：250 − 252；王炳照，周慧梅 . 关于颜元教育思想研究的几点思考［J］. 河北师范大学学报（教育科学版），2004 (6)：16 − 19；方玉芬、余子侠 . 论颜元的实学教育思想［J］. 河北师范大学学报（教育科学版），2004 (6)：39 − 42；陈山榜 . 颜元的教学目的与培养目标论［J］. 教育评论，2004 (4)：75 − 77；陈山榜 . 颜元人性论探析［J］. 河北师范大学学报（教育科学版），2004，6 (5)：29 − 35；陈山榜 . 颜元义利观及其当代价值［J］河北师范大学学报（教育科学版），2004 (2)：140 − 145；熊吕茂 . 颜元的德育思想及其现代启示［J］. 河北师范大学学报（教育科学版），2005 (1)：28 − 31.

## （二）主要研究成果

### 1. 德育理论的思想基础

颜元德育理论思想基础的研究主要围绕其义利观和人性论展开。颜元认为，身体“灵且能为”，气质本善。① 有学者在“颜李学派”的体系中探讨颜元的德育思想，认为其主张“以义为利”的功利主义义利观，作为其德育观的理论基础。义利并不对立，必须谋利计功，求义中之利；因为“理由功著”，道德需经过实际效果体现出来。此外，颜元提出了“习与性成”的人性理论，他认为，人性皆善，恶由习染；习善养性，习与性成；圣凡之性无异，重在立志用功；人的质性各异故要因材施教。② 有学者阐释了颜元“重功利”的道德观，包括“气质”一元论和“气质”无恶的思想，认为，颜元肯定理与气、性与形也是统一的，最终都归结为至善，以此为基础，提出“正其义以谋其利”的功利主义思想。③ 也有学者将颜元学说的目的直接概括为经世致用。④ 有学者从思想史、生活史相交融的角度，采用心理史学、具身认知等理论讨论了颜元“乡里的圣人”所具有的思想史价值，提出一种将“平庸的思想者”纳入思想史研究中的思路。⑤ 此外，还有一些学者对颜元德育理论之思想基础进行了研究，思想内容较为一致。⑥

---

① 王东杰. 气质为何不恶：颜元的身体经验与思想建构[J]. 清史研究，2021 (1)：80 − 97.

② 陈谷嘉，朱汉民. 中国德育思想研究［M］. 杭州：浙江教育出版社，1998：793 − 800.

③ 王正平. 中国传统道德论探微［M］. 上海：上海三联书店，2004：251 − 258.

④ 张循. 狂者之言与狷者之态：颜元的学术分裂与清初士人文化的两个风势［J］. 中山大学学报（社会科学版），2021 (1)：73 − 83.

⑤ 王东杰. 乡里的圣人：颜元与明清思想转型[M]. 南京：南京大学出版社，2021：1 − 3.

⑥ 唐凯麟. 清初颜李学派道德教育思想述评［J］. 求索，1993 (3)：119 − 123；肖永明. 颜李学派的功利主义德育观［J］. 广西师范大学学报（哲学社会科学版），1995 (2)：59 − 63；夏国英. 颜元实学道德教育思想及其现代启迪［J］. 社会科学战线，2004 (5)：250 − 252；陈山榜. 颜元人性论探析［J］. 河北师范大学学报（教育科学版），2004 (5)：29 − 35.

2. 德育目标观

颜元提出了“明德亲民”“担荷圣道”的德育目标，主张以“经世致用”为指导思想和目标，为国家培养“斡旋乾坤，利济苍生”的圣贤。人要立志做圣，须处理好几种关系：其一，处理好人与己的关系，做到“千万人中不见有己，千万人中不忘有己”；其二，处理好“转世”（即用理想改变现实）与“世转”（即迁就眼前的现实、随波逐流）的关系，做转世之人，而不做为世转之人；其三，处理好修德与立业的关系，修德与立业是相互联系，不可分割，缺一不可的。①颜元认为，人生而为人，即应以圣贤为鹄的，不失天赋善良，否则即是自弃。②另有学者认为，颜李学派提出了“利济苍生”的圣贤观，重视治国安民的人才的培养，颇具功利主义色彩，所标举的“以九字安天下：举人才、正大经、兴礼乐”，正是把“举人才”视为“安天下”的首要措施，其人才理想是“建经济生民之勋，成辅世长民之烈，扶世运、奠生民”（《习斋记余》卷三）的“圣贤”，具体体现在：必须具有高度的社会责任感和勇往直前、变革现实的勇气；必须具有济世救民的实际本领，具有“六德六行六艺及兵农钱谷水火”的实在学问。③此外，还有一些学者基于不同的视角对颜元或颜李学派的德育目标思想进行了论述。④

---

① 江万秀，李春秋．中国德育思想史［M］．长沙：湖南教育出版社，1992：296－298.

② 王东杰．在乡里“作圣”：17世纪北方学者颜元的例子［J］．清华社会科学，2020（2）：6.

③ 陈谷嘉，朱汉民．中国德育思想研究［M］．杭州：浙江教育出版社，1998：787－793.

④ 李国钧．颜元教育思想简论［M］．北京：人民教育出版社，1984；陈山榜．颜元评传［M］．北京：人民教育出版社，2004；吴洪成，罗佳玉．颜元实学教育思想与实践［M］．太原：山西人民出版社，2018；郭齐家．中国教育思想史［M］．北京：教育科学出版社，1987；毛礼锐，沈灌群．中国教育通史：第3卷［M］．济南：山东教育出版社，1987；王晓华，钱丽欣．颜元实学教育思想及其现代意义［J］．教育研究，1999（12）：57－61；李伟波．颜元的豪杰人格及其现代意义［J］．河北大学学报（哲学社会科学版），2004（5）：16－19；陈山榜．颜元的教育目的与培养目标论［J］．教育评论，2004（4）：75－77；田勤耘．试论颜元的圣人观及其历史意义［J］．江西社会科学，2014（12）：29－34.

3. 德育内容观

颜元提出了真学实学、实事实物的德育内容观。他反对宋明理学家高谈性命之理、玩弄章句之学，主张道德教育和道德修养须着眼于“实学”和“习行”。“实学”是指实事实物而言，包括“三事”和“三物”。“三事”包括正德、利用和厚生；“三物”包括六德、六行和六艺。“正德”，即六德（智、仁、义、圣、忠、和）；“利用”即“六艺”（礼、乐、射、御、书、数）；六艺施行于人伦社会就是六行。在颜元那里，实事实物并不是道德教育和道德修养本身，而是在实事实物中进行道德教育和道德修养，以发挥道德的调节和教育功能。[①] 有学者也对颜李学派的“三事”“三物”的德育内容作了解读，分析了其实事实物的品德教育实施情况。认为，颜元晚年主持漳南书院时本着“宁粗而实，勿妄而虚”的原则，设立文事、武备、经史、艺能等六斋，让学生分别研习不同科目，充分体现了其实事实物的德育内容观。[②] 还有学者提出颜元的德育内容为“明人伦”，认为，颜元在《颜习斋教条》中厘定了“人伦教育”的内容，包括：“孝父母、敬尊长、申别义”；“学习为子、为臣、为弟、为友的家庭或社会的义务和责任，履行封建社会的基本道德准则。”[③] 也有论者专门探讨了颜元独树一帜的唯实德育观：在实学教育中提倡三达德：智、仁、勇（程朱理学教育之所以失效就是因为缺了“三达德”）；德在艺中，智中有德，益智即进德，“进业便是修德，学艺亦在进德”；勤劳养德，重视劳动教育。[④]

4. 德育原则和方法观

唐凯麟认为，颜元主张从实事实物中体认道德。培养学生的德行，要坚持如下原则：第一，“由粗而会其精”“精粗合一”“下学上达”的学习原则；

---

① 江万秀，李春秋．中国德育思想史［M］．长沙：湖南教育出版社，1992：298－299.

② 陈谷嘉，朱汉民．中国德育思想研究［M］．杭州：浙江教育出版社，1998：803.

③ 陈学恂．中国教育史研究（明清卷）［M］．上海：华东师范大学出版社，2009：263－264.

④ 陈山榜．颜元课程改革思想探析［J］．河北师范大学学报（教育科学版），2004（1）：25.

第二，德育、智育、体育相结合的原则;第三，坚持“浮文是戒、实行是崇”的原则。道德品行的培养途径和方法在于“实行”和“躬行”，一是实际地做;二是检验。他还提出了“体用兼备、知行并全”的命题，论述了“习行”的重要性。[①]罗炽等人也论述了颜元主张“行习”“实用”的知性精神的原则和方法，将其概括为：第一，要获得真知，必须“习行”“躬行而实践之”；第二，在知与行、认识与实践的关系上，强调感性经验及知对行的依赖；第三，书本知识需在实践中检验，读书固然可以明理，但学习的终极目的不是“明理”而是“实用”和“习行”。[②]黄钊把颜元的德育方法归纳为:重视“改过迁善”;主张“立志”“作圣”;强调制欲，理欲协和。[③]燕国材从德育心理学的视角分析了颜元的德育原则和方法，认为除了知过善反、情不误用、见德于用外，还包括不可忽视的四个方面:营造德育环境，预防“引蔽习染”；加强主观努力，以求“百倍其功”；强调“无往非敬”，注重行为训练；顾及“材各有异”，实施因材施教。[④]

如上分析发现，学界对颜元教育思想的整理、分析、阐释的成果比较丰富，但专论其德育思想的研究成果论文相对较少，对其德育思想的重视程度尚有待提高；已有研究多散见在德育思想史、伦理思想史等研究领域之中，颜元德育思想的全貌尚未得以专门的系统研究和梳理；跨学科、多视角、比较的研究局面尚未打开。展望未来，要加强颜元德育思想的系统研究与实践应用研究；要注重研究方法和视角的深化拓展以及原始文献的深度挖掘，积极构建特色鲜明的学术研究共同体，把颜元“以义为利”“实学”“习行”等思想置于弘扬中华优秀传统文化的历史境遇中，从创造性

---

① 唐凯麟．清初颜李学派道德教育思想述评［J］．求索，1993（3）：119－123.

② 罗炽，简定玉，李太平，等．中国德育思想史纲［M］．武汉：湖北教育出版社，1998：567－570.

③ 黄钊．中国古代德育思想史论（下）［M］．北京：中国社会科学出版社，2011：1108－1110.

④ 燕国材．中国教育心理思想史［M］．济南：山东教育出版社，2004：576－577.

转化、创新性发展中开创研读新局面。

## 四、戴震“达情遂欲”的德育思想

戴震（1724—1777），字东原，又字慎修，安徽休宁隆阜（今安徽黄山屯溪区）人，清代著名启蒙思想家，18 世纪中国杰出的唯物主义哲学家和教育家，程朱理学的强烈批判者。他学识广博，在考据学和近代科学等领域影响深远，是乾嘉学派的代表人物之一、皖学的集大成者。戴震在道德教育领域也有很多真知灼见，他的“达情遂欲”“强恕去私”“以情絜情”的德育思想颇具特点，影响深远。

### （一）研究历程

学界对戴震思想的研究多集中在其哲学、伦理、社会思想的领域，专门论及其德育思想的成果较少。关于戴震德育思想研究的历程，自改革开放以来，大体可分为两个阶段：

1. 复苏探索阶段

1992 年之前为复苏探索阶段。目前已收集的文献资料显示，改革开放以来，戴震思想的研究逐渐兴起，在 20 世纪 80 年代形成了一个高潮。1984 年在安徽屯溪召开了纪念戴震诞生 260 周年学术研讨会。1986 年又在屯溪召开了首次全国性的戴震学术研讨会，收到论文 40 余篇，集成《戴震学术思想论稿》。1991 年，由清华大学出版社出版了多卷本的《戴震全集》，为戴震研究提供了更为丰富的文献资料。这一时期对戴震的德育思想的研究主要散见在其教育思想和伦理思想的研究中。如毛礼锐和沈灌群对戴震的“强恕去私”道德教育思想的阐论；[①] 喻本伐、熊贤君对戴震的“通民之

① 毛礼锐，沈灌群．中国教育通史：第 3 卷[M]．济南：山东教育出版社，1987：613 - 641.

情，体民之欲”的教育目的观、智仁勇兼备的人才观、实用科学的教育内容观、“解蔽”的教学论思想，作了较为深入的分析；① 沈善洪、王凤贤分析了戴震的人性论和理欲观，论述了其以“人伦日用”为内容的道德观；② 陈瑛等人阐释了戴震“血气心知、性知实体”的人性论和“以情絜情”“达情遂欲”的道德观。③ 此外，较早对戴震教育思想进行专门研究的还包括：敬元述的《戴震对教育方法的革新》，其中涉及修身养性之方法的革新；④ 张怀承在《戴震伦理思想中的近代因素》中对戴震的道德理论中的近代因素作了系统论述。⑤ 总之，这一时期戴震研究处于逐渐复苏兴起时期，其德育思想研究尚处于起步探索阶段，相关专题研究尽管数量不丰，但研究的深度及学术性为后续研究奠定了基础。

2. 平稳拓展阶段

1992 年以后，关于戴震德育思想的研究较前一阶段逐渐丰富，产生了诸多成果。其中，在德育思想史著作的系统研究中最为集中。比如江万秀、李春秋的《中国德育思想史》，于钦波的《中国德育思想史》，张锡生的《中国德育思想史》，陈谷嘉、朱汉民的《中国德育思想研究》，罗炽等人的《中国德育思想史纲》，黄钊的《中国古代德育思想史论》（下）等，都围绕戴震德育思想的人性论和道德观等理论基础、德育目标、德育原则、修养方法、德育内容等主题，做了比较系统的探讨。值得一提的是，2006 年，由北京师联教育科学研究所编选的《[清]戴震考据学教育思想与教育文论选读》，

---

① 喻本伐，熊贤君．中国教育发展史［M］．武汉：华中师范大学出版社，1991：379－380.

② 沈善洪，王凤贤．中国伦理学说史（下）［M］．杭州：浙江人民出版社，1985：205－224.

③ 陈瑛，温克勤，唐凯麟，等．中国伦理思想史［M］．贵阳：贵州人民出版社，1985：763－779.

④ 敬元述．戴震对教育方法的革新［J］．教育评论，1985(5)：33－35.

⑤ 张怀承．戴震伦理思想中的近代因素［J］．海南大学学报（社会科学版），1990(2)：53－60.

对戴震的教育与道德教育思想进行了系统的梳理。[①] 这一时期，专门研究戴震德育思想的文章也开始出现，主要有：唐凯麟的《论戴震“归于必然，适完其自然”的伦理意蕴》，肖永明的《试论戴震道德修养论的启蒙特色》，魏冰娥的《立志闻道：戴震德育思想探析》，邓国宏的《戴震“以情絜情”说辨析》，孙邦金的《戴震的道德絜情理论及其普遍正义原则》等。[②]

### （二）主要研究成果

#### 1. 德育理论的思想基础

有学者在论述戴震德育思想时分析了其道德思想，指出，第一，戴震的道德观是“理存乎欲”的理欲统一观。人的物质和精神的欲望不仅不是恶的，而且是人之本性和一切道德规范的基础，血气心知的人性（欲、情、知）是人的自然本性和本体，以此提出了“血气心知、性之实体也”的命题，但同时也反对“纵欲”，人在满足自身欲望的同时不能损害他人，要做到“情得其平”；第二，道德思想形成于“人伦日用”，突出“行”在道德品质形成过程中的决定性作用；第三，“达情遂欲”是道德教育的基本要求。既反对禁欲主义，又反对纵欲主义。必须实行“以情絜情”、将心比心、推己及人的道德原则来实现“达情遂欲”。[③] 另有学者分析了“训诂”与“义理”并重的戴震德育思想，认为戴震从理论上确立了自己的唯物主义的宇宙观和理欲观：坚持“推本阴阳”的唯物主义本体论，把世界的本原归于阴阳；

---

① 北京师联教育科学研究所．［清］戴震考据学教育思想与教育文论选读［M］，北京：中国环境科学出版社，2006.

② 唐凯麟．论戴震“归于必然，适完其自然”的伦理意蕴［J］．船山学刊，1994 (1)：36 － 44；肖永明．试论戴震道德修养论的启蒙特色［J］．西北大学学报（哲学社会科学版），1998 (2)：25 － 28；魏冰娥．立志闻道：戴震德育思想探析［J］．教育评论，2012 (3)：129 － 131；邓国宏．戴震“以情絜情”说辨析［J］．安徽大学学报（哲学社会科学版），2012 (5)：25 － 32；孙邦金．戴震的道德絜情理论及其普遍正义原则［J］．孔子研究，2019 (1)：81 － 89.

③ 于钦波．中国德育思想史［M］．长春：吉林教育出版社，1993：340 － 347.

把“人伦日用”看作“人道”的中心内容；肯定“人性”出之于“血气心知（智）之自然”；探讨了“性”之“自然”与“理”之“必然”的关系；深刻地清算了宋儒的“存理灭欲”论。[①] 此外，张锡生的《中国德育思想史》，罗炽等人的《中国德育思想史纲》，陈谷嘉、朱汉民的《中国德育思想研究》，赵康太等人的《中国传统思想政治教育理论史》等著作，也对戴震的“性即血气心知”的人性论、“归于必然，适完其自然”的道德论、“理存于欲”的理欲统一论和“以情絜情”、推己及人的思想进行了比较深入的分析。

2. 德育目标观

戴震反对并批判了当时社会存在的“以法杀人”的酷吏制度和“以理杀人”的迂儒思想，主张以理民治安的“贤才”作为德育目标。认为，人性只有气质之性，故而从“血气心知，性之实体也”的人性论出发，确定了道德教育应当培养在“行事”和为民办事过程中能“体民情、遂民欲”的“贤才”。这种贤才的道德要求包括：“一是有知识有智慧，能通过刻苦学习，去‘解蔽’、‘明理’，不以‘蔽害智’，达到理想的‘聪明圣智’；二是有道德，‘仁’而不私，处处以‘仁’为最高道德准则，做到‘行事’能‘得其平’，不祸害民众，‘遂民欲，体民情’；三是有勇气、有毅力的人，当行则行，当为则为，不‘奴于人’，而是自强不息。”[②] 总之，戴震所要培养的“贤人”，应该是智仁勇兼备之人。也有学者认为，戴震的教育的目的与最终目的是“立志闻道”，这里的“道”分自然之道（理）、人物之道（理）、事为之道（理），三者都要经过教育获得，最终落脚点则是培养有道德的人。[③]

3. 德育原则和方法观

戴震提出了“平恕去私”的德育原则，认为：“人之不能尽其才，患二：

① 黄钊．中国古代德育思想史论（下）［M］．北京：中国社会科学出版社，2011：1111－1120.

② 江万秀，李春秋．中国德育思想史［M］．长沙：湖南教育出版社，1992：307.

③ 魏冰娥．立志闻道：戴震德育思想探析［J］．教育评论，2012（3）：129－131.

曰私，曰蔽……去私莫如强恕，解蔽莫如学。”（《原善》卷下）“私”关涉人的欲望，道德教育的任务就是“去私”，而“去私”的方法是“强恕”，即立身不苟，待人无憾。这也是戴震“以情絜情”道德学说的体现，即推行将心比心、推己及人的教育方略。① 还有学者分析了戴震的德育原则和方法，主要包括：第一，达情遂欲与节制情欲。戴震认为在满足人们的欲望，“达情遂欲”的同时，人们的行为要做到“中节”“无失”，使自己的行为合乎规律，合乎规律的欲才是善；第二，“以情絜情”。“只有当人类辨别美丑是非的能力提到很高的程度时，人们才能由‘遂己之欲’，推而广之到‘遂人之欲’；由‘达己之情’，推而广之到‘达人之情’，最后达到‘使人之欲无不遂，人之情无不达’的道德极盛境界，这是戴震主张的道德理想。戴震把这种以情絜情的德育原则提高到‘天理’的高度。”② 另有学者分析了戴震“强恕”与“学”的品德修养方法，包括：强恕以去私，即平等地待人处世，推己及人，实质在于“以情絜情”；学以解蔽。去私与解蔽是品德修养的两大任务，而戴震尤为重视解蔽，认为蔽是认识上的错误，而私是行为上的错误，“学”是解蔽的基本方法，在“学以解蔽”过程中坚持“学贵自得”“日积月累”的原则。③ 此外，也出现了专论戴震德育原则和方法的论文，代表性的有：敬元述的《戴震对教育方法的革新》，韩先梅的《戴震论道德和道德教育》，肖永明的《试论戴震道德修养论的启蒙特色》，魏冰娥的《立志闻道：戴震德育思想探析》等。④

---

① 江万秀，李春秋．中国德育思想史［M］．长沙：湖南教育出版社，1992：308－310.

② 罗炽，简定玉，李太平，等．中国德育思想史纲［M］．武汉：湖北教育出版社，1998：601.

③ 陈谷嘉，朱汉民．中国德育思想研究［M］．杭州：浙江教育出版社，1998：827－832.

④ 敬元述．戴震对教育方法的革新［J］．教育评论，1985 (5)：33－35；韩先梅．戴震论道德和道德教育［J］．江淮论坛，1997 (1)：76－79；肖永明．试论戴震道德修养论的启蒙特色［J］．西北大学学报（哲学社会科学版），1998 (2)：25－28；魏冰娥．立志闻道：戴震德育思想探析［J］，教育评论，2012 (3)：129－131.

4. 德育内容观

毛礼锐、沈灌群较早对戴震的教育内容思想作了深入阐释，认为戴震的教育主张是“由词通道”的经学教育和科学教育，具体内容包括：其一，以经学教育代替理学教育。戴震主张教育与研究要“回到经文”，回到“六经”、孔孟的原始“义理”中去，而不是“回到汉儒”；其二，提倡实用科学，以经学代理学，以补宋儒教育之空疏。除要精通诸经、音韵、文字、名物、制度以外，还要精于考据训诂和自然科学。[①] 陈谷嘉、朱汉民分析了戴震关于“通经明理”的道德认识论思想，认为戴震的德育内容体现在“通六经”上。第一，“圣人之道在六经”。要把圣人之道作为德育内容，要通晓先秦儒家经典所阐发的义理。宋明理学早已曲解了早期儒家经典的义理，所以要返虚于实，回到经文，从“六经”中重新探求圣人之道。第二，主张“因词达道”。通经才能求道明理，其途径在于“由字以通其词，由词以通其道”。必须从文字入手，遵循由字到词进而通道的为学途径，方能获得经文的道和理，此乃通经明理的基本内容。因此，戴震特别强调识字和对文字进行训诂校勘；此外，戴震还强调学习自然科学，认为这也是通经明理的又一重要手段。[②]

综合分析发现，人们对戴震道德及德育思想的认识尚未达到系统化、精细化水准；专门以戴震德育思想为研究对象的著述仍较少，相关研究多集中在其教育思想、道德哲学、哲学思想等方面，德育思想研究较为分散；缺乏整体把握和概括，对其德育思想的阐释较为碎片化；关于其德育思想的研究多集中在德育原则和方法、道德修养论、德育心理、德育目的、“以情絜情”说等方面，尚未产生较有代表性的德育专著。展望未来，可以预见，作为“18 世纪中国杰出的唯物主义哲学家和教育家”，戴震的“达情遂欲”“强恕去私”“以情絜情”“通经明理”的德育思想，历经时光隧道的冲刷，仍

---

① 毛礼锐，沈灌群. 中国教育通史：第 3 卷［M］. 济南：山东教育出版社，1987：619－621.

② 陈谷嘉，朱汉民. 中国德育思想研究［M］. 杭州：浙江教育出版社，1998：832－836.

然散发出中国智慧的光芒，值得深入研究。其德育思想对深入理解师生关系、同伴关系、公德与私德关系、道德知识与行为的关系、学校德育与家庭德育和社会德育的和谐关系，具有重要的历史与思想价值。

# 第六章
# 道家德育思想研究

在中国思想史上，由老子开创、庄子集成的思想派别因把“道”视为哲学乃至世界的最高范畴，故史称道家。道家是与儒家并生颉颃并一道构成中国思想史上最壮观之“百家争鸣”的显学，对后世的道教、道学、玄学影响深远。道家思想是中国传统思想的重要内容，道家道德思想、德育思想是道家思想的重要组成部分。可以说，在中国教育思想发展历程中，儒道二家一明一暗、一张一弛、互竞短长，共同促进了中国传统社会教育的发展。不了解道家德育思想，就不可能真正理解中国传统德育思想的全貌，更不可能完整理解中国传统教育的历史景观。

## 第一节　道家德育思想研究的基本历程

回溯改革开放以来道家德育思想研究所取得的成就，其整体图景可从道家德育目的、德育内容、德育原则、德育方法、历史影响等维度予以系统梳理。道家德育思想研究以 20 世纪 90 年代作为时间节点，可以大致划分为初探阶段（1978—1989 年）、发展阶段（1990 年至今）两个阶段。

## 一、道家德育思想研究的整体图景

在中国思想界，人们惯于把道家思想称为老庄思想。这源于老子和庄子都标举“道”这一最高范畴，都主张“道法自然”之哲学观。老子，即老聃，姓李名耳，字伯阳，春秋时期楚国苦县（今河南鹿邑县东）人，道家学派的创始人，他写就的《道德经》是道家思想最经典的著作；庄子（前369—前286），名周，字子修，宋国蒙人（今河南商丘东北），著有《庄子》一书，是老子之后道家思想最重要的代表人物。

老庄秉持“本性无善无恶”的人性观，追求“天道自然”“复归于朴”“无知无欲”“求复其初”的精神世界，在道德生活与道德教育上主张“不谴是非”（保身）、“以曲求全”（中虚）、“哀乐不入”（悬解）、“天下自正”（真人）。[①]这在中国思想史上可谓独树一帜，影响深远，赓续不绝。道家的道、德及其德育，隐忍着自家的一脉传统延续下来，在与儒墨诸家显学的冲突、批判、超越的过程中互补融汇，以此形成了中国传统德育阴阳互补、刚柔相济、自然无为与社会有为相结合的特色。[②]道家德育思想的历史影响，由此窥见一斑。然而，长期以来，由于道家主张“绝仁弃义”“行不言之教”的虚无主义人生观，反对和批判道德知识和道德规范的教育，故常被认为是反对和取消了道德教育。由此，对道家德育思想、道家德育传统的探讨，成为中国德育传统思想研究中被遮蔽、忽视、淡化的领域。对道家德育的这些误解，不利于我们对道家思想的系统理解，也不利于对中国传统道德教育精华的挖掘、继承与发展。由此，对其历史进程与主要成果予以梳理与分析，当有助于我们在回顾与反思道家德育思想研究发展脉络的基础上，宏观把握其发展趋势，有利于构建内容丰富、结构完整的道家德育思想理

① 张锡生．中国德育思想史［M］．南京：江苏教育出版社，1993：52－55.

② 杨启亮．先秦道家德育思想辨析［J］．教育科学，1995（1）：22－29.

论体系，有益于深化道家德育思想的当代价值。

对改革开放以来道家德育思想研究所取得的重要成果进行综合归纳和梳理发现，20 世纪 90 年代是一个重要分水岭。20 世纪 90 年代之前，研究道家思想特别是道家德育思想的文献少之又少。[①] 受思想史研究传统的影响，人们普遍关注儒家道德教化思想的研究，而对道家德育思想的研究进展不多。20 世纪 90 年代以后，随着人们对道家、道教、老庄教育思想及其学术价值认识的逐渐深化，道家德育思想的相关研究逐步展开。人们对道家德育思想渐渐形成了相对客观的认识，认为道家并不是简单地反对道德教育，而是反对儒家的道德知识和道德规范的教育，进而形成了明显区别于儒家德育思想的特色鲜明的德育目的、德育内容、德育方法和德育原则。这一时期，基于不同学科领域的道家德育思想的相关研究不断向纵深推进，出现了一些有相当学术水准的研究成果。

但是，总体上看，道家德育思想研究尚有待持续推进，相关研究成果在数量上和质量上都有待进一步提升，专门性、系统性研究的空间十分广阔。

对既有相关研究成果的分析发现，从总体上看，有关道家德育思想的研究大致可分为三种类型：

一是道家德育思想或道家代表人物及其德育思想的专门研究。如樊建武的《先秦道家德育思想探微》一书对老子、庄子的德育思想作了系统梳理和概括，初步构建了先秦道家德育思想体系的基本骨架，主要研究内容涉及尊道贵德的理论统摄、身重于物的价值判断、外圆内方的处世态度、深邃厚重的品德追求、不计得失的道德襟怀、超越义利的评判标准等方面；[②] 许建良的《先秦道家的道德世界》一书对老子“孔德之容，唯道是从”的道德思想、《黄帝四经》“正以明德”的道德思想、庄子“道之所以亏，爱

---

① 吴长城．庄学研究二十年［J］．许昌师专学报，1999 (2)：85 − 86.

② 樊建武．先秦道家德育思想探微［M］．徐州：中国矿业大学出版社，2014.

之所以成”的道德思想、《庄子》“德兼于道，道兼于天”的道德思想进行了比较全面的论述；[①] 王泽应的《自然与道德——道家伦理道德精粹》一书中对道家伦理思想进行了深入研究，建构了相对系统的道家伦理体系，并阐述了其时代价值。[②]

二是在探讨道家教育思想或中国传统德育思想时，辟专题或专章研究道家德育思想。如杨启亮的《道家教育的现代诠释》一书中专辟“上德若谷：道家德育思想辨析”一章，对主阴贵柔的德育思想、道家德育的特征与方法、道家德育传统比较及其现代意义等论题，进行了深入探讨与分析。[③] 罗炽、简定玉、李太平等合著的《中国德育思想史纲》一书中，专辟“道家学派的德育思想”一章，对道家和道家学派、老聃的尊道贵德论、庄周的“内德”论以及心斋、坐忘、无为返璞的归德论、黄老道家的德育思想等论题，进行了系统梳理和阐述。[④] 张岱年的《伦理中国——中华六家道德学说精要》一书，对道家的伦理思想进行了系统的深入研究，重点阐释了老子的伦理思想、庄子的伦理思想、先秦黄老道家和汉代《淮南子》的伦理思想、魏晋新道家（玄学）的伦理思想。[⑤] 陈德安主编的《中国道家道教教育思想史》，对道家的 21 位人物、27 篇经籍的教育思想进行了系统梳理，对其道德教育思想进行了深入剖析。[⑥] 陈文华的专著《老子思想的教育之“道”》，分别阐释了老子思想及儒道互补、老子教育思想的有无之辨、以自然主义为宗旨的教育价值观、以“反”为特征的教育辩证法、以“负”为导向的教育方法论、“有无相生”的教育生活观等问题，对道家之道德教育思想

---

① 许建良．先秦道家的道德世界［M］．北京：中国社会科学出版社，2006.

② 王泽应．自然与道德：道家伦理道德精粹［M］．长沙：湖南大学出版社，1999.

③ 杨启亮．道家教育的现代诠释［M］．武汉：湖北教育出版社，1996.

④ 罗炽，简定玉，李太平，等．中国德育思想史纲［M］．武汉：湖北教育出版社，1998：31－50.

⑤ 张岱年．伦理中国：中华六家道德学说精要［M］．北京：中国书籍出版社，2019.

⑥ 陈德安．中国道家道教教育思想史［M］．北京：社会科学文献出版社，2008.

多有涉猎。①

三是道家德育思想与儒家德育思想、西方德育思想、现代德育思想的比较研究。这方面的代表性成果有：梁韦弦的《论儒道两学派道德观的分歧》，邱玥、孔祥慧的《儒道德育思想对当前思想政治教育的启示》，冯文全的《传统道德教育的儒道融合对我国当代教育改革的启示》，陈本益的《谈儒道佛三家思想的道德性——兼谈道家思想本身并不是美学》，王永智的《论儒、道、佛三教对中国传统核心道德价值观的维系与发展》，王康宁、于洪波的《老子与柏拉图道德教育思想比较研究》，王康宁的《以德为本、遵德重教——柏拉图与老子构建“理想国”的共同依据》等等。②

综上可见，改革开放以来，随着人们对道家德育地位、价值与贡献的认识逐步深入，不同研究者从不同角度出发对道家德育思想进行了大量研究。根据已有研究对象与研究内容，我们拟从道家德育目的、内容、原则、方法及历史影响诸方面研究情况出发，较为系统地梳理道家德育思想研究的主要图景。

① 陈文华．老子思想的教育之“道”［M］．北京：中国科学技术出版社，2008.

② 梁韦弦．论儒道两学派道德观的分歧［J］．吉林大学社会科学学报，1995（5）：35－38；邱玥，孔祥慧．儒道德育思想对当前思想政治教育的启示［J］．人民论坛，2012（14）：172－173；冯文全．传统道德教育的儒道融合对我国当代教育改革的启示［J］．河南大学学报（社会科学版），2012（2）：133－142；陈本益．谈儒道佛三家思想的道德性：兼谈道家思想本身并不是美学［J］．社会科学战线，2011（1）：29－33；王永智．论儒、道、佛三教对中国传统核心道德价值观的维系与发展［J］．西北大学学报（哲学社会科学版），2015（4）：106－110；王康宁，于洪波．老子与柏拉图道德教育思想比较研究［J］．陕西师范大学学报（哲学社会科学版），2014（2）：42－49；王康宁．以德为本、遵德重教：柏拉图与老子构建“理想国”的共同依据［J］．当代教育科学，2014（9）：9－11.

## 二、道家德育思想研究的历程

关于道家德育目的的研究大多散见于道家德育思想的总体研究之中，对这一问题的研究与对道家德育思想研究的历程是一致的。20 世纪 90 年代之前，关于道家德育思想的研究尚显稀疏，关于道家德育目的的研究更是稀缺，仅有极少数研究者在论及道家教育思想时提及道家教育目的。由于中国传统教育本质上属于德育，道家对教育目的的立场其实亦代表了其德育目的的立场。20 世纪 90 年代之后，学界逐步认识到道家德育思想的重要价值，在基于《道德经》《庄子》等重要道家文本的深度挖掘与分析中，通过与儒家道德及德育思想的比较，逐步开展了关于以老庄为代表的先秦道家德育思想的研究。此时，道家德育目的的研究也逐步深入，出现了多种研究成果，但关于道家德育目的的研究多散见于道家德育思想、道家教育思想的整体研究体系中。随着研究的持续推进，有学者开始有意识地对道家德育目的进行深入挖掘和分析，将道家德育目的作为一个整体或主题来研究，出现了关于道家德育目的研究的专题性、专门性成果，如潘澈、张玉田的《论〈老子〉作为手段的“道”与作为目的的“德”的统一》，谭维智的《庄子对道德教育目的性的认识——论一种无目的性的道德教育思想》等，[①] 就是其中的代表性成果。

改革开放 40 多年以来道家德育内容的研究与道家德育思想研究的总体趋势是吻合的，都以 20 世纪 90 年代作为研究历程的划分节点。20 世纪 90 年代之前，专门探讨道家德育内容的相关研究成果极为稀少；20 世纪 90 年代之后，随着学界对道家德育思想认识的深入，人们开始着手探究道

---

① 潘澈，张玉田．论《老子》作为手段的“道”与作为目的的“德”的统一［J］．东北师大学报（哲学社会科学版），1993 (4)：77 － 80；谭维智．庄子对道德教育目的性的认识：论一种无目的性的道德教育思想［J］．当代教育科学，2011 (6)：9 － 12.

家德育内容这一问题，并形成了一定的研究成果。此时的道家德育内容研究，或作为道家德育思想研究的一个部分出现，或与道家教育内容研究混为一谈，研究成果较为分散零散，未见有专门性、系统性研究。

道家德育原则的研究从属于道家德育思想的研究，其历史脉络与发展演进过程与道家德育思想研究的整体发展历程是一致的，主要包括两个阶段：一是道家德育原则研究的初探阶段（1978—1989 年）；二是道家德育原则研究的发展阶段（1990 年至今）。20 世纪 90 年代之前，学界关于道家教育的研究刚刚起步，有少量研究涉及道家教育原则。可以说，这一时期的道家德育研究、教育研究融为一体，道家德育原则与道家教育原则也未有明显的区分。不过，也有学者对老子自然无为的德育思想作了探讨，并专门讨论了道家的德育原则思想，将其概括为：损之有余、补之不足；为于未有、治于未乱；欲歙必张、欲废必兴。①20 世纪 90 年代之后，学术界对道家德育的认识不断加深，对道家德育原则的研究得以加强，出现了一些较高质量、具有代表性的研究成果和少数专门性、专题性研究。比如柴文华的《论道家自然原则的多维内蕴》，吕锡琛的《道家顺应自然原则与民族性格》，刘思禾的《庄子与当代西方道德原则的重新确立——葛瑞汉〈道家的自然与“是”、“应该”二分法〉简说》等②，都对道家德育原则问题作了专门探讨。

在道家德育思想研究中，德育方法的研究所占的分量最重，出现了诸多有文献基础与学术含量的专题性研究成果。20 世纪 90 年代之前，是道家德育方法研究的初探阶段。此时，关于道家德育方法乃至于德育思想价值的认识还不够深入，认为道家是反对德育的，谈不上什么德育方法。因此，

---

① 李正洪．论老子的自然主义教育思想［J］．教育研究与实验，1988 (4)：50 − 54.

② 柴文华．论道家自然原则的多维内蕴［J］．求是学刊，1990 (6)：1 − 4 + 58；吕锡琛．道家顺应自然原则与民族性格［J］．江西社会科学，1995 (9)：43 − 47；刘思禾．庄子与当代西方道德原则的重新确立：葛瑞汉《道家的自然与“是”、“应该”二分法》简说［J］．古籍整理研究学刊，2013 (6)：74 − 78.

涉及道家德育研究的文献特别是道家德育方法研究的文献比较稀缺，为数不多的成果融合在关于道家教育思想的研究中。20 世纪 90 年代之后，随着学术界对道家德育思想认识的不断深入、辩证、完整，道家德育思想特别是道家德育方法的重要价值开始引起关注，出现了不少专题性研究，并取得了一些理论认识成果。这些成果大致分为两类：一是对道家教育方法的研究。不同学者从不同的学科视角出发对道家教育方法展开探究，如张桂敏的《试析道家教学思想的方法论特征》，顾祖钊的《论道家思想方法的现代意义——兼谈中国哲学的现代建设》等[①]。二是对道家德育方法的专门研究。如吕锡琛的《论道家的道德教育方法》，谭维智的《道德教育的非知识化路径——道家的知识观及其道德教育方法研究》，高春花的《论老庄道家的道德教化方法及其文化渊源》，史婷婷的《老庄道家德育方法的现代意蕴》，卢业学、吕锡琛的《论道家的道德修养方法——以全真道龙门派德体修养理论为例》等，都是以道家德育方法作为研究对象的专题成果。[②]

## 第二节　道家德育思想研究的主要进展

对中华人民共和国成立以来特别是改革开放以来道家德育思想的相关

---

① 张桂敏．试析道家教学思想的方法论特征［J］．山东师范大学学报（人文社会科学版），2007 (4)：74－77；顾祖钊．论道家思想方法的现代意义：兼谈中国哲学的现代建设［J］．华东师范大学学报（哲学社会科学版），2007 (6)：63－70.

② 吕锡琛．论道家的道德教育方法［J］．道德与文明，1996 (5)：29－30；谭维智．道德教育的非知识化路径：道家的知识观及其道德教育方法研究［J］．教育研究，2011 (6)：85－89；高春花．论老庄道家的道德教化方法及其文化渊源［J］．河北大学学报（哲学社会科学版），2002 (2)：15－19；史婷婷．老庄道家德育方法的现代意蕴［J］．社科纵横，2017 (10)：69－71；卢业学，吕锡琛．论道家的道德修养方法：以全真道龙门派德体修养理论为例［J］．现代大学教育，2001 (6)：103－106.

研究进行梳理发现，已有道家德育思想的研究主要集中在道家“天人合一”的德育目的、“慈俭谦”一体的德育内容、“唯道是从”的德育原则、“无为而治”的德育方法、道家德育思想的历史影响等方面，兹分述如下。

## 一、道家“天人合一”的德育目的

德育目的是道德教育活动的出发点和最终归宿，这一出发点和归宿集中体现在对教育活动结果的预设上。道德教育目的是对道德教育培养什么样的人这一根本问题的回答，关注的是培养具有何种理想人格、气质修养的人。道家德育目的是通过遵循“道”而培育“真人”“善人”“至人”“赤子”“大人”“圣人”的理想人格，“真人”“善人”“至人”“赤子”“大人”“圣人”皆是循道之人、有道之人，是天人合一理想的体现，故道家德育目的可概括为“天人合一”。系统梳理、辩证分析道家德育目的的已有研究成果，了解和掌握道家德育目的研究的历史与进展，当有助于我们厘清道家德育目的研究的基本脉络，揭示未来研究的发展趋势，深化对道家德育思想的系统研究，并为解决当下我国学校德育目的偏失问题提供基于历史理性的某种借鉴与启示。

在对道德本质的理解上，道家与儒家的立场差别很大，由此导致道家的德育目的与儒家的德育目的之迥异。与关注群体价值、肯定个体外在价值的儒家教育思想不同，道家德育关注个体的内在价值，相对淡化、轻视群体价值。陈大超、韩立君认为：道家比较重视从个体发展角度来阐释教育价值，道家的教育价值观具有鲜明的“本体论”倾向。教育的最大价值莫过于使个体摆脱一切社会束缚，获得精神上的绝对自由。道家否定群体价值，而崇尚个体价值。道家重视个体“内在价值”，而轻视个体“外在价值”。[①]

---

① 陈大超，韩立君．儒、道教育价值观比较研究［J］．辽宁师范大学学报，1994（5）：60－62＋56.

从总体上看，先秦道家教育终极目的是对“道”的追求与顺应。① 这一主张在学界已基本达成共识：道家的道德教育旨在培养“真人”“善人”“赤子”“至人”的理想人格。在此基础上，对道家理想人格特质进行了不同视角的探讨。有学者指出：道家所培养的是具有“天道”品格并能依此行事的“有道者”。② 丁钢提出：道家所主张的教育目的是培养自然无为的“善人”、超凡脱俗的“真人”这一理想人格的。③ 还有学者提出：老子、庄子以关注人类天性为立论的出发点，倡导教育应该道法自然、以人为本，顺应人性规律，提出了独具魅力的教育目的论，构建具有创始意义的“赤子”“至人”的理想人格。并将理想人格的特质归结为：自矜，而不自恃。守缺，而不求全责备。知止，而不过分。无为，而谦退柔弱。守朴常德，不以人助天。④ 丁钢将道家对人格品德的要求概述为无为、贵柔、不争、知足、至人、无己、无功、无名等方面。⑤ 另有学者认为：与儒墨各家所主张的注重群体性、社会性的理想人格略有不同，老庄道家主张的是更加注重个体性、自然性的理想人格。老庄道家所主张培养的理想人格是自然道德人格。⑥ 与此主张相类似，有学者认为：道家的人格理想是“与道合同”的真人、“唯道是从”的圣人、“默探道德”的大人。⑦ “老子智德观在人格气质修养方面，主要体现于谦虚谨慎、知足处敬、灵活变通、勤

---

① 王凌皓，王睿．先秦道家的原创性教育思想探赜［J］．社会科学战线，2018 (8)：228－235.

② 李忠．“不言之教”是什么教？：兼论先秦道家教育思想的原创性特质［J］．陕西师范大学学报（哲学社会科学版），2021 (2)：160－169.

③ 丁钢．先秦道家的教育思想［J］．华东师范大学学报（教育科学版），1987 (2)：21－36.

④ 同①.

⑤ 同③.

⑥ 张明初，秦自强．自然主义德育：老庄道家对异化道德的批判与超越［J］．四川师范大学学报（社会科学版），2014 (3)：88－93.

⑦ 詹石窗，谢清果．中国道家之精神［M］．上海：复旦大学出版社，2009：131－143.

奋乐观等方面。”[①]

此外，关于道家道德教育目的，也出现一些不同的看法。比如，有学者将道家“无为”“不争”的道德理想分层析之，概括为 4 个方面：社会之德——不争；为政之德——无为；应世之德——宽容；修身之德——谦卑。[②]也有学者认为：“道德教化并不是无视个体的特性而倡导什么，而必须发展个体的素质，使之不断丰满。道家道德教化的目标之一就是全人之才德。”[③]更有学者提出了一种无目的性的道家道德教育目的论，认为道家道德教育的目的就是道德，就是它自身，它绝不会有其他的目的，它只能是无（其他）目的的。[④]这些见解都不同程度地丰富了对道家德育思想的深入理解。

## 二、道家“慈”“俭”“谦”一体的德育内容

德育内容关涉道德教育教什么的问题，它是为实现其特定的德育目的，向受教育者予以施教的道德规范、道德行为准则的总和。不同的德育目的所规定的德育内容是不同的。道家德育内容同样服务于道家特定的德育目的，形成了“慈”“俭”“谦”一体”的道德教化的道德规范和道德要求。[⑤]老子有言：“我有三宝，持而保之。一曰慈，二曰俭，三曰不敢为天下先。夫慈，故能勇；俭，故能广；不敢为天下先，故能成器长。”（《道德经》第六十七章）对道家德育内容研究所取得的代表性成果进行综合梳理和比较分析，有助于我们从总体上把握道家德育内容研究的历史演进和发展脉络，合理推测道家德育内容未来研究的发展趋势，并对审视和反思当下我

---

① 刘峻杉．老子的智德观及其德育价值［J］．大学教育科学，2014 (2)：89 − 97.

② 张世欣．试论“法自然”的道家德育思想［J］．浙江师大学报，1996 (5)：6 − 10.

③ 许建良．庄子道德实践思想论［J］．零陵学院学报，2004 (9)：99 − 103.

④ 谭维智．庄子对道德教育目的性的认识：论一种无目的性的道德教育思想［J］．当代教育科学，2011 (6)：9 − 12.

⑤ 吕锡琛，龙振军．道家的道德教化思想简论［J］．船山学刊，1996 (2)：113 − 124.

国道德教育内容的变革有所裨益。

前已述及，关于道家德育内容的研究成果不多，且较为零散，相关成果多在道家德育思想的总体研究中涉及。对道家德育内容的研究大多基于《道德经》《庄子》等文本解析，以此概括和凝练道家提倡的道德规范、道德要求和德育传统。如吕锡琛、龙振军将道家道德教化思想的主要内容概括为抱朴守真、柔弱不争、崇俭寡欲、不与物迁等具体的道德规范和道德要求。邱玥、孔祥慧在与儒家德育内容的比较分析中，将道家道德教育的内容概括为绝圣弃智、独立自由、自然无为。[①] 杨启亮在归纳道家德育传统时对主阴贵柔、自然无为的道家德育传统作了思考，认为道家德育内容注重修养上善人格，具有超越性。[②] 李忠详细分析了道家德育内容的特点，认为“从内容层面看，道家的‘不言之教’是关于‘意’的教育，即通过教育获得反思之‘意’与实践之‘意’，形成符合‘天道’品格的价值观并具有实践这种价值观的能力。”[③] 任鹏、周素勤通过阐释道家教化思想，分析了其德育内容：知常无为，行不言之教以治道；见素抱朴，效万物为师以治身。[④] 吴红兵从具体德目方面阐述了道家的德育内容：“老庄称扬谦和、宽容、孝慈、啬俭、敦厚、朴实、真诚等道德规范。”[⑤] 另有学者基于道家其他的经典文本对其德育内容作了探讨，如樊建武将《黄帝四经》中的德育内容概括为信朴慈俭的道德准则，提出了一些新看法。[⑥]

---

① 邱玥，孔祥慧．儒道德育思想对当前思想政治教育的启示［J］．人民论坛，2012 (14)：172 － 173.

② 杨启亮．先秦道家德育思想辨析［J］．教育科学，1995 (1)：22 － 29.

③ 李忠．“不言之教”是什么教？：兼论先秦道家教育思想的原创性特质［J］．陕西师范大学学报（哲学社会科学版），2021 (2)：160 － 169.

④ 任鹏，周素勤．传统文化与大学生价值取向调适：老庄教化观的启示［J］．黑龙江高教研究，2015 (4)：111 － 113.

⑤ 吴红兵．“尊道贵德”：老庄德育观浅探［J］．理论月刊，2000 (4)：20 － 21.

⑥ 樊建武．因性而施刑德相养守名分：《黄帝四经》德育思想探微［J］．中国矿业大学学报（社会科学版），2013 (3)：90 － 95.

## 三、道家“唯道是从”的德育原则

德育原则是道德教育活动开展和实施所遵循的基本准则和必然要求，德育原则影响和制约德育计划的制订、德育内容的选择和德育方法的选择。道家的德育原则包括唯道是从的总原则和一系列具体的德育原则。对道家相关德育原则研究的梳理，有助于我们清晰地透视道家德育思想研究的进程与脉络，进而更好地把握未来发展的方向。

### （一）道家德育总原则的研究

关于道家“唯道是从”道德教育原则的探究和讨论，出现了三种有代表性的观点和表述。一是认为道家德育的总原则是尊道贵德。如吕旭峰就曾直截了当地指出：“道教以尊‘道’贵‘德’为最基本的教理教义。”[①]二是将道法自然作为道家德育的总原则。如丁钢认为：“老子的道德总原则是‘法自然’。”[②]张明初、秦自强也提出：“老庄道家遵照‘道’的特性和‘道法自然’的总原则。”[③]三是将老庄德育的最高原则概括为“混沌”，认为：“道德现象、道德本质、道德教育目的、道德教育方法都应该是混沌的，以混沌为最高原则。”[④]尽管如上三种观点对道家德育总原则的表述和认识上存在差异，但无论是尊道贵德说、道法自然说，还是“混沌说”，都体现出对“道”这一最高范畴与法则的顺从与遵循。因而，可以说，道家德育的总原则或

① 吕旭峰．老子的“道”与苏格拉底的“善”之比较：兼论二者对后世道德教育的影响[J]．河南大学学报（社会科学版），2011（2）：122－131.

② 丁钢．先秦道家的教育思想[J]．华东师范大学学报（教育科学版），1987（2）：21－36.

③ 张明初，秦自强．自然主义德育：老庄道家对异化道德的批判与超越[J]．四川师范大学学报（社会科学版），2014（3）：88－93.

④ 谭维智．混沌理论在道德教育中的运用[J]．国家教育行政学院学报，2011（3）：27－31.

者最高原则根本上是“唯道是从”。陈霞对“唯道是从”的总原则作了进一步的解释，认为：“相对于具体的道德要求和规范而言，‘道’不是经验性、情感性、功利性的，而是具有超验性、形式性、包容性、非强制性、普适性、实践性等特征。‘唯道是从’作为一条形式性原则，它发挥作用的方式不是规定具体的德目，而是防止任何具体的规范僭越其有限度的有效性，从而避免善的暴政。”[①] 我们有理由认为，学界对道家德育总原则的认识已经基本达成共识。

### （二）道家德育具体原则的探讨

关于道家德育具体原则的讨论，不同学者从不同角度出发得出了不尽相同的结论。丁钢将先秦道家教与学的原则归纳为4个方面：“贵师”的原则；“用反”的原则；“虚静”的原则；“道观”的原则。[②] 唐劭廉、周敏从道家文化之于新时期思想政治教育工作的价值入手，探讨了道家教育的方法论原则，包括：“道法自然”的规律性原则；“负阴抱阳”的和谐性原则；“乐学无忧”的快乐性原则；“不言之教”的感染性原则；“图难于易”的循序渐进原则；“弱者道用”的以柔克刚原则；“致虚守静”的内观自省原则；“天道无亲”的平等和爱原则；“率性而行”的因材施教原则；“反己以教”的心理互置原则。[③] 陈谷嘉、朱汉民将老庄的道德原则归纳为抱朴守真、柔弱不争、崇俭寡欲。[④] 这些研究，视角不同，观点各异，进一步丰富了道家德育具体原则的研究。

---

① 陈霞．孔德之容，唯道是从：论道家道德哲学的根基及其特征[J]．哲学研究，2016 (3)：37－43＋129.

② 丁钢．先秦道家的教育思想[J]．华东师范大学学报（教育科学版），1987 (2)：21－36.

③ 唐劭廉，周敏．论道家文化对现代思想政治教育的启示[J]．扬州大学学报（高教研究版），2004 (2)：30－32.

④ 陈谷嘉，朱汉民．中国德育思想研究[M]．杭州：浙江教育出版社，1998：75－82.

## 四、道家“无为而治”的德育方法

德育方法是道德教育的重要组成部分，德育目的的达成离不开与此相适切、相匹配的德育方法。道家道德教育的目的是培养“真人”“善人”“圣人”“至人”“大人”的理想人格；与此相适应，在道德教育上主要采用无为而治的德育方法。从类型上看，道家的德育方法既包括道德修养方法，又包括道德教化方法；从意义上看，道家的德育方法既有超脱于客观实在的方法论层面的意义，又涉及具体的道德修养和道德教化方法。对已有道家德育方法研究的梳理、总结与归纳，有助于我们厘清其基本脉络，把握研究的进展与历程，丰富和完善当代学校德育方法的理论与实践。改革开放以来，关于道家德育方法的研究可以分为道德修养方法的研究、道德教化方法的研究这两类。

### （一）道德修养方法的研究

道家的核心主张是“绝仁弃义，否定教化人为，力主顺其自然之道，无为处世”[①]。因而，道家特别重视人的道德修养。有学者认为，老庄道家的德育方法主要是自我修养法和身教示范法。[②]关于道家道德修养方法的研究集中在对老庄道家道德修养方法的探讨、归纳与比较。丁钢比较了儒道思想的不同，认为儒家尚人为、道家尚自然；儒家尚理性、道家尚直觉；儒家尚实用、道家尚思辨；儒家尚启发、道家尚辩证。道家倡导“为学日益、为道日损、损之可损、以至于无为”的直觉主义修养方法，即见素抱朴的

① 杨启亮．先秦道家德育思想辨析［J］．教育科学，1995 (1)：22 － 29.

② 张明初，秦自强．自然主义德育：老庄道家对异化道德的批判与超越［J］．四川师范大学学报（社会科学版），2014 (3)：88 － 93.

修养方法；庄子则倡导缘督为经、心斋坐忘、尊重自然的道德修养方法。① 谭维智认为，道德修养的提升只能通过“不学”的方式即非知识化的路径进行，并将庄子提升道德境界之“不学”的方法归结为“坐忘”“心斋”“悬解”“见独”。② 吴红兵认为，从修养方法看，老庄注重的是顺应自然本性，以体验、体悟的方式来达到道德的完美。③ 此外，也有学者关注老庄之外的道德修养方法，如樊建武将黄老之学的个人道德修养的方法总结为“虚静无为、知守力行”。④

### （二）道德教化方法的探讨

道家道德教化的方法既有超越的方法论层面的意义，又有基本精神与基本特征意义的方法。有学者从方法论层面探讨了道家道德教化的意义，阐述了道家道德教化的方法论意义和具体方法，认为“道家的行不言之教、以身示范的方法是最明显的，但我们所要挖掘概括的，主要是基本特征、基本精神意义上的方法”。⑤ 此外，“道家德育的方法论是不取人为教化的由外向内的方法，主张由内向外的自然养成的方法。道家德育的具体方法包括谦退守柔而不争、见素抱朴而自化、主啬尚俭而少私、尚慈爱生重感化。”⑥

对道家德育方法的研究，集中于对道德教化具体方法的探讨。有学者

---

① 丁钢. 先秦道家的教育思想[J]. 华东师范大学学报(教育科学版), 1987 (2) : 21 − 36.

② 谭维智. 道德教育的非知识化路径：道家的知识观及其道德教育方法研究［J］. 教育研究, 2011 (6) : 85 − 89.

③ 吴红兵. “尊道贵德”：老庄德育观浅探［J］. 理论月刊, 2000 (4) : 20 − 21.

④ 樊建武. 因性而施刑德相养守名分：《黄帝四经》德育思想探微［J］. 中国矿业大学学报(社会科学版), 2013 (3) : 90 − 95.

⑤ 杨启亮. 先秦道家德育思想辨析［J］. 教育科学, 1995 (1) : 22 − 29.

⑥ 杨启亮. 论先秦道家的自然主义教育观［J］. 南京师大学报(社会科学版), 2001 (6) : 50 − 57.

认为：从方法的层面来看，先秦道家的“不言之教”主要是一种自我教育，即通过“自为”“自化”的自我教育，使人能够依照“天道”的品格自我发展与自我完善。① 还有学者认为，道家道德教化的方法包括：行不言之教；以养生促育德；以物为师；分而教之。② 也有学者认为，道家道德教化的方法体系包括：行不言之教；以养生促育德；以事为戒；效法自然。③ 另有学者认为，道家道德教化方法主要包括以事论理、以物施教、以史为鉴三种方法。以事论理即通过具体事例来阐发各种思想主张以达到道德教化之目的。以物施教即主张从自然存在物及其运行规律中体悟为人之道，从而达到道德教化之目的。以史为鉴即站在历史的高度，运用历史故事和历史传统实施教化。④ 此外，有学者对道家任物自然的德育方法作了比较深入的总结和归纳，对道家倡导的“不言之教”“致虚”“守静”“顺应自然”“贵柔”的德育方法及其价值作了阐释。⑤

## 五、道家德育思想的历史影响

道家德育思想发端于中国文化形成的轴心时代，是中国传统德育思想与德育智慧的重要组成部分，构成并促进了中国传统教育思想乃至中华文化的发展。改革开放以来，特别是进入 20 世纪 90 年代以来，学界开始打破关于道家反对道德教育的成见，多方位、多领域对道家德育思想进行深度探讨与探究，形成了一系列有价值的观点。

---

① 李忠．“不言之教”是什么教？：兼论先秦道家教育思想的原创性特质［J］．陕西师范大学学报（哲学社会科学版），2021 (2)：160－169.

② 吕锡琛，龙振军．道家的道德教化思想简论［J］．船山学刊，1996 (2)：113－124.

③ 吕锡琛．论道家的道德教育方法［J］．道德与文明，1996 (5)：29－30.

④ 高春花．论老庄道家的道德教化方法及其文化渊源［J］．河北大学学报（哲学社会科学版），2002 (2)：15－19.

⑤ 张世欣．试论“法自然”的道家德育思想［J］．浙江师大学报，1996 (5)：6－10.

大多数研究者坚持采用历史研究、文献研究、文本研究、比较研究等综合研究范式，将道家德育思想还原到特定的历史背景、历史逻辑之中，在已有研究的基础上对道家经籍、道家人物之德育思想作了深入挖掘、细致梳理和系统研究；一些研究者将其与同一时代的其他学派、西方经典教育家、现代德育思想进行比较研究，对道家德育思想的历史价值进行了系统而有见地的分析；还有一些研究者结合现代德育困境与问题，创造性地用道家德育思想审视当下的德育生态，为现代德育的发展与变革寻求良策。道家德育思想蕴藏的智慧因子和精神内核，能够跨越历史时空而不断焕发出智慧的光芒，显示出历久弥新的价值，本身就显示了其存在的某种合理性。

因此，我们需要进一步思考：道家德育思想的智慧与精神内核何在？道家德育思想具有何种历史影响与时代价值？

首先，道家德育思想蕴藏着具有中国风格的古老智慧，为审视和解决当下的道德问题、推动德育的发展与变革，提供了一种方法论基础与历史依据。不少学者关注并探讨道家德育思想的时代价值，如吕锡琛别具一格地论述了道家思想之于现代教育的启示：自然无为，顺应时势；"各便其性"，宽容兼收；超越传统，勇于创新；"不言之教"，效法自然；得鱼忘筌，得意忘言。[①] 郭素平、岳晓洁从思想政治教育的角度探析了老子道德思想在价值导向、行为规范和教育方法方面所具有的德育功能。[②] 对道家德育思想的研究，既要注重对其思想体系的深入挖掘、细致梳理与深入剖析，又要秉持以古鉴今、古为今用、为我所用的立场，坚持道家德育思想研究的创造性转换与创新性发展，使之在解决当下的德育乃至教育问题中发挥其应有的作用，贡献新的智慧。

---

① 吕锡琛．论道家思想对现代教育的启示［J］．有色金属高教研究，1998(2)：13－17.

② 郭素平，岳晓洁．老子道德思想的思想政治教育功能探析［J］．思想教育研究，2020(10)：133－137.

其次，道家德育思想可为解决人类面临的共性德育问题贡献中国智慧与中国方案。这是构建具有中国特色、中国风格、中国气派的教育学话语体系，提高教育话语权的时代需要。道家德育思想不仅跨越历史长河而熠熠生辉，而且对解决当下我国遭遇的德育问题大有裨益。不仅如此，道家德育思想也不断彰显其跨越时空的价值，对审视和解决人类社会共同的德育问题有所帮助。对道家德育思想的深入挖掘与研究，有助于推动中国教育理论研究的国际交流与合作，有助于宣传中国思想，发出中国声音。对道家德育思想的研究必须坚持引进来与走出去相结合的原则，不仅要注重汲取传统德育思想的精华，而且要注重加强中西德育研究的碰撞与交流，坚持以我为主、为我所用，合理借鉴吸收西方优秀德育思想成果，不断完善我国的德育学术体系与理论体系。

最后，道家德育思想对个体道德的提升、良好社会道德氛围的构建、全球伦理价值体系的形成具有重要价值。道家德育思想对于个体的自我心理调适、人与人之间的协调、国与国之间和谐关系的构建都具有时代价值与启示。在科学技术飞速发展、人工智能来势汹汹、多元文化冲突碰撞的全球化时代，人类正在经受前所未有的生存压力与精神危机。个体价值观与道德观出现相对主义的态势，国家之间的利益冲突不断加剧，人类命运共同体意识尚需不断加强。道家德育思想中蕴含的诸如“自然”“无为”“少私寡欲”“见素抱朴”等观念，为个体道德修养的提升、人际与国际和谐关系的建立提供了重要的思想资源。越来越多的研究者认识到道家德育思想之于个体德性完善和社会发展的时代价值，阐释了道家道德教化思想的功能效应，比如宠辱不惊的自我心理调适功能；以心换心的人际协调功能及效应；抑奢戒骄的社会警示功能及效应；“不为物累”的社会超越功能等。[①]试图探索使之有效地实现创造性转化、创新性发展的可行性路径，不断生

① 吕锡琛，龙振军. 道家的道德教化思想简论［J］. 船山学刊，1996 (2) : 113 – 124.

发出超越历史时空的价值。可以想见，道家德育思想一定会在中华民族伟大复兴的历史进程中，愈益发挥其独特而重要的作用。

改革开放以来，随着学界对道家德育思想认识的深入，道家德育思想研究逐步得以推进，并取得了一些可喜的理论认识成就，人们就道家德育思想形成了相对统一的认识。这为后续相关研究奠定了理论基础。但是，也应该承认，道家德育思想研究还存在一些问题，比如，关于道家德育目的研究对象比较单一，研究广度有待拓宽；道德教育内容研究较为零散、薄弱；注重老庄为代表的先秦道家德育原则的研究，相对轻视道家其他流派、代表人物的德育原则思想；对道家修养方法与德育方法有机统一的实践路径缺乏系统探讨等。

# 第七章
# 墨家德育思想研究

中华人民共和国成立以来，基于对中华优秀传统文化的承续，学界有识之士重新开启了对墨家思想的文献整理与细致探究，取得了显著成就。在墨家思想的系统性研究成果中，既有综合性研究，也有专题性研究。专题性研究不仅包含政治、经济、军事、科学等方面的研究，也包含对教育、伦理、逻辑等方面的探索，而墨家德育思想就是墨家思想专题性研究产生的成果。中国传统教育思想的核心问题在于对人之德性的培养，中国传统教育因之也成为道德教育占核心地位的教育形态。由此，对墨家德育思想的研究多在墨家教育思想的研究中得以呈现。梳理墨家德育思想研究的历史进程及特征，有助于我们回顾与反思墨家德育思想的发展脉络，宏观把握墨家德育思想研究的发展趋势。不仅如此，把握墨家德育思想研究的基本脉络与经纬，对于合理构建墨家德育思想理论体系、深化墨家德育思想的当代价值、实现中华优秀传统文化的创造性转化与创新性发展，都具有重要的理论意义与实践意义。

## 第一节　墨家“兼相爱交相利”的德育目的

德育目的是教育者在进行德育之前对活动结果的预设与期望，它既是对社会道德要求的反映，也是对受教育者道德成长与发展的自我价值的完善与追求。墨家确立了以“兼相爱交相利”为核心的德育目的，成为其德育内容、方法、原则形成的先决条件。梳理我国学者对墨家德育目的研究的历史进程与学术成果，有助于我们理清墨家德育目的理论发展的基本脉络及未来发展趋势，这对于拓展墨家德育目的研究视角，完善墨家德育内容、方法、原则等方面的研究，具有重要意义。

## 一、墨家德育目的研究的基本脉络

通过对墨家德育目的的相关研究成果的梳理，可以发现，一直以来，学界对墨家德育目的研究已基本达成共识，即培养以“兼相爱交相利”为核心的“兼士”“贤士”。

通过对现有文献的检索与分析发现，以“兼相爱交相利”为主题的学术成果较多，自 1958 年起至今约有学术论文 290 篇，学位论文 12 篇；学界关于该主题研究的研究成果时间分布不均衡，自 1958 年至 20 世纪末，相关的研究成果并不丰硕，21 世纪初至 2011 年呈波浪式上升趋势，之后逐年呈波浪式下降趋势，2021 年的发文量仅为 3 篇。

在这些研究成果中，从哲学角度解读“兼相爱交相利”思想的文献最多，占总文献数量的一半以上，不少学者还从伦理学、经济学、政治学、管理学等不同学科角度对墨家“兼相爱交相利”思想予以阐释。在教育学研究领域，涉及墨家“兼相爱交相利”或“兼士”之德育目的的研究文献 40 余篇。随着墨家教育思想时代价值的不断显现和人们对墨家德育思想认识的不断深化，一些学者开始将墨家德育目的作为专题予以研究。江万秀、李春秋就专门论述了墨家“兼士”“贤士”的德育目的论，不仅对兼士、贤士的含义做了阐释，还对墨家如何考核、评价人才做了比较深入的论述。[①] 之后，由陈谷嘉、朱汉民主编的《中国德育思想研究》也涉及了墨家“兼相爱交相利”的道德人格目标，并予以详论。[②] 不难发现，学界对墨家“兼相爱交相利”德育目的研究于20世纪末逐渐起步，其研究方向逐渐明朗，为后期墨家德育目的的深入研究奠定了良好的基础，开辟了研究新路径。

进入21世纪后，虽然直接论及墨家德育目的的研究并不多见，但通过对墨子思想多学科研究成果的梳理发现，不少文献都或直接或间接涉及墨家以培养“兼相爱交相利”之“兼士”为目的的德育思想。比如，张永英的《试论墨子教育思想的独特价值》，就对墨家德育目的思想进行了专门的研究，研究者就墨家所构建的理想人格的道德准则、道德责任、道德目标、道德实践进行了比较系统、深入、细致的分析。[③] 这些研究极大地丰富了“兼士”的学术内涵。此后，越来越多的学者开始从不同角度对“兼士”这一理想人格予以深究。如刘天旭的《论墨子的平民教育思想》，从社会本位的角度出发，指出墨家的德育目的在于培养以救世为己任的“兼士”；[④] 王洪亮从功利主义的角度指出墨家的德育目的在于培养出“兼爱”“尚同”以及“兴利除害”的“兼士”，并对“兼士”应具备的素养、品质做了具体、细致的论述；[⑤] 此后，论者又以此为基础，进一步阐论了“尊贤”“尚贤”“用贤”之于培养“兼士”“贤士”的重要作用，并论及了墨家思想蕴含的系统的用人措施与方法。[⑥] 这些研究进一步完善了墨家德育目的思想体系，将墨家的德育目的思想与社会实践紧密联系起来。

---

① 江万秀，李春秋．中国德育思想史［M］．长沙：湖南教育出版社，1992：84－87.

② 陈谷嘉，朱汉民．中国德育思想研究［M］．杭州：浙江教育出版社，1998：44.

③ 张永英．试论墨子教育思想的独特价值［J］．常熟高专学报，2001（5）：94－97.

④ 刘天旭．论墨子的平民教育思想［J］．平顶山师专学报，2003（3）：85－88.

⑤ 王洪亮．“兴天下之利，除天下之害”：谈墨子功利主义的教育思想［J］．江西社会科学，2006（4）：104－107.

⑥ 王洪亮．墨子的人才思想及其对当代的启示［J］．江西社会科学，2007（10）：103－106.

值得注意的是，进入 21 世纪，虽然学界涉及墨家德育目的的研究更为具体、深入，研究角度也逐渐呈现出多样化的趋势，但近年来有关墨家德育目的研究的数量较之前呈现下降趋势。基于学界对墨家思想研究的重新认识，可以相信，关于墨家德育目的的系统性研究成果必将不断出现。

## 二、墨家德育目的研究的主要进展

就墨家德育目的的研究状况而言，虽然不同学者的见解各有不同，但总体上对墨家德育目的的探讨呈现某种基本的共识，即培养以“兼相爱交相利”为核心的“兼士”“贤士”。兼士、贤士是墨家特指的一类社会群体，他们不仅是墨家追求的理想道德人格，也是墨家学派自我要求并影响他人的社会道德模范。比如，丁晓东就曾在《儒墨关于交往的道德教育思想研究》一文中指出：“墨子‘兼交’德教思想的培养目标是‘兼士’。”[①] 通过对相关文献的了解，学界对墨家学派所倡导的“兼士”“贤士”之德育目的的研究，主要包括“兼士”的标准、职责和功能三个方面。

就“兼士”的标准而言，陈景磐认为，墨家所培养的“兼士”“贤士”，不仅具有“兼爱”的道德情操，更具有“重义”“贵利”的道德智慧。[②] 其“兼爱”的道德情操体现了“兼士”厚乎德行的标准，“重义”“贵利”的道德智慧则体现了“兼士”博乎道术的标准。吴玉生认为，通过涵养并践行“兼爱”思想，能够培育“疾以助人”“勉以分人”“劝以教人”之理想人格的人才——“兼士”。[③] 其中，“疾以助人”“勉以分人”是“兼士”厚乎德行标准的体现，“劝

① 丁晓东．儒墨关于交往的道德教育思想研究［J］．教育评论，2007 (1)：109－112.

② 陈景磐．中国由奴隶制社会到封建社会过渡时期（春秋）的教育［J］．北京师范大学学报（社会科学版），1961 (1)：112－138.

③ 吴玉生．墨子教育思想初探［J］．内蒙古民族师院学报（社会科学汉文版），1982 (2)：54－58.

以教人”是“兼士”辩乎言谈和博乎道术标准的体现。李绍崑认为，能够做到“尊天、事鬼、爱人、节用”的“智者”，才是墨家教育目的的最终归宿。[①]尽管李绍崑对墨家德育目的的探讨与前人有所不同，但其“智者”的内涵中也包含着“厚乎德行”“辩乎言谈”“博乎道术”的思想。由此可见，虽然学界对墨家德育目的标准的阐释略有差别，但“厚乎德行”“辩乎言谈”“博乎道术”是人们探讨墨家德育目的的主旨。

就“兼士”的职责和功能而言，我国学者大多认为，“兼士”具有治国利民、兼爱互利的职责。部分学者认识到了墨家德育目的的双重价值，认为墨家作为能够与儒家并列的显学，其教育目的尤其是德育目的不仅要满足个人发展的需要，还应与社会政治、经济、文化的发展相吻合。因此，可以将“兼士”的功能分为两个层面：一是个人发展功能，即培养“兼士”能够改善个人的生存现状、为百姓提供新的生存出路；二是社会发展功能，即维护国家统治与社会稳定，为社会发展服务，如“兼士”的培养能够为统治阶级源源不断地输送社会管理的从政人才。[②]

纵观墨家德育目的的研究可以发现，尽管成果数量不菲，但多倾向于对“兼士”“贤士”内涵的分解、阐释，使学界对这一问题的研究成果呈现饱和状态，缺乏深入的历史逻辑与现实逻辑的创新性研究，也影响着后世对墨家德育目的思想的创造性转化与创新性发展。这应当引起人们的重视。

中华人民共和国成立以来，对墨家德育目的的研究虽取得了一些理论认识成就，但在研究过程中也存在着一定问题。首先，针对性、专题性研究相对较少。通过文献检索发现，与墨家德育目的相关的研究多存在于墨家教育思想和儒墨思想异同的比较研究中。尽管在墨家德育目的研究中基

---

① 李绍崑．墨子：伟大的教育家［M］．长沙：湖南教育出版社，1985：7.

② 杨友庭．墨子教育思想新探［J］．厦门大学学报（哲学社会科学版），1987（1）：137－143.

本达成共识，即培养“兼士”“贤士”，但未有专门文献对墨家德育目的进行针对性研究。在可检索到的文献中，虽然有学者对墨家德育目的的标准、职责和功能作了探讨，但多数研究对墨家德育目的表述不够系统，多以寥寥数语一笔带过，深入研究尚显不足。其次，对研究范畴的使用模糊，概念不统一。在对墨家德育目的的研究中，墨家德育目的常与教育目的相混淆，虽然学者普遍认为墨家德育目的与教育目的均是培养“贤士”“兼士”，德育从属于且属于教育的核心，但毕竟德育目的与教育目的存在差别，需要予以分别对待。这可以从以墨家教育目的代替德育目的的研究成果中窥见一斑。

然而，不可否认，自20世纪末起，我国学者对墨家德育目的的研究渐呈多元、深入之势，不仅研究视角更加多样，研究内容也更趋丰富，推动了关于墨家德育目的理论的研究。基于对墨家德育目的研究现存问题的总结，展望未来，我们认为，对墨家德育目的的研究应更加聚焦，应在正确区分德育目的与教育目的的基础上，深入探究墨家德育目的与教育目的追求的“兼士”之异同。在德育研究方面，既要关注墨家“兼相爱交相利”这一崇高道德品格之于德育目标的追求，还要注重道德、才智之于培养“兼士”的双重影响。一言以蔽之，对墨家德育目的的研究应更具针对性。只有明确了墨家德育目的，才能为深入探究其德育内容、原则、方法等德育思想提供坚实的理论基础。

## 第二节　墨家“苍黄之染”的德育环境观

墨子通过仔细观察染丝过程而叹言：“染于苍则苍，染于黄则黄。所入者变，其色亦变；五入必而已则为五色矣。故染不可不慎也！”（《墨子·所染》）墨子将染料对素丝的浸染比作环境对个人的影响，体现了德育环境之于内化个体道德理念、浸润个体道德情感、锻炼个体道德意志、落实个体道德行为过程中的重要作用。因此，加强对墨家思想环境观的研究，尤其是对中国古代优秀传统文化中环境观的探讨，将有利于推进“环境”之隐性价值的显现，促进德育环境观研究的系统发展。

## 一、墨家德育环境观的研究历程

1949 年以来，我国德育理论研究虽于 1966—1976 年间呈现出一定程度的断裂状态，但改革开放后，为建立社会主义德育新格局，我国学者逐渐开启了德育的现代化发展。在市场经济发展和社会环境开放的境况下，我国学者针对不同时期学校德育中出现的问题，深刻意识到环境之于道德建设与道德教育的重要作用。因此，改革开放后，德育环境研究随着德育理论认识的不断深化而逐步展开，并有意识地从中华优秀传统文化中汲取养分、寻求启示。墨子是中国教育发展史上第一个系统论述教育与环境之于人性重大作用的思想家。[1]因而，墨家“染于苍则苍，染于黄则黄”的独到见解，就成为人们开启德育环境理论研究的主要支点，相关研究成果不断涌现。

### （一）初步探索阶段

20 世纪 90 年代之前，与墨家德育环境观相关的研究并不多见，仅有为数不多的几篇文章论及了墨家思想中社会环境对学校德育的影响，相关研究较为沉寂。20 世纪 90 年代之后，我国学者才对墨家教育思想中蕴含的德育环境观展开了较为系统的讨论。

1992 年，郑永廷在对古今中外德育环境理论的比较研究中明确提出墨

---

① 王洪亮．“兴天下之利，除天下之害”：谈墨子功利主义的教育思想［J］．江西社会科学，2006（4）：104 － 107.

子德育理论的德育环境观及其存在价值。[①]1993 年，于钦波在其《中国德育思想史》专著中，对墨家“染于苍则苍，染于黄则黄”的德育环境观及其教育价值作了细致的论述。不仅对墨子德育环境观进行了历史追溯，认为“染于苍则苍，染于黄则黄”的墨家思想是对孔子“性相近，习相远”思想的继承与发展，还将教育与优良社会环境的有机结合视为影响个体道德品性形成、发展与完善的决定性因素，并在教育决定论的基础上对墨子借助教育改造社会的道德理想进行了客观评价，主张应深入探究、合理继承与发展墨家德育环境观思想，使之成为加强社会主义精神文明建设的宝贵历史资源。[②]1994 年，全国 50 余名学者会聚青岛参加了“中国传统文化与世纪”学术讨论会。在论及“怎样实现传统文化的现代化”这一问题时，张承先指出，当代中国不仅要继承、发展和创新对传统文化和伦理道德的科学研究，建立新的道德规范；还要重视整个社会环境对人的思想意识的影响，[③]充分发挥社会环境的育德功能与德育作用，以构建优良的社会主义现代化德育环境。张承先的观点引发了与会学者对中国传统文化中德育环境理论的关注和研究，也为正确处理中国传统文化与现代化道德建设之间的关系指明了方向。1998 年，陈谷嘉、朱汉民主编的《中国德育思想研究》一书对墨家德育环境观提出了独到见解。陈谷嘉等人从人性论的角度出发，认为人性与劳动存在着本质性的联系，既然劳动是后天发生而非先天具备的，那么人性亦复如此。论者以墨子人性论为理论基础，从三个方面对墨家德育环境观进行了深入阐释。首先，既然人性善恶和道德人格是后天形成的，那么道德个体就需要积极发挥主观能动性以养成优良的道德品格；其次，不同环境对个体的影响不同，德育过程是个体对道德行为选择的过程；最后，要相信个体能够通过劳动对环境进行驾驭，个体道德品质

---

① 郑永廷．德育环境理论比较研究［J］．学校思想教育，1992（5）：42－45.

② 于钦波．中国德育思想史［M］．长春：吉林教育出版社，1993：102－103.

③ 马来平．“中国传统文化与21世纪”学术研讨会综述［J］．文史哲，1994（6）：101－103.

的形成与劳动有着密切的联系。[1]论者对墨家德育环境观的研究打破了以往学者对“染于苍则苍，染于黄则黄”简单的解释性研究方式，深入剖析了墨子通过比喻所传达的深刻而生动的德育思想。不仅注意到了环境对个体道德发展的外在功用，而且更注重发挥个体的主观能动性，主张通过道德个体正确的道德选择和积极的社会劳动，来实现其道德人格的升华，将墨家德育环境观的研究从侧重德育环境对个体的影响，转向了个体道德选择对环境的能动作用，极大地开阔了墨家德育环境观思想的研究视野。

由此可见，自 20 世纪 90 年代以来，我国学者对墨家德育环境观的研究虽处于起步阶段，但研究成果已十分显著。不仅肯定了墨家德育环境观的重要价值，也试图寻绎其德育环境观的理论依托，这为 21 世纪墨家德育环境观研究的繁荣发展奠定了基础。

### （二）系统深化阶段

20 世纪 90 年代我国学者对墨家德育环境观的初步探索，为 21 世纪初墨家德育环境观研究的系统深化发展创造了条件。墨子德育环境观，就是中国古代先贤对社会环境之于道德品性发展作用的最有代表性的思想。在此历史际遇下，以墨子环境思想为主题的相关研究纷纷涌现，2011 年达到文献数量的最高峰。其中，与墨家德育环境观相关的文献数量也呈逐年上升的趋势，研究深度也在不断增加，越来越多的学者不满足于对墨家“染于苍则苍，染于黄则黄”德育环境观的文献性、知识性介绍，开始对墨家德育环境观的历史地位、内涵、现代价值等问题进行更加深入的研究。

就其历史地位而言，人们普遍认为，墨子的德育环境观是中国传统教育思想中最具代表性的观点。谢克庆明确指出：“墨子是中国古代最早提

---

① 陈谷嘉，朱汉民．中国德育思想研究［M］．杭州：浙江教育出版社，1998：54－58.

出‘环境育人’的学者之一。”[①] 王洪亮指出：墨子是在中国教育发展的历史长河中，第一个系统论述教育与环境对人性形成具有重大作用的学者。[②] 杨鲜霞指出：墨子是先秦时期第一个悟出环境教育对人产生巨大影响的教育家。[③] 此外，王凌皓、陈明月不仅明确指出墨子有关环境教育作用的“素丝说”在教育发展史上所具有的独特开创之功，深刻地揭示了环境条件对人的决定性影响，还提出“慎染”的德育思想，以帮助人们谨慎地选择成长发展环境。论者指出，正是“慎染”思想的提出，才使得中国古代众多思想家、教育家在墨子的启发影响下，对环境教育与人成长发展的关系问题展开了更为深入的探讨。[④] 由此可见，我国学者对墨家环境观之德育价值的认识正随着墨家德育环境观地位的提升而逐步加深。

就其内涵而言，除对“苍黄之染”这一环境观的文献解读外，更多学者开始就其内含的教育平等、德育个体在环境中的主观能动性、德育环境的种类与功能等德育思想及其时代价值，作出具有一定深度的探讨。学界基于对墨子“苍黄之染”德育环境观的理论分析，结合现代学校德育所遭逢的时代难题，就学校德育环境的优化、如何最大限度地发挥社会环境的德育价值与育德功能、墨家德育环境观对现代思想政治教育环境建设的意义等诸多问题，展开了比较微观、细致的研究。

由此可见，虽然这一时期整篇系统探讨墨家德育环境观的研究成果并不多见，但学界对墨家德育环境观的研究成果频繁出现，对墨家德育

① 谢克庆．试论墨子的行为教育［J］．成都中医药大学学报（教育科学版），2001 (2)：74－76.

② 王洪亮．“兴天下之利，除天下之害”：谈墨子功利主义的教育思想［J］．江西社会科学，2006 (4)：104－107.

③ 杨鲜霞．墨子德育思想及其当代意义的探析［J］．东北农业大学学报（社会科学版），2008 (1)：110－112.

④ 王凌皓，陈明月．先秦创始墨家的原创性教育思想探析［J］．古籍整理研究学刊，2015 (5)：79－83.

环境观现代价值的探讨也呈别开生面之势，这进一步提升了墨子“苍黄之染”德育环境观在中国德育思想史上的地位，为后续的深化研究创造了理论条件。

### （三）精细研究阶段

自 2010 年起，对墨家德育环境思想的研究一改以往宏观研究多、文献解读多的研究范式与学术生态，开始转向相对具体、精细化的研究方式。如梁霞的《浅析墨子之人性素丝论》,刘相礼、王策之、徐海玲的《墨子〈所染〉的启示》，杨浩英的《我国古代德育环境论及其对当代德育的启示》，余娟的《透过“素丝说”看互联网环境对青少年的影响》以及杨建兵的《素丝作画：墨家“染”德育方法体系诠议》等研究成果，不仅对关涉墨子德育思想的专门论题进行了精细探微，而且也体现了对墨家德育环境思想研究的系统化、具体化、精细化发展趋势。①

总之，21 世纪以来，学界对墨家德育环境理论研究地位的不断重视，对其内涵思想的深度解析与探颐索隐以及对这一思想之现代价值的积极探寻，都是墨家德育环境观研究逐步呈现繁荣趋势的某种体现。这不仅丰富了墨家教育思想的研究，也极大地提升了墨家思想在中华优秀传统文化序列中的应用价值与思想地位。我们有理由相信，随着中华文明复兴征程的加速，一定会有更多学者加入到对墨家德育思想的研究中，不断推进墨家德育思想特别是德育环境观的理论研究。这是历史发展的大势。

---

① 梁霞．浅析墨子之人性素丝论［J］．聊城大学学报（社会科学版）, 2011 (2)；刘相礼，王策之，徐海玲．墨子《所染》的启示［J］．山东省农业管理干部学院学报，2012 (3)；杨浩英．我国古代德育环境论及其对当代德育的启示［J］．河南科技学院学报（社会科学版）, 2013 (4)；余娟．透过“素丝说”看互联网环境对青少年的影响［J］．山东工业技术，2014 (13)；杨建兵．素丝作画：墨家“染”德育方法体系诠议［J］．理论月刊，2014 (1)：66 － 69.

## 二、墨家德育环境观的主要进展

通过对墨家德育环境观相关文献的去粗取精与系统梳理，学界对墨家德育环境观的研究既有基于不同人性论为德育环境观寻求理论依据的溯源性探究，为构建完整理论体系而划分不同环境类型的理论性探讨，也有为体现墨家德育环境观之时代价值而以今释古的现代阐释。正是这些学术成果的不断涌现与更新，才使得中华优秀传统文化与现代教育理念实现真正的接轨与融合。

### （一）基于不同人性论为德育环境观寻求理论依据

由于墨家并未对人性作出明确的预设，人们多从《墨子》文本中所蕴含的人性论意蕴进行解读。也正因为如此，对墨家人性论的研究呈现出不同的观点，人们围绕墨家性善还是性恶问题展开了热烈的讨论。

有学者认为墨家持有善少恶多的人性观。所持的证据是："天下之为父母者众，而仁者寡。……天下之为学者众，而仁者寡。……天下之为君者众，而仁者寡。"（《墨子·法仪》）基于墨子的论述，认为墨子正是基于"仁者寡"的善少恶多论，而强调环境之于个人、国家、社会的重要作用。[①] 但也有学者对这一观点持质疑态度，提出了不同的见解。曾业桃认为，对墨子"善少恶多"人性论持认同的观点看似高明，却毫无意义。人性真正的本质是"自利"，正因为自利本身无善恶之分，所以刚出生的幼童就像白丝一样，经过外在环境的塑造与影响才得以显现自身的人性观。墨子的人性论是"自利"的人性论，这是"苍黄之染"得以发挥作用的前提。唯有凭借教育的熏陶作用，将人性自利导向有益社会发展的方面，将自利染

① 孙岩梅．论墨子的教育思想［J］．胜利油田师范专科学校学报，2002（1）：63－66.

成兼爱，才能达到墨子人性熏染的最佳染法。[①]这一观点尽管对墨家人性论持中立态度，但也独树一帜地提出了“自利”的人性预设。这种解读不仅体现了德育过程中道德教育和德育环境之间密不可分的联系，也体现了德育环境的导向功能。

与“自利”的中立人性论观点不同,另有学者认为,人的本性在于劳动。陈谷嘉、朱汉民在《中国德育思想研究》中就指出，人性与劳动之间存在着本质性的联系。“既然人‘赖其力者生’，那么，人就应该通过自身的劳动来塑造精神，铸造灵魂。”[②]袁建辉、李兵也通过对墨子道德教育思想的分析指出：人的本质在于劳动，正因为劳动是后天产生的，因此人性也具有后天性，是受周围环境影响形成的；环境不同，塑造的人的品性也各有不同。[③]人的本性在于劳动这一人性论的意义在于，它不仅强调了环境对人的熏陶、感化作用，也反映了墨家积极发挥道德个体主观能动性的德育理念。

还有学者主张墨家对人性持有无善无恶的态度。认为，人性犹如白丝，无善亦无恶。环境的作用不仅影响一个人道德品质的养成，还能够改变一个人的道德品性。“人性虽已陷溺，尚可有本身之顽悟，师友之启迪，机缘之暗示，环境之刺激，而使其复还如初。”[④]只有发挥良好德育环境的塑造作用，才能够完善人的德性。

此外，也有学者对如上不同的墨家人性论提出了质疑。认为，墨子思想体系中所谓的性善或性恶论，都缺乏科学的依据。《墨子 · 所染》是针对教育的环境而言的，并未涉及人性问题之讨论。有学者从《墨子 · 所染》

---

① 曾业桃 . 轴心时代的中国人性论研究［D］. 南京：南京师范大学，2002：44.

② 陈谷嘉，朱汉民 . 中国德育思想研究［M］. 杭州：浙江教育出版社，1998：58.

③ 袁建辉，李兵 . 墨子道德教育思想述评［J］. 赣南师范学院学报，2003 (4)：91 － 93.

④ 韩秀丽 . 儒家“任人唯贤”的人才观及现代意义［J］. 北京联合大学学报，2001 (2)：26 － 30.

篇提炼出“人性素丝论”。[①]但也有学者指出“‘人的本性生下来同素丝一样’，这一观点是值得商榷的。”[②]由此可见，学界对墨家人性论的探讨多持中立态度，虽未达成一致，但对墨子教育思想中的德育环境观都持认同立场，都主张应继承社会环境之于人性的导向、感染、塑造作用的思想，并以此来展现墨家德育环境观的理论价值。

### （二）划分不同环境类型以完善德育环境理论体系

就目前研究进展而言，关于墨家德育环境观的系统研究尚不完善，多数学者都认可并探讨了墨家思想中德育环境对个人德性养成的重要作用，但对墨家德育思想中环境思想的系统研究尚不深入。根据既有研究成果，我们初步归纳出我国学者对墨家德育环境的不同分类。

一部分学者通过对《墨子·所染》所举事例的分析，认为这些事例均为人与人之间的相互影响。比如君臣之间的影响，墨子与弟子之间的影响等等。正是人与人之间的关系，构成了对个体德性养成影响深远的人际环境与生活环境。[③]张伟强专门对中国古代德育的人际环境思想进行了研究，在《中国古代德育人际环境思想述评》一文中，不仅较为详尽地阐述了墨家德育人际环境思想，而且以此为基础比较系统地梳理、阐述了春秋战国、秦汉、唐宋明清时期德育人际环境思想。[④]另一部分学者通过对《墨子·七患》中“故时年岁善，则民仁且良；时年岁凶，则民吝且恶”（《墨子·七患》）思想的理解，论述了墨子的社会环境对百姓德性影响的观点。[⑤]不难

---

① 高开封，张希宇．简论墨子的教育思想和教育成就［J］．齐鲁学刊，1997 (4)：94 － 95.

② 衡军．《墨子》教育思想浅析［D］．长春：吉林大学，2007：19.

③ 韩秀丽．儒家“任人唯贤”的人才观及现代意义［J］．北京联合大学学报，2001 (2)：26 － 30.

④ 张伟强．中国古代德育人际环境思想述评［J］．邵阳学院学报（社会科学版），2010 (4)：13 － 16.

⑤ 曾云莺．孔墨教育思想比较及其影响评析［J］．广西社会科学，2004 (2)：179 － 181.

发现，人们对墨家德育环境的分类研究过于零散，缺乏逻辑性与系统的文献支撑。鉴于此，有学者对墨家德育环境思想进行了系统的论述和评析，将德育环境分为人文环境和经济环境两类，强调了墨家思想关于交友之于创造良好人文环境的作用，并分析了墨家这一思想对现代社会发展中物质文明对精神文明的基础性作用，合理阐释了道德品质与经济状况之间的相互制约关系。对墨家德育环境思想的研究，不能囿于对环境的简单分类，更应基于客观文献，对墨家“苍黄之染”的德育环境思想予以辩证评析，对墨子客观唯心主义的道德天赋论和环境育人的朴素唯物主义思想进行批判性研究、阐释、继承。[①] 唯其如此，才能不断深化墨家德育环境思想的研究。

### （三）墨家“苍黄之染”德育环境观的当代价值

墨子的“苍黄之染”表面上论及的是染丝问题，其实是对社会环境之于人道德品性乃至社会道德风尚的功用问题所作的深刻论述。因为，正如墨子所言：“非独染丝然也，国亦有染。”“非独国有染也，士亦有染。”（《墨子 · 所染》）墨子“苍黄之染”的德育环境思想是对中华民族优秀传统德育思想的重大贡献，是中国德育思想史上的宝贵财富，是新时代需要予以创造性转化、创新性发展的德育智慧。

有学者指出，墨子“苍黄之染”的德育环境观不仅体现环境和教育对人的塑造作用，更体现了墨子一贯主张的人人平等的教育思想。[②] 还有学者认为，正是基于墨子重“染”的思想，墨家进一步提出了“强说人”的教育价值观，主张强力说教与强力为学的紧密结合。[③] 也有学者通过对墨

① 游庆国，崔华前．试析墨子的德教方法［J］．平原大学学报，2005（4）：68－71.

② 郭连锋，王红利．孔子与墨子教育思想之比较［J］．呼兰师专学报，2003（1）：42－47.

③ 刘淑红，宋春光．不同的阶级关怀：孔子与墨子教育思想的差异［J］．陇东学院学报，2009（6）：72－74.

子环境观的理解，认为墨子不仅强调环境对人的发展所具有的不可忽视的重要作用，而且强调人在环境中的自主意识、选择环境的主观因素以及支配和改造环境的主体作用。[①] 还有学者在对墨子教育哲学思想进行现代阐释时指出："墨子将人性比作丝，意在说明环境对人性成长和发展的重要影响，以此说明教育的合法性，并在此基础上也指出了教育的必要性和重要性。"[②] 另有学者基于"苍黄之染"的德育环境观，系统探讨了家庭教育对儿童道德品质养成的影响。[③] 如此等等。关于墨家德育环境观的理论研究成果丰富了墨家教育思想、德育思想的研究视角。

此外，21 世纪以来，基于墨子"所染论"的思想，学界将墨家"苍黄之染"的德育环境观与思想政治教育环境理论相结合，进一步肯定了墨家德育环境观对个体思想道德品质形成和发展的价值导向作用，并对思想政治教育环境的概念、功能、种类等问题展开了拓展性研究。如有学者将墨家"所染论"作为其研究思想政治教育环境变化对人思想和行为影响的学术资源，主张应发挥中国古代德育环境观对当代思想政治教育的积极借鉴作用，并对当前思想政治教育环境的定义、功能、分类、建设优化原则和措施诸问题进行了系统归纳和总结。[④] 就思想政治教育环境概念而言，有学者认为："思想政治教育环境，是指影响人的思想品德形成和发展，影响思想政治教育活动运行的一切外部因素的总和。"[⑤] 就思想政治教育环境的功能而言，

---

① 张幼林.论墨子的教育思想以及对我国职业教育的启示[J].中国成人教育，2010 (12)：8－11.

② 刘红霞.墨子教育哲学思想的现代阐释［J］.郑州大学学报（哲学社会科学版），2009 (6)：48－50.

③ 徐祖南.透过墨子的素丝说看家庭教育的重要性［J］.科教导刊（上旬刊），2010 (3)：11＋15.

④ 朱强.思想政治教育环境变化对人的思想和行为的影响研究［D］.成都：电子科技大学，2017：32－178.

⑤ 张耀灿，郑永廷，吴潜涛，等.现代思想政治教育学［M］.北京：人民出版社，2006：294.

学界主要将其归纳为强化、导向、感染、约束、塑造等功能。就思想政治教育环境种类而言，主要包括物质环境和精神环境、良性环境和恶性环境、开放环境和封闭环境、宏观环境和微观环境等。[①]

由上可见，学界关于墨家德育环境观的研究呈现不断深化、细化、系统化的趋势，越来越多的研究开始转向如何继承与发展墨家德育环境思想，将其应用于学校道德教育与社会道德建设过程中，以不断彰显这一中国智慧的时代价值。

20 世纪 90 年代以来，虽在墨家德育环境观研究中取得了一些研究成果，但相较于墨家德育思想的其他相关研究，关于墨家德育环境观的研究仍需进一步加强。

通过对相关文献的梳理可以看出，在众多与墨家教育、德育相关的文献中，墨子“染于苍则苍，染于黄则黄”的“所染论”或多或少都会在文献中占有一席之地。但研究者关于墨家“苍黄之染”的德育环境观的研究大多囿于文献性考证或知识性介绍，主要表现在三个方面：首先是对墨子“苍黄之染”文献的解读。主要集中在两段经典论述：“染于苍则苍，染于黄则黄。所入者变，其色亦变；五入必而已则为五色矣。故染不可不慎也！”（《墨子·所染》）“舜染于许由、伯阳，禹染于皋陶、伯益，汤染于伊尹、仲虺，武王染于太公、周公。此四王者所染当，故王天下，立为天子，功名蔽天地。举天下之仁义显人，必称此四王者。”（《墨子·所染》）通过对墨子经典语录的阐释，来说明环境与教育对个体道德品行形成和发展的重要作用。其次是结合研究者自身的理解，对墨子德育环境思想予以评价，以探寻其中潜在的德育价值。最后是结合社会发展现状，把古代与现代的德育环境思想予以比较分析，从墨家德育环境观中寻找优化学校德育环境的有效措施，使墨家德育环境观不仅具有理论价值，还具有实践价值和实用价值。

---

① 朱强．思想政治教育环境变化对人的思想和行为的影响研究［D］．成都：电子科技大学，2017：105－112.

此类关涉墨家德育环境思想的研究虽然强调了墨家道德教育思想中环境的重要地位，但并未细致、深入地诠释墨家德育环境观的内在价值，这在一定程度上限制了人们对墨家德育环境观的深度探讨，使得与墨家德育环境思想相关的研究成果缺乏更强的学术性与创新性。

令人可喜的是，近年来与该主题相关的文献中也不乏有较强创新性的成果。杨建兵的《素丝作画：墨家“染”德育方法体系诠议》，不仅指出墨家以“人性欲利，无称善恶”作为其构建特色鲜明的“染”德育方法体系的理论前提，还根据对“染于苍则苍，染于黄则黄。所入者变，其色亦变；五入必而已则为五色矣。故染不可不慎也！非独染丝然也，国亦有染。”（《墨子·所染》）这一经典语录，对墨家“染”的德育方法论进行了概括与总结，认为“染于苍则苍，染于黄则黄”是对“人性欲利，无称善恶”的承接归纳；学校德育是由外到内的发展过程，人之亟待培养的善德是外在于人的东西；道德教育一定要强调社会环境的作用。基于这一认识，研究者归纳出墨家所独有的物利引诱法、权力强制法、天鬼监督法三种德育方法，并对墨家“染”的德育理念之现代价值作了辩证分析。①不同于以往对墨家德育环境观的简单探讨，研究者从人性观的角度来寻绎墨家德育环境观的理论依据，一改以往学者对《墨子·所染》的概括性诠释，开始逐层对经典引文进行深入剖析，进而概括出墨家德育环境观中蕴含的德育方法，并从整体上对墨家“染”的德育环境观予较为详细的辩证分析，完整地构建了包含墨家德育环境之对象、方法、现代价值等因素的德育环境体系，深化了墨家德育环境理论的研究。

还有学者通过系统梳理孔子、墨子、孟子、荀子等思想家的德育环境观，归纳了我国古代教育家德育环境论的五个基本特点，即：注重人的可塑性与发展性；注重人的主观能动性；注重挖掘环境的积极因素；注重环境对

---

① 杨建兵.素丝作画：墨家“染”德育方法体系诠议［J］.理论月刊，2014（1）：66－69.

个人品德形成的隐性作用；注重德育的过程性和规律性。[①]这一研究进一步加深了人们对墨家德育环境观的认识。

另有学者独辟蹊径，将墨子的德育环境思想运用于高校图书馆建设，主张应把墨家德育环境观运用于高等学校图书馆的文化建设，以达到教育对象之人伦迁善的教育目标。[②]这些研究成果均是近年来我国学者对墨家德育环境观的新探讨、新创树。

可以预见，未来有关墨家德育环境理论的研究，需要在确立更为细化的研究主题、开拓多样的研究视域、转变固有的研究方法诸方面破旧立新，以不断推进墨家德育环境理论研究的整体性、系统性与实践性发展。

## 第三节　墨家“身必行之”的德育方法

墨家“兼相爱交相利”的德育目标为个体的道德发展指明了方向，“苍黄之染”的德育环境观为个体道德发展创造了条件，而“身必行之”的德育方法则为个体德性修养与道德发展提供了实践中介。与墨家德育方法相关的研究成果较多，不同学者对墨家德育方法的表述亦有所不同。通过对以往研究成果的回顾与评述，可以进一步探明墨家德育方法中以“行”为本的思想内涵，将“德行”落实于学校德育的各个环节之中。

---

① 杨浩英．我国古代德育环境论及其对当代德育的启示［J］．河南科技学院学报，2013(4)：93－96.

② 乔爱丽．墨子思想对图书馆德育本质的古典诠释［J］．黑龙江高教研究，2016(4)：124－126.

## 一、墨家“身必行之”德育方法的研究历程

德育方法是德育理论体系的重要组成部分，也是德育研究中必须要探讨的问题。学界对墨家德育方法的研究大致起源于20世纪80年代，这一时期人们开始对墨家德育方法进行不同程度的分类、总结与阐释，其研究思路大多以墨家德育方法及其时代价值的推究为主。2018年前后，对墨家德育方法的研究开始从宏观上的理论探讨转向对劳动教育、职业教育、工匠意识等以“行”为主旨的研究，通过对墨家“身必行之”德育方法的思考，为工匠精神、牺牲精神、实践精神、侠义精神的塑造，劳动教育、职业教育的改革发展提供当代启示。回溯20世纪80年代以来学界对墨家德育方法的研究历程，大致可以分为两个阶段。

### （一）对“身必行之”德育方法的初步探索

20世纪80年代以来，与墨家德育方法相关的研究进展迅速，成果相对较多。人们通过对墨家德育方法的多维度探讨，试图从中挖掘出能够应用于现代学校德育变革的有效之策。

墨家教育思想体系中的德育方法可概括为“身必行之”。通过梳理既有的相关研究成果可以发现，虽然学界对墨家德育方法划分种类不同，观点也各有差异，但都对墨家之尚“行”的方法论意旨高度认可，“行”是墨家德育方法的基本理念与追求。在先秦诸子百家的思想世界中，墨子及其门派最注重道德实践精神，把不畏劳苦、自强不息、实践磨砺作为提升道德品质的最佳路径。在墨家看来，勇于实践、身必行之本身就是一种值得提倡的极为高尚的道德品质。诚所谓：“士虽有学，而行为本焉。”（《墨子·修身》）“政者，口言之，身必行之。”（《墨子·公孟》）吴玉生将积极

主动、重视亲知、实事求是、以身作则等确立为墨家德育方法；[1] 杨友庭认为墨子为培养“厚乎德行，辩乎言谈，博乎道术”的“贤士”，在道德教育方面十分重视“力行”，主张加强自身的修养，做到志强、言信、分财、守道、辨察、固本。[2] 此后，学界对墨家德育方法的研究多离不开“以行为本”“以身戴行”“口言之，身必行之”“强志达志”“强教强学”“择务而从事”“反躬自省”“述而且作”“合其功志而观之”之类的表述。贾鹏涛指出，墨家认为达到任何事物目的的方法即为“力行”，进一步确证了墨家力行的方法论意义。[3] 由此可见，在对墨家德育方法的认识方面，尽管人们的认识不完全一致，但其表达的核心理念皆离不开“身必行之”。

总之，这一时期对墨家德育方法的研究重在通过对《墨子》文本的文献研究，总结出墨家思想的教育方法、德育方法的类型及意义。这类研究的学科视域多样，展现了墨家教育思想的方法论特质，但也会出现对墨家德育方法研究成果的趋同与研究观点的饱和现象。因此，在经历了一段时间的沉淀与积累之后，对墨家“身必行之”德育方法的研究亟须转变研究思路，探寻新的研究方向，以实现对墨家“身必行之”德育方法研究的创造性转化。

### （二）对“身必行之”德育方法研究的转型

2018 年 9 月 10 日，习近平同志在全国教育大会上的讲话，明确了劳动教育在社会主义教育体系中的重要地位，指出：要在学生中弘扬劳动精神，教育引导学生崇尚劳动、尊重劳动，懂得劳动最光荣、劳动最崇高、劳动最伟大、劳动最美丽的道理，长大后能够辛勤劳动、诚实劳动、创造

---

① 吴玉生．墨子教育思想初探［J］．内蒙古民族师院学报（社会科学汉文版），1982 (2)：54 － 58.

② 杨友庭．墨子教育思想新探［J］．厦门大学学报（哲学社会科学版），1987 (1)：137 － 143.

③ 贾鹏涛．杨宽的墨学研究［J］．历史教学问题，2021 (6)：76 － 81 + 168.

性劳动。强调要把劳动教育、社会实践教育贯穿于基础教育、职业教育与高等教育的各领域，不断构建并完善德智体美劳全面培养的社会主义教育体系。[①]习近平同志的重要讲话，引发了学界的广泛关注，推动学界对墨家德育方法研究方向的转变。自此之后，对墨家德育方法的研究逐渐开始转向了以工匠精神、劳动教育、职业教育为中心的研究，人们开始探讨如何借鉴墨家的仁侠精神、实践精神、创新精神、牺牲精神，促进高质量职业人才的培养。比如，刘丽琴的《新时代下墨子工匠精神的价值意蕴及其启示》，徐峰、石伟平的《墨子的工匠观及其当代教育意义》，杨峻岭等人的《先秦墨家劳动价值观及其当代价值》等研究，均是墨家"身必行之"德育方法与我国当前人才培养目标相结合的研究成果。[②]这种研究，也是学者自觉地将中华优秀传统文化置于社会主义现代化进程之中，以实现传统文化的创造性转化与创新性发展的新探索。

## 二、墨家"身必行之"德育方法的研究进展

通过对墨家德育方法研究文献的查阅与整理发现，无论是"择务而从事""扣则鸣，不扣必鸣"的德育方法，还是"反省自躬""以身戴行"的德育方法，"行"都是渗透于墨家德育方法研究的核心内容，忍痛苦、轻生死的自我牺牲精神与淡名利、交相利的道德实践精神，是贯穿于墨家德育方法研究过程的核心精神。自 20 世纪 80 年代初至今，对墨家"身必行之"德育方法的研究已取得了比较丰硕的成果，主要表现在两个方面。

---

① 吴晶，胡浩．习近平在全国教育大会上强调坚持中国特色社会主义教育发展道路培养德智体美劳全面发展的社会主义建设者和接班人［J］．人民教育，2018 (18)：6－9.

② 刘丽琴．新时代下墨子工匠精神的价值意蕴及其启示［J］．湖南社会科学，2019 (5)；徐峰，石伟平．墨子的工匠观及其当代教育意义［J］．职业技术教育，2020 (7)；杨峻岭，刘思源．先秦墨家劳动价值观及其当代价值［J］．社会主义核心价值观研究，2021 (3).

### （一）对墨家“身必行之”德育方法的理论研究

对墨家“身必行之”德育方法的理论研究，既包括对墨家以“行”为核心的德育理论研究，也包括对墨家德育方法内涵的实践精神、侠义精神、牺牲精神的研究。

就以“行”为核心的相关研究而言，学界以“行”为起点，探讨墨家独特的德育施教方法和受教方法。如孙实明指出：要进行道德修养，就必须树立务本意识，“务本”的工夫主要在于“行”，而“行”又包括两层含义：一为将所学运用于实际；二为躬行实践，言出必行。[①] 论者对“行”的解释也体现了墨家德育方法的要旨。丁纯也在探讨墨家思想的当代德育价值时指出：“躬行”是墨子思想的重要组成部分，具有重要的德育价值。首先，躬行具有道德责任感，教育主体应具有强烈的社会责任感和使命感，在实践中肩负起德育的重任；其次，躬行具有道德协调能力，应教育学生学会在家庭、社会、学校各个环节中善于沟通、协调各种责任；最后，躬行具有道德主导能力和榜样示范作用。[②] 论者通过对“躬行”之德育功能的阐释，突出了“身必行之”作为墨家德育方法的合理性及其时代价值。此外，丁晓东就墨家“身必行之”的德育方法进行了阐释，他认为墨家德教思想以“外求”为主线。“外求”一方面是向环境“求”，注重德育环境对道德个体的影响；另一方面则是向行为“求”，既要在道德教育中重视身教示范、榜样感化，也要积极“劝以教人”，在实践中“求德”。[③] 诸如此类的研究表明，人们在德育方法方面的观点基本达成一致，即通过“身必行之”，实现对个体良好道德品质的养成和道德修养的提升。

此外，墨家的德育评价方法也蕴含着“身必行之”的德育理念。无

---

① 孙实明．论墨子的伦理观：兼论儒墨伦理思想的异同［J］．求是学刊，1994（5）：19 － 24.

② 丁纯．论墨家思想的当代德育价值［J］．天府新论，2008（2）：40 － 42.

③ 丁晓东．儒墨关于交往的道德教育思想研究［J］．教育评论，2007（1）：109 － 112.

论是“三表法”，还是“合其志功而观焉”的评价方法，“身必行之”的德育理念都渗透于墨家德育评价方法之中。黄钊指出墨子评价人们是否具备“仁”德，并不以口头宣言为依据，而是看他的实际行动是否合乎仁德。实际行动不可伪造出来，必须“反之于身”，切实体现于身体力行之中，如此，才可称之为道德行为。[①] 张卫良指出，墨家思想的特点之一就是其“合其志功而观”的道德评价模式，这一模式明确了道德评价以“行”为立足点，强调了动机与行为的统一关系。[②] 由此可见，“身必行之”的德育理念不仅蕴含于道德教育的实施过程中，也作用于教育评价过程之中，以身体力行为内核的德育方法贯穿墨家德育思想与实践的始终。

### （二）对墨家“身必行之”德育方法的实践研究

除对墨家“身必行之”德育方法之理论研究的探讨外，我国学者对其德育方法的实践研究也作了深入探讨。此类研究大多以墨家德育思想中蕴含的实践精神、牺牲精神、侠义精神为主线，以当代工匠精神的复兴、创新精神的发展、职业教育的进步、劳动教育的变革和德育个体社会责任感的培养为具体研究对象，以体现墨家“身必行之”的德育方法理念。

通过对已有文献的查阅发现，人们对墨家道德实践精神的研究多涉及对墨家牺牲精神的探讨。墨家道德实践精神与道德牺牲精神相互渗透、相互呼应，存在于墨家精神的研究中。比如，边慧民在《试论儒家“力行”德育思想及其现代启示》一文中就指出，墨子“身必行之”的德育方法是对儒家“力行”德育思想的沿袭与批判；“力行”既具有道德实践精神，也具有自我牺牲精神，从某种意义上说，墨子的道德实践精神就是一种自

---

① 黄钊．墨家的道德理论述评［J］．湘潭大学学报（哲学社会科学版），1998 (6)：40 － 46.

② 张卫良．《墨子》之于当代思想品德教育的价值［J］．大学教育科学，2015 (3)：96 － 100.

我牺牲的道德精神。[①] 边慧民、边懿在《中国传统“践行”德育思想研究》一书中再一次对墨家思想中蕴含的道德实践精神和牺牲精神作了探讨，使墨家“践行”思想的研究更加系统、完整。在论及墨子生活的时代及修身德育思想时指出:“行”是墨家修身的根本,墨家“修身”主要是行为的修养，突出了“行”在道德教育中的重要地位；论者还对墨子“言足以复行者尚”的重“行”观、“行”在认识过程中的地位和作用以及以“行”为本的道德实践精神等问题，作了比较细致的探讨，指出墨家的道德实践精神也是一种道德牺牲精神。[②] 对墨家道德实践精神和道德牺牲精神的研究亦存在于如李新、范召全的《墨子的伦理思想及其当代功用》,陈谷嘉、朱汉民的《中国德育思想研究》等研究成果之中。

就墨家侠义精神的研究而言，薛柏成的《墨家思想对中国“侠义”精神的影响》指出，墨家兼相爱、以苦为义、仗义而为、赴汤蹈火、兴利除害等内容中蕴含的“侠义”思想是中国古代“侠义”精神的源头之一；[③] 吴爱邦的《论墨家侠义道德及其影响》重点探讨了墨家侠义道德的特点，指出墨家以自苦为极、言行一致、殉身为义的侠义道德特点；[④] 刘丽琴的《墨子侠义精神及其现代价值审视》论述了墨家侠义精神的义理依据，认为其兼爱的精神内核和行义的道德准则是墨家侠义精神义理依据之所在。[⑤] 随着学者对墨家侠义精神研究的深入，墨家侠义精神理论体系更趋完善、系统。

---

① 边慧民．试论儒家“力行”德育思想及其现代启示［J］．山东师范大学学报(人文社会科学版),2006(2):146－149.

② 边慧民,边懿．中国传统“践行”德育思想研究［M］．北京:中国人民公安大学出版社,2018:46－60.

③ 薛柏成．墨家思想对中国“侠义”精神的影响［J］．东北师大学报(哲学社会科学版),2005(5):115－120.

④ 吴爱邦．论墨家侠义道德及其影响［J］．佳木斯大学社会科学学报,2017(5):1－4＋15.

⑤ 刘丽琴．墨子侠义精神及其现代价值审视［J］．广西社会科学,2017(4):57－60.

学界除对墨家实践精神、牺牲精神、侠义精神进行研究外，也试图探讨如何将以“行”为核心的墨家德育精神融入现代教育实践活动中，以丰富、充盈工匠精神的时代内涵。如徐峰、石伟平的《墨子的工匠观及其当代教育意义》，论述了墨子思想体系中的工匠精神及其教育意义；[①] 赵苓妃、覃兵、游小娟的《墨子职业教育思想探析及启示》，魏霞的《试论墨子的实践教育及当代价值》论述了墨子教育思想在推动职业教育变革中的时代意蕴；[②] 冯孟的《身体力行——基于墨子身体观的大学生劳动教育研究》，杨峻岭等人的《先秦墨家劳动价值观及其当代价值》，则论述了墨子的劳动教育及其现代性转化的可能性。[③]

由此可见，我国学者对墨家“身必行之”德育方法展开的研究，并不仅仅局限于理论探讨，还试图通过积极探寻这一德育方法的内在精神，将其运用于道德教育、职业教育、劳动教育实践活动，进一步拓宽了墨家“身必行之”德育方法研究的视域，丰富了墨家“身必行之”德育方法的现代价值。

在对墨家德育方法的研究中，尚有诸多待深入研究的领域。比如学界对墨家“身必行之”德育方法的研究，存在两个分歧：一是对墨家提出的某一论断是否属于德育方法看法不一。有的将其视为德育方法，有的则将其视为德育原则、德育特征、德育理念。比如在对孔子墨子教育思想的比较研究中，梁宗华就将“以身戴行”“以行为本”归纳为墨子强调“力行”思想的实践性原则，[④] 而何清在《论墨子思想对当代青少年道德教育的启示》

---

① 徐峰，石伟平．墨子的工匠观及其当代教育意义［J］．职业技术教育，2020（7）：42 − 48.

② 赵苓妃、覃兵、游小娟．墨子职业教育思想探析及启示［J］，职教论坛，2009（31）：59 − 61；魏霞．试论墨子的实践教育及当代价值［J］．新课程学习（学术教育），2009（11）：29.

③ 冯孟．身体力行：基于墨子身体观的大学生劳动教育研究［J］．智库时代，2020（2）；杨峻岭，刘思源．先秦墨家劳动价值观及其当代价值［J］．社会主义核心价值观研究，2021（3）.

④ 梁宗华．孔墨私学与传统教育［J］．东岳论丛，2008（6）：174 − 178.

中则将“虽不扣必鸣”视为道德教育的精神，把“量力”视为道德教育的理念，仅将“躬行”作为道德教育的方法。[①] 整体而言，学者大多更倾向于将“择务而从事”“虽不扣必鸣”“志功结合”“言行一致”“躬行”“量力”等以“行”为本的思想，确立为墨家教育思想所特有的德育方法。但对墨家德育方法、原则、特征、理念等认识的混淆，在一定程度上制约了墨家德育方法研究的水平与深度。二是对墨家德育方法种类的看法各不相同。比如孙玥在《墨子的道德教育法及其当代价值》中将德育方法总结为“择务而从事”“染不可不慎”“三表法”三个方面；[②] 杨鲜霞在《墨子德育思想及其当代意义的探析》中将其归纳为动机与效果结合、言语与行为一致、身体力行、持之以恒、重视环境五个方面；[③] 兰婷、赵明伟的《墨子道德教育思想对大学生社会责任感培育的启示》则将其归纳为“扣则鸣、不扣必鸣”“择务而从事”“反躬自省”“素丝说”“以身戴行”五个方面。[④] 不难发现，目前学界对墨家德育方法的认识可谓见仁见智，有的甚至大相径庭。不过，这种认识上的差异，也在一定程度上体现出与墨家德育方法相关的研究尚不够深入，有的研究流于文献、浮于表面或生硬比附，虽列举的德育方法众多，但并未形成具有逻辑性、系统性的德育方法理论，有的更未触及墨家德育方法之精神内核，在一定程度上制约了墨家德育方法研究的深入发展，不利于墨家德育方法理论体系的完善，也无益于这一思想的创新性发展与时代性承换。

因此，要避免以上问题对墨家德育方法研究的不利影响，需注意两个方面的问题：一是要注重推进墨家德育方法向精细化研究转变。关于对墨

---

① 何清. 论墨子思想对当代青少年道德教育的启示 [J]. 教育观察（上旬刊），2014 (6)：5 － 6.

② 孙玥. 墨子的道德教育法及其当代价值 [J]. 南方论刊，2020 (11)：106 － 108.

③ 杨鲜霞. 墨子德育思想及其当代意义的探析 [J]. 东北农业大学学报（社会科学版），2008 (1)：110 － 112.

④ 兰婷，赵明伟. 墨子道德教育思想对大学生社会责任感培育的启示 [J]. 思想教育研究，2014 (9)：83 － 86.

子思想所内含的“择务而从事”“虽不扣必鸣”“志功结合”“言行一致”“躬行”“量力”等德育方法的探讨，虽为后续研究打下了坚实的理论基础，但又不应局限于此。正确的研究进路是：摒弃对墨家德育方法简单归纳和理论堆积的范式，转向对墨家德育方法体系的深入、细致、微观探讨，并将其与现代学校德育理论相融合，通过比较研究，辩证分析墨家德育方法融入现代德育理论的可行性、合理性，以切实彰显墨家德育方法的时代价值。二是要注重推进墨家德育方法的拓展性研究。21 世纪以来，我国学者基于对墨家以“身必行之”为核心的德育方法的系统研究，结合新时代人才发展的社会需要，对工匠精神、牺牲精神、实践精神、侠义精神等墨家独特思想展开了专题性研究。这些研究不再局限于对墨家德育方法的文献性、知识性探讨，而是由点到面，基于对墨家精神实质的分析为新时代道德教育、劳动教育、职业教育的发展提供有益的理论启示与借鉴意义。因此，未来对墨家“身必行之”德育方法的研究应不断向诸如生活教育、家庭教育、社会教育等新的研究领域拓展，以深化墨家德育方法的多向度研究。

## 第四节 墨家德育思想的历史影响

墨学作为战国时期“显学”之一，是中国传统文化的重要组成部分。自中华人民共和国成立以来，对墨家德育思想的研究虽然经历了一段时间的沉寂，但随着改革开放的推进、市场经济的发展和思想观念的进一步解放，学界对墨家教育思想的研究逐渐摆脱了以往简单的文献梳理、文本研究范式，不再专注于对墨家文献的断句、训诂、校勘和释读，而是对墨家的教育思想、德育思想展开了更为深入细致的开拓式研究，从多侧面、多维度、多学科对墨家德育思想进行深入剖析、微观分析与意义阐释，使得墨家德育思想研究的学术色彩更加浓厚。更多的学者坚持历史唯物主义的方法论原则，运用历史分析的观点，深入探究墨家德育思想的独特价值、时代价值，并将其用于探究现代德育问题的根源，找寻学校德育变革的对策。在不断挖掘墨家思想中道德与德育意蕴的同时，我们必须明确墨家德育思想、德育智慧的精神实质何在，墨家德育思想的历史意义及时代价值何在。

首先，墨家德育思想丰富了中华优秀传统文化的精神内涵，为坚定中华民族的文化自信提供了思想源泉。墨家思想以其特有的兼爱、非攻、尚贤、非命、节用、节葬、非乐、尚同、天志、明鬼十大主张闻名于世。这些主张不仅为不同时代提供了治国安邦的策略，为百姓安居乐业提供了政治保障，其蕴含的德育思想也促进了不同时代社会风气的改变。可以说，墨家德育思想为推进当代中国社会道德建设与学校道德教育发展，提供了颇具文化特色的中国智慧与历史依据。其倡导的兼爱、非攻思想，不仅为处理人与人之间和谐关系提供了思想指导，也成为建立国与国之间平等关系的重要信条，为营造和谐稳定的社会环境，维护和平安宁的国际形势提供了共同的道德准则；其尊奉的尚贤、非命的主张，是对宿命论的反抗，对个体奋发图强精神的鼓舞与激励，为个体良好德性的养成提供了精神动力；其推行的节用、节葬、非乐的主张，是对奢靡浪费风气的强烈抵制，对中华民族千百年来勤俭节约精神的深刻践行，对个体道德意志的训练、道德行为的强化提供了思想指导；其追求的尚同、天志、明鬼等主张，虽对人的思想解放有一定历史局限性，但对维护道德规范的推行、形成社会共同的道德观具有积极意义。因此，在研究过程中，应把墨家思想中的德育意蕴从墨家思想体系中提炼出来，充分汲取墨家德育思想之精华并将其纳入中华优秀传统文化体系中，使其成为弘扬优秀传统文化、增强民族文化自信的宝贵精神资源。

其次，对墨家德育思想的挖掘与研究，是中华优秀传统文化“走出去”的必然要求。中华优秀传统文化不仅是中国的，也是世界的。中国自古以来就是礼仪之邦，道德思想是一切文化立足于世的重要支柱。因此，对墨家德育思想深入系统地探讨，不仅要继续汲取中华优秀传统文化的德育智慧，以坚定文化自信，更应当将中华优秀传统文化、优秀德育思想与德育智慧推向世界舞台，增进不同国度的学者对墨家德育思想的协同研究与合作交流，增强中华传统文化的影响力。比如，由孙中原主编的《墨学与现代文化》，就围绕墨学与现代世界的文化交流问题，分别对我国台湾地区及日本、韩国的墨学研究进行了全面系统的论述，不仅对海外墨学研究概况、主要成果作了总结归纳，还创建性地指出了海外墨学研究存在的问题以及对未来研究的展望。[①] 因此，我们在自己积极挖掘墨家德育思想精髓的同时，也应注重加强墨家德育思想研究的国际合作与交流。墨家德育思想作为一种精神文化与历史文化，不仅应随时代的发展而不断创新，还应以开放的姿态汲取其他文化中的德育思想，拓展自身文化内涵，构建广阔文化空间，以促进德育思想的繁荣与发展。对墨家德育思想的研究，既要通过“走出去”的方略加强德育思想的国际交流与合作，也要通过“引进来”的方略吸收外来先进德育思想，以弥补自身德育研究之不足，真正做到“古为今用、洋为中用”。

最后，墨家德育思想对当代社会个体道德境界的提升，具有重要的历史借鉴意义。墨家的十大主张与现代社会人们的生活、学习、工作等方面息息相关。墨家倡导的淡名利、忍痛苦、轻生死的道德人格精神，仍是现代社会个体提升德性修养的宝贵历史资源。“墨学至汉代，就其学说而言业已衰微，但其人格精神却为后人所敬仰，成为一笔宝贵的精神财富代代相传。”[②] 墨家思想对牺牲、实践、侠义精神的提倡，对努力进取、身体力行之人格魅力的主张，都是人们实现个体修身养性的重要参照。墨家思想中蕴含的践行理念、责任意识、家国情怀等具有现代气质的道德观念，只要运用得当、转化合理，就一定会有助于当代社会道德水平的提升，民众德性的滋养和社会道德失范的治理。

---

① 孙中原．墨学与现代文化［M］．北京：中国广播电视出版社，1998：294－344.

② 陈谷嘉，朱汉民．中国德育思想研究［M］．杭州：浙江教育出版社，1998：63.

# 第八章
# 佛教德育思想研究

中华人民共和国成立 70 多年来，佛教思想研究取得了诸多成就。作为佛教思想研究的重要组成部分，佛教道德观与道德教育思想的研究也取得了积极进展。随着我国社会政治经济生活的历史性变迁，人们对佛教思想的研究态度与立场也从传统视角走向了现代视角，从批判走向了继承发扬，研究过程始终延续并保持着中国化的发展规律，即：围绕佛教自身的价值承诺及发展规律；坚持与儒墨道法等各家思想保持文化上的相融互渗；与我国社会变革和道德发展保持良性互动。从佛教德育思想特有的目的、内容、方法与途径等方面，回顾并反思当代佛教德育思想的研究历程及其主要进展，综括这一历史时段佛教德育思想发展的总体风貌，可以更好地理解并认识当代中国佛教德育思想研究的进展，也有助于后续中国佛教德育思想研究的深化和发展。

## 第一节　佛教德育思想研究的基本历程

佛教虽由古印度人乔达摩·悉达多创立，但自两汉之际传入中国后，它就不断受我国政治、经济与文化的影响，走上了一条中国化道路，演化为中国化佛教。[1]佛教之“佛”，乃是对人生的真实觉悟——“无上正觉”。佛教的一系列主张，特别是关于理欲关系、善恶标准、人的本质、道德觉悟、修养途径的看法和论证，“有着鲜明的特色，并被中国传统德育所吸收，从而丰富了中国德育思想的内容”。[2]

概览中国化佛教德育发展历程可以发现，传统的佛教德育思想长期蕴含在佛教哲学思想与伦理思想之中，历经数千年。可以说，佛教自始至终影响着中国道德文化的创造与民众的道德生活实践。沿着纵向脉络，探索中华人民共和国成立以来佛教德育思想研究所经历的不同阶段，可整体勾勒出一幅佛教德育思想研究的发展图景。根据我国佛教德育思想研究的主题、目的、背景等研究状况，我们拟从历史与主题结合的视角，将中华人民共和国成立以来佛教德育思想研究的历程分为四个阶段：混沌期、剥离期、萌芽期、发展期。

## 一、佛教德育思想研究的混沌期

第一个阶段是20世纪90年代之前。此阶段佛教德育思想与中国传统道德教育思想的研究联系在一起，尚未剥离分开，属于混沌孕育的阶段，专门的佛教德育思想研究成果尚未出现。这一时期的研究多以对佛教价值观的批判为主，建构性研究成果尚不多见。

这一时期，梁漱溟、牟宗三、熊十力、陈寅恪、汤用彤、方立天、任继愈、季羡林等一批散发着强烈时代气息的学者，以不同的方式开始触及佛教道德及其教育意蕴，主要表现在三个方面：一是，在相对封闭且以批判与自省的研究基调中，一些学者借用儒道典籍的词语、概念来

① 赖永海．佛道诗禅：中国佛教文化论［M］．北京：中国青年出版社，1990：34.

② 江万秀，李春秋．中国德育思想史［M］．长沙：湖南教育出版社，1992：206－207.

比对说明佛教的教义及其意义。[①] 二是，这一时期的学者试图在语言方式上有所突破，出现了一些汉译佛教经典。其中，季羡林学习梵文、巴利文、吐火罗文等 12 种语言，译有多本佛教相关的文献，如《罗摩衍那初探》《原始佛教的语言问题》《天竺心影》和《关于大乘上座部的问题》等，促进了佛教思想的研究。另有学者为进一步厘清佛教思想文本的原意，尝试对中文版本佛教经典的文字意义与适切性涵养反复推敲，并提出批判性意见。譬如，精通梵、巴利、波斯、突厥、西夏、英、法、德等语言的陈寅恪先生，曾在《禅宗六祖传法偈之分析》中提出神秀、慧能二偈“譬喻不适当、意义未完备”的问题。[②] 三是，一些学者开始尝试对佛教思想观点、原则、意义等问题予以批判与反思，如方立天在《读汉唐中国佛教思想论集》中，以历史唯物主义原则分析批判了 20 世纪 60 年代中国佛教哲学思想，并对任继愈先生关于佛教哲学思想的系统性批判予以评析。[③]

这一时期佛教研究的核心，从劝人止恶扬善的外在强化转向重视个体自身内在道德生命的觉解，这足以体现佛教德育精神的超越。从梁漱溟的“以道德为宗教”到熊十力的“明心论”、牟宗三的“心性与天道本体”，再到强调心性道德修养的唐君毅，都可揆度中国传统哲学思想中的道德形而上之韵味。熊十力 1959 年出版的《明心篇》，基于心性维度探讨人之本心习性的问题，认为人的先验自我是理性而直觉的“本心”，人的经验自我则是感性的“习心”；通过持守本心，转恶为善，涵养善习，实现人生价值就是“仁心”。熊氏的“明心论”方案虽不算完善，却因深入探讨了道德、价值、科学与技术的关系，[④] 给人们以深刻的启发。牟宗三在 50 岁时对佛教骤然用力，于 1968 年 5 月—1969 年 6 月在香港出版的《心体与

---

① 杨曾文 . 中国佛家基础知识［M］. 北京：宗教文化出版社，1999：24 + 26 − 27.

② 陈寅恪 . 禅宗六祖传法偈之分析［J］. 清华学报，1932 (2)：19 − 22.

③ 方立天 . 读汉唐中国佛教思想论集［J］. 哲学研究，1964 (2)：60 − 63.

④ 陈来 . 熊十力哲学的明心论［J］. 孔子研究，1992 (3)：81 − 90 + 100.

性体》，就是为了弄清宋明佛教的实质及其影响，阐释了佛教各大宗派的来龙去脉，并于1977年出版的《佛性与般若》中系统阐释了其佛教研究的思想，[①]并论及了以“勤修戒定慧”的方式断惑证真，以达到明心见性、简单朴素与淡泊宁静之境界。[②]诚如唐君毅在《病里乾坤》中的见解：“信仰佛教而视世界万物如幻如化时，人皆有一对世间一切有限事物之超越感之呈现。在此超越感中，把我们一些卑下自私的志愿超越了，而有一生命精神之内在的开拓升腾，心灵之光辉之自己的生发照耀。”[③]

20世纪70年代始，一些学者开始论述佛教思想的存在价值与道德修养价值，并试图从社会存在中寻找答案。20世纪80年代，出现了提倡佛教慈悲见性、利济众生的思想，主张从自我主体出发，以自净其意提升并完善道德修养，如张春波在《中国佛学的心性论——兼论中印佛学兴衰的原因》(1988)中提出，中国佛教主要宗派的指导思想都是“心性本觉”，并最终从阶级性层面阐明佛教与宋明理学、心学之不同。[④]有学者对此明确指出：大慈大悲与利己利他的伦理道德是佛教的出发点，佛教道德观是抽象的，也是值得批判继承的。[⑤]

## 二、佛教德育思想研究的剥离期

第二个阶段是20世纪80—90年代。这一时期的研究立足于脱离一切苦难的佛教根源，以佛教核心思想“治善恶之源的心”的研究为议题，论述了“持正念离恶念”的道德修养及其与中国传统文化思想的关系。在这

---

① 徐波．牟宗三对佛学研究的两次转变及其意义［J］．世界宗教研究，2016 (6)：51－60.

② 郑颂英．有感于方丈的升座过堂饭［J］．法音，1989 (5)：42.

③ 唐君毅．病里乾坤［M］．北京：九州出版社，2016：68.

④ 张春波．中国佛学的心性论：兼论中印佛学兴衰的原因［J］．社会科学战线，1988 (2)：85－90.

⑤ 方立天．佛教与中国伦理(续)［J］．五台山研究，1987 (2)：4－9＋43.

些研究成果中，已开始出现肯定佛教之道德教化作用的研究，研究视角陆续从小我转向大我，从人自身走向一切生物与自然，揭示了佛教灭除起心动念、把持自身纯净本性（即明心见性）、认识主体内在道德精神世界的内涵与意义。这一时期，佛教德育思想的研究开始生发，逐步从佛学教育、佛教伦理、佛教哲学的母胎中剥离出来，有关佛性论、解脱论、修养论、人性论的佛教德育思想辨析日益增多。我们称此阶段为剥离期。

关于佛教与道德关系的研究最早见于 1990 年。米寿江在继承传统各派思想的基础上运用比较研究方法，分析了孔子的“仁”、释迦牟尼的“慈悲”、苏格拉底“善”的思想。1992 年，江万秀、李春秋在《中国德育思想史》中，从佛教的传入与中国化、佛教德育思想的基本内容两个方面，较为系统地探讨了佛教的德育思想。①1993 年，江万秀在《中国伦理学百科全书》中专辟佛教德育思想词条，提出中国佛教发展般若论、佛性论与解脱论的“三论”，认为般若论是佛教的世界观与认识论，佛性论与解说论讲人性与解脱，解脱是修养，佛性是佛界，佛性与解脱属于佛教德育思想。②1995 年，有学者认为，佛教蕴含着追求识破世俗利益关系的自觉、追求社会稳定与人生安宁的道德见解与德育思想，有其独到的社会德育思想。③ 这一年，印顺法师区分了一般道德与佛化道德；1998 年，肖雨论述了佛教的慈悲观及其对生态环境的现实意义；1999 年，张怀承深入探讨了佛教伦理道德的精粹，系统辨析了佛法弘传、三教互补、四谛如真、悟空断苦、无常无我、本觉心源、涅槃之道、自利利他、谦忍和顺等佛教伦理道德思想的佛性论、修持论、慈悲观、处世论；④ 同年，檀传宝深入分析了宗教信仰与宗教道德的关系，

---

① 江万秀，李春秋．中国德育思想史［M］．长沙：湖南教育出版社，1992：204 － 207.

② 罗国杰，甘葆露．中国伦理学百科全书（第 10 卷德育伦理学卷）［M］．长春：吉林人民出版社，1993：209.

③ 张世欣．佛教的社会德育思想辨析［J］．浙江师大学报，1995 (2)：46 － 49.

④ 张怀承．无我与涅槃：佛家伦理道德精粹［M］．长沙：湖南大学出版社，1999：1 － 6.

认为二者是一种价值信念与价值实践的关系，信仰可以对道德生活准则起“核准”的作用，从而使践行这一准则的道德主体产生神圣体验，宗教道德可分为信德（信仰）、主德（基本道德原则）和具体道德诫命（具体道德规范）三个层次，从宗教信仰与宗教道德的关系、宗教道德及其修养、教育的理论构架和具体策略中，可缕析出诸多学校德育可资借鉴的宝贵资源。[①]

## 三、佛教德育思想研究的萌芽期

第三个阶段为21世纪初的前十年。这一时期的研究开始从主观阐释走向客观解释，从传统研究走向现代性研究，进一步揭示了佛教之宗教性与道德性的内在关联。佛教德育思想研究不再拘泥于个人修行、行善的作用，而是深入拓展至社会道德建设的层面，佛教德育思想也开始从道德理念走向生活实践。比如，敬重一切生命、关注友善行为、建设和谐友善社会、关切佛性内在力量、发挥佛教社会价值等思想开始活跃起来。此时的佛教德育思想开始得到专门研究并有发展之势，我们称其为萌芽期。

进入21世纪，一些学者基于前人研究成果开始深入比较两宋理学心性论与《大乘起信论》的关系，研究了儒佛的德育“治世”与“治出世”的关系，认为佛教的治出世也是“治心”，目的都是维系社会的持续稳定；[②]就德育目标而言，佛教以宗教方式支持了儒家，儒家以务实方式支持了佛教。[③]世俗社会的道德追求是人之为人的意义与理由，而宗教信仰也是为了获得内心灵魂安宁的一种深层的心理诉求与选择，二者具有高度契合性；人的道德良心

---

① 檀传宝．宗教信仰与宗教道德：兼论学校德育的相关问题［J］．北京师范大学学报（社会科学版），1999 (4)：76－83.

② 张树青．《大乘起信论》与两宋理学心性论比较研究［D］．福州：福建师范大学，2011：123－144.

③ 张建新．儒家和佛教德育目标的比较［J］．现代大学教育，2009 (1)：78－81.

是其内在的高级精神境界，因人的良心不甘受谴责，人们甘愿选择灵魂上的安宁而不行损人利己之事。[①] 这一时期，出现了诸多专题性研究成果，比如张建新与周险峰的《佛教德育思想初探》，刘少航的《净化人心，祥和社会——谈佛教的德育功能》，高良的《论佛教德育思想》，翟艳春的《论佛教道德及其现实意义》，张建新的《儒家和佛教德育目标的比较》，王仕杰的《信仰需要的德育价值——宗教给德育的启示》，钱同舟的《道德诫命与诫命道德：和谐社会建设中道德与宗教博弈的向度》，蔡氏柳的《佛教德育对世俗德育的启示》，唐爱民的《佛教文化的道德精神及其道德教育的当代价值》，等等。[②] 佛教德育思想研究步入多层面、多角度之多元发展的态势。

21 世纪，佛教所倡扬的慈悲理念符合伦理道德建设中人性完善的要求，人性中的弱点与优点共存，但去恶从善、离苦趋乐、平等博爱、互助友爱是人之为人的精神追求；佛教的道德主张对提高国民道德素质，具有重要的现实生活意义。[③]

## 四、佛教德育思想研究的发展期

第四阶段是 2010 年以来的时期，此时的研究呈现出由内而外、由封

① 董海霞．从宗教与道德的关联视角审理道德教育［J］．当代教育科学，2009 (21)：3－6.

② 张建新，周险峰．佛教德育思想初探［J］．湘潭师范学院学报（社会科学版），2003 (1)：66－691；刘少航．净化人心，祥和社会：谈佛教的德育功能［J］．百科知识，2004 (12)：44－45；高良．论佛教德育思想［J］．中学政治教学参考，2005 (12)：19－2118；翟艳春．论佛教道德及其现实意义［J］．江南社会学院学报，2008 (2)：66－68；张建新．儒家和佛教德育目标的比较［J］．道德与文明，2009 (2)：70－73；王仕杰．信仰需要的德育价值：宗教给德育的启示［J］．现代大学教育，2009 (1)：87－93；钱同舟．道德诫命与诫命道德：和谐社会建设中道德与宗教博弈的向度［J］．理论探讨，2010 (4)：52－55；蔡氏柳．佛教德育对世俗德育的启示［D］．武汉：华中师范大学，2010；唐爱民．佛教文化的道德精神及其道德教育的当代价值［J］．教育理论与实践，2010 (7)：30－33.

③ 方立天．中国佛教慈悲理念的特质及其现代意义［J］．文史哲，2004 (4)：68－72.

闭走向包容、由个别走向普遍、由中国视野走向国际视野的势头，研究主题涉及佛教道德的隐性约束、外在规范与心灵净化及其之于个人修养与和谐社会建设的功用，佛教德育思想的研究更加世俗化、多元化与社会化。我们称之为佛教德育思想研究的发展期。

这一时期的佛教德育思想研究，不仅更具专门化、专题化，而且研究的主题也更深入具体。主要代表性成果有：师彬的《佛教教育思想及当代价值》，华红莲、庄立会、钱桂蓉的《佛教文化中的德育资源及其实践样态浅析》，黄艳艳、励质斌的《佛教德育目标及其对我国学校德育目标的启示》，王国棉的《佛教文化与当代道德建设》及《佛教文化与道德自治》，曾广乐的《试论道德信仰与道德变迁的对立及其化解》及《试论道德变迁视域中的道德自信与道德信仰》，高明雪的《中国佛教伦理与道德自觉》，谢新雷的《关于“宗教与道德的关系”问题的思考》，李晚月的《泰国的佛教教育对我国德育的启示》，赵辉、明成满的《中国古代德育的佛教环境研究》，董潇珊的《佛教文化视域下的公民道德教育》等。①

这一时期的研究，除了延伸出更专门深入的主题外，也出现了将佛教道德价值与道德教育相结合的研究成果。比如，宋五好将道德价值分

① 师彬．佛教教育思想及当代价值［D］．西安：西安电子科技大学，2011；华红莲，庄立会，钱桂蓉．佛教文化中的德育资源及其实践样态浅析［J］．文山学院学报，2011（5）：49－52＋67；黄艳艳，励质斌．佛教德育目标及其对我国学校德育目标的启示［J］．神州，2013（33）：266；王国棉．佛教文化与当代道德建设［J］．五台山研究，2013（4）：32－35；王国棉．佛教文化与道德自治［J］．五台山研究，2014（4）：46－49；曾广乐．试论道德信仰与道德变迁的对立及其化解［J］．华南理工大学学报（社会科学版），2013（2）：1－6；曾广乐．试论道德变迁视域中的道德自信与道德信仰［J］．福建农林大学学报（哲学社会科学版），2014（3）：92－96；高明雪．中国佛教伦理与道德自觉［D］．西安：西北大学，2014；谢新雷．关于“宗教与道德的关系”问题的思考［J］．科学与无神论，2015（1）：42－46；李晚月．泰国的佛教教育对我国德育的启示［J］．学理论，2015（17）：263－264；赵辉，明成满．中国古代德育的佛教环境研究［J］．齐齐哈尔大学学报（哲学社会科学），2018（3）：43－46；董潇珊．佛教文化视域下的公民道德教育［J］．教育评论，2020（6）：48－52．

为三层：第一层来自本能物性或自然性；第二层是理性中的人与人、人与自然的互动关系；第三层则是来自圣性至善、大爱、圣德与崇高的道德目标。宋五好认为，人们不一定能接受大慈大悲、大彻大悟、普度众生、来世福音、功德圆满的神性宗教道德，但圣性的道德价值理想在剥离宗教神性外衣之后所彰显出的道德价值，仍具有极大的理想引力。[①]在尊重生命、爱护生命、顺应生命、提升生命中体现佛教所主张的慈悲之心，这与学校生命教育的旨趣是一致的。陶行知先生提出的少生、好生、贵生、厚生、共生之“五生世界”观，就体现了佛教所一贯秉持的贵生思想。学校教育过程中，要有意识地培养学生形成养生、益生、护生而非杀生的生命理念，不可将“生物学”变为“死物学”，要引导学生养成以仁慈之心推己及人的生活方式，学会以水之性理解生命之性，依循生命逻辑，对一切生命体皆要心存敬重的态度。[②]还有学者通过探析北魏女性释教崇奉的特征，讨论了中国传统文化体系中的信仰观。认为北魏时期女性佛教信众发展迅速，而社会各阶层的女性在祈福的内容、主题与对象等方面表现出的心理现象有显著的趋同化特点，这反映了多民族文化融合及儒释道三教合流背面女性佛教信仰多元发展的文化取向。[③]这种研究已深入佛教道德思想的深处，对人们辩证理解佛教道德及道德教育思想的合理性有所裨益。

---

① 宋五好．中国人伦德育思想变迁研究［M］．西安：陕西师范大学出版总社，2015：160 － 161.

② 金维才．陶行知的德育哲学［M］．芜湖：安徽师范大学出版社，2018：273 － 278.

③ 徐婷．从龙门石窟造像题记探析北魏女性佛教信仰特征［J］．宗教学研究，2020 (3)：126 － 131.

## 第二节　佛教德育思想研究的主要观点

德育是以某种超越于现实的道德理想来塑造并培养人的活动，它特别关注人的道德情操、精神境界与行为方式。[①]佛教所关注的核心是生命，佛法中生命的本体是“佛”，而生命所体察的现象特性是佛教中的“法”，佛教的生命观与人生、人性与人事密切相关。[②]释迦牟尼慈悲思想的理论依据是著名的“八正道”与“四圣谛”。“谛”即真理，是人生苦难的现象，分别为苦、集、灭、道四谛；而道是解脱苦难的途径，即“八正道”——分别为正见、正思维、正语、正业、正命、正精进、正念与正定。正道要靠人自身的力量、通过道德与智慧方可达成。[③]在中国传统德育思想中，“道”是“人伦日用之间所当行者”，是“广大光明而不离乎日用”，是毕生追求的人生理想或目标；“德”是行道的实践之功，人持之以恒地履行仁、义、孝、悌、忠、恕等德目，即可得道。有仁德的人安于仁，有知识的人利用仁。[④]这与佛教所倡扬的“八正道”之精神实质是一致的、不矛盾的。善是大德大义，劝人为善即行德义之善；仁是自度度人，其理想境地是立地成佛，拯救世人[⑤]。智、慈、善、仁四位一体的人生境界是佛家所倡导的人格理想。佛家认为，慈是慈悲为怀，大慈大悲的“大”至唤醒拯救全人类，

---

① 鲁洁．道德教育：一种超越［J］．中国教育学刊，1994 (6)：2 − 8.

② 温珍金．论佛教生命观［J］．东南大学学报（哲学社会科学版），2015 (S2)：22 − 24.

③ 米寿江．试比较孔子的“仁”释迦牟尼的“慈悲”苏格拉底“善”的思想［J］．齐鲁学刊，1990 (1)：47 − 53.

④ 黄济，宋德民，韩钟文．中国传统教育哲学思想概论［M］．郑州：河南教育出版社，1994：216 − 217.

⑤ 包卫．现代道德人格教育论［M］．上海：上海交通大学出版社，2011：94.

"小"至对蚊虫小鸟不杀生。[1] 佛教的道德观及其修行观与学校德育的育德宗旨存在某种契合性关联。就此而言，佛教思想对学校德育的理论与实践有着独特的文化意义。

回看中华人民共和国成立 70 多年的德育研究，基本上都围绕德育的性质、目的、内容、主体、对象、课程、过程、模式、方法、环境等范畴徐徐展开。[2] 而关于佛教德育思想研究的角度尚未达到如此丰富的层面。这里，我们拟从德育目的、德育内容、德育方法、德育途径诸方面归纳佛教德育思想的相关研究及其主要进展。

## 一、佛教"诸恶莫作、众善奉行"的德育目的

香港佛教联合会会长释觉光在顾明远与杜祖贻主编的《香港教育的过去与未来》一书中指出：佛教教育强调德育的重要性，任何宗教教育都与道德相连，宗教教育的特色是德育的具体表现，带有宗教色彩的学校教育除了重视知识教育外，还重视道德品格教育；佛教的道德目标是为善，"诸恶莫作、众善奉行"是品格上的教育。[3] 诚可谓一语道破了佛教教育的天机。"诸恶莫作、众善奉行"是佛教德育思想的核心，是厘清佛教驳杂德育思想的精髓。对佛教德育的合理诠释，有助于把握佛教的生命道德思想，有益于多维度、多侧面、多层次地获得生命体验并由此把握其背后的德育精神与真谛。在人类德育发展史上出现了四种德育目的形态：神学目的论、个人中心目的论、社会中心目的论、实践目的论。[4] 神学目的论是其中重

---

① 周先进．学会关心：教学价值观的反思与重建[M]．北京：教育科学出版社，2012：156.

② 全国教育科学规划领导小组办公室．全国教育科学"十一五"规划学科发展报告[M]．北京：教育科学出版社，2011：367.

③ 顾明远，杜祖贻．香港教育的过去与未来[M]．北京：人民教育出版社，2000：632.

④ 戚万学，杜时忠，等．现代德育论[M]．济南：山东教育出版社，1997：233.

要的一脉。作为当代中国重要的宗教之一，佛教所倡导的道德观、修行观、教育观，已经构成了中国传统文化与传统教育的思想要素，融入百姓的民间生活之中。“诸恶莫作、众善奉行”也成为寻常百姓无须言说的生活信条。

中国佛教徒数量巨大，据中国佛教协会官网发布的消息，据不完全统计，目前中国的佛教徒人数有 1 亿多人。数以亿计的佛教徒尊奉“诸恶莫作、众善奉行”之圭臬，以内心常持正念、远离恶念为道德行为准则。它既是佛教道德文化的根基，又是佛教“统摄一切义理、戒律与道德观的核心”。[①]在佛教与儒家不断融合的中国化语境中，佛教所宣扬的“诸恶莫作、众善奉行”的思想与儒家所倡扬的“克己复礼”的教化思想，尽管有着不同的意境，比如儒家的“克己复礼”是“修身”，是为他人为社会而修；佛教的“诸恶莫作、众善奉行”是“修行”，是为自己而修，修正的是自己的行为，规范的也是自己的行为。[②]但二者的精神旨趣与价值追求颇有异曲同工之妙。正如檀传宝的见解，德育目的是人们在教育活动中的价值选择，是让人将失掉的善心找回来，而佛教所倡导的与世无争的佛陀人格正是一种出世的道德目的。[③]

佛教的道德教育宗旨是“诸恶莫作，众善奉行”，其道德承诺是“普度众生”。在佛教徒看来，释迦牟尼是人类历史上最大的道德布教者。佛教道德教化思想强调的是悯念众生、博施济众、慈悲喜舍，尽管有其自身无法克服的出世主义、禁欲主义、神秘主义的致命罅漏，但佛教笃信道德的虔诚信念历经千年历史的冲刷，已成为中国传统文化的重要组成部分，并在与其他德育思想的碰撞与融合中，不断彰显其对当代德育思想潜在而

---

① 唐爱民．佛教文化的道德精神及其道德教育的当代价值［J］．教育理论与实践，2010 (7)：30 － 33.

② 陈坚．佛教修行：诸恶莫作，众善奉行：兼与儒家“克己复礼”的比较［J］．湖北大学学报（哲学社会科学版），2014 (6)：32 － 37 + 152.

③ 檀传宝．学校道德教育原理［M］．北京：教育科学出版社，2015：74 － 75.

深远的影响。[①]人心是最难改变的。人性的顽固在“被改造”过程中是痛苦且有抵触情绪的；就此而言，人性的特性与德育的目的本质上是对立的；德育虽也十分强调人的道德内化与修养，但通常是借助外在的道德准则、规范等他律体系而进行，因而其效果也是有限的、不彻底的、易于反复的。佛教从人的世界、内在修养出发，主张使人自觉地改造内在心性，不断降低痛苦与抵触情绪，在这一过程中，人的德性也在润物细无声的自然情理之中得以改造。[②]

基于“诸恶莫作、众善奉行”为核心的佛教德育目的，所秉持的是以慈悲、善念为主导的修行，旨在解决人的生存世界中不断出现的本心与习性、现实与理念、内在与超越、暂时与永恒、个别与普遍等范畴的对峙与紧张，所追问的是在生生不息的生命历程中，人如何汲取灵感、智慧与力量的道德信仰。佛教劝善止恶的思想具体体现在对生命与个人心性的追问、生命与大慈大悲的关系以及生命世界的因果报应等关键命题中。

### （一）本心与习性相统一

在佛教德育思想中，明心见性对应的是生命与个人心性之间的关系，识本心、修习性是首要任务，也是佛法修行的终极状态。只有把人做好，具备高尚人格才能更好地修行佛法，这是学佛的基础。[③]不识本心，则修法无益，认识本心，擦亮本心，与它同在，所能看见的就是习性，就能在瞬息万变的生活中到达一个高度，进而达至以本心的不变去应万变、何时可为何时不可为之境。在念与习性中感知真正的自己，在宽恕如心的“放下”中治愈自我，在有明与无明中体认自我，在纷纷扰扰的外在世界里看清执

---

① 张世欣．道德教育的四大境界：中国古代德育学派的比较研究［M］．杭州：浙江教育出版社，2003：30.

② 吴发科，吴舒蔓．心本人生［M］．广州：暨南大学出版社，2014：76－77.

③ 苏树华．明心见性［M］．济南：齐鲁书社，2015：15.

念的“觉”，走出认识的“明”，靠近无尽力量的“无明”，就会洞悉世事，获得不同的结果、不同的念头、不同的定义、不同的评判、不同的世界。每一个观点背后都“站着”一个不同的人，觉与知就蕴含其中。突破复杂多样的念想，再自问：是谁走出了困境？自己是否豁然开朗、问心即明？如此反复追问，就会明心见性。总之，佛教德育思想研究，注重从儒佛对比、思辨的过程中获得保本心、求善心的道德精神，从而赋予了佛教德育目的以新的内涵与意义。

## （二）现实与理念相统一

朱光潜先生主张，德育首先必须是至性真情的流露，因为善与美是可以相互替用的；所以，有美感修养的人亦是有道德修养的。德育的基础工夫就在怡情养性之中，而佛教的慈悲就是一种修养，一种天性。[①] 慈悲，体现为对众生包括人的关怀，这在佛法中分为生缘慈悲、法缘慈悲和无缘慈悲三类。[②] 有学者对慈悲与爱作了比较，认为慈悲是平等、无染、真正的“爱”，是断舍贪染执着的修养，这与家庭生活以及社会现实中的本能、淳朴的爱不同。[③] 佛教把自觉、觉他、觉行圆满的佛与普济众生、大慈大悲的菩萨视为美的化身，视为追求“至善至美”的“圆相”境界。这可视为佛教无时不在实施的终极德育目的，它与佛教的美育、智育相并列，能够治贪、瞋、痴“三不善根”，唤施、慈、慧“三种善根”；而顺益、顺理、顺应、益世即是从善，顺益行善就是有德有智，表现为：信、惭、愧、无贪、无瞋、无痴、精进、轻安、不放逸、行舍、不害。[④] 慈悲情怀亦是一

---

① 朱光潜．有趣的灵魂都有静气［M］．北京：北京联合出版公司，2019：232.

② 黄雪英．学校道德教育的关怀理论与实践研究［D］．武汉：武汉大学，2014：66.

③ 陈星桥．慈悲与爱的比较研究［J］．法音，1993（3）：27－30.

④ 中华文化通志编委会．中华文化通志 45 第五典 教化与礼仪：美育志［M］．上海：上海人民出版社，2010：111－112.

种有关生态环境的伦理道德，一种牺牲小我而成全大我的济世精神，它教人学会与自然和睦相处、协调可持续发展的态度，正确处理人与生物之间、人与自然之间的关系，使人学会以自然自身恢复能力为要，有限度地向自然索取财富。[①]总之，慈悲是佛教一切教义的本怀。

### （三）现实与超越相统一

佛教道德行为准则，就是“诸恶莫作，众善奉行”，目的在于对潜藏于人内心的六种根本烦恼以及这些烦恼所衍生的烦恼进行修剪。[②]佛教主张，人要有一颗慈悲普度、自利利他、离恶向善的平常心，这种“平常心”可以规范人的行为，提升人的道德境界，并在净化社会的同时发挥向善的教化功能。[③]佛教文化与儒家文化、道家文化一道构成了中国文化的复合结构，影响着广大民众的生活方式与行为方式，深深地制约着国人的道德观与价值观。佛教的因果报应说是对人伦道德行为的强化，意在消解“他力救赎”，转为“自力救赎”，从围绕个人拯救的宗教行为转变为社会认同的道德救赎。在中国传统文化体系中，善恶报应构成了社会伦理的一个重要范畴，在社会秩序的整顿、社会道德的维护、伦理规范的重建中发挥着重要作用。由善恶报应这一范畴所产生的善恶标准，也融入了人伦道德价值标准体系中。甚或说，佛教的精神监督责任，最有力的则是因果报应思想。[④]究其本质而言，善、恶都是“一心”的表现，即从不同维度去获得善而不是去消灭恶。佛教的伦理思想也有积极与消极、正向与反向之分，日常生活中被庸俗化运用的善恶不分就是伦理的消极一面。有学者基于现

---

① 肖雨 . 论佛教的慈悲观及其对生态环境的现实意义［J］. 五台山研究，1998 (2)：7 － 10.

② 刘俊哲 . 藏族道德［M］. 北京：民族出版社，2003：245.

③ 李太平，刘亚敏，等 . 学校德育的使命：重建中华民族共有精神家园［M］. 武汉：湖北教育出版社，2013：32.

④ 宋五好 . 中国人伦德育思想变迁研究［M］. 西安：陕西师范大学出版总社，2015：94 － 96.

代性视域中佛教本觉思想的维度，认为将道德实践变为“心”的实践并不是积极的道德，而是对佛教因果报应的弱化。[①]诸恶莫作、众善奉行，是佛教对世间道德的一种世俗的善恶道德要求，是佛教教育思想的核心。佛教所宣扬的生死轮回、善恶报应取决于人的“业力”，所谓前世造业、今世受报，来世的福报需要今生的修善除恶。某种意义上，佛教的因果报应观具有某种积极的道德教育功能，这种因果道德教化的作用重在劝人“畏因”。这与儒家学说主张的教人“畏果”迥异。佛教的因果报应观因其特有的文化影响力，而成为中国传统道德教育的构成要素，[②]也成为寻常百姓在日常生活中践行的社会伦理观。

## 二、佛教“偶像与隐喻”结合的德育内容

佛教的德育内容可概括为“偶像与隐喻”相结合的经典。佛教擅长以偶像与隐喻巧妙结合的方式潜移默化地表达精神信仰、伦理见解和道德愿望，以此推行人间道德教化。佛教惯于用隐喻的方式调动人的直觉体悟，以偶像感召人心、解说道德，以隐喻启发冥想、宣传教义、借以自修，收到了良好的教育效果。[③]佛教特别注重利用偶像的塑造以及具体生动的活动，来开发道德教化资源。在佛教教育思想的相关研究过程中，早期学者尚未关注佛教之偶像与隐喻的德育内容，譬如，1992年江万秀、李春秋对佛教德育基本内容的论说，限于人生皆苦的思想、现实虚幻和出世思想、善恶轮回报应的思想、佛性和涅槃、孝道论五个方面，未涉及偶像、隐喻的德育内容。还有学者认为，佛教的德育内容以劝善、乐善好施为主，在道德规范上主要包括

---

① 唐忠毛．现代性视阈中的佛教本觉思想批判与论争［D］．上海：华东师范大学，2005：25.

② 朱小蔓．道德教育论丛：第2卷［M］．南京：南京师范大学出版社，2002：190.

③ 朱小蔓，金生鈜．道德教育评论．2010［M］．北京：教育科学出版社，2011：107.

劝诫、自戒、禁欲、安忍、济众与孝道等内容；其中，修与悟是佛教道德修养与感化的两条途径。也就是说，人在实践修炼的同时要有心灵的体悟，产生内修、内悟的顿悟与觉解，唯此方能实现道德修养的升华。① 佛教修行，首先要修戒、定、慧“三学”，以灭“三毒”；“戒”即清除贪欲，“定”即清除瞋恚，“慧”即清除愚痴。在修“三学”灭“三毒”的过程中，人的品德修养就得以提升。随着佛教世俗化趋势的发展，佛教在理欲关系、善恶标准、道德修养与觉悟等方面的一些主张，发生了与世俗生活世界之道德规范相接近的变化，突出表现在对善恶轮回报应、人生皆苦、人人皆有佛性、人人皆可涅槃、孝道、现实虚无与出世超脱等思想的解说方面。② 还有学者对佛教的德育内容予以专门研究，系统探讨了诸如劝善止恶、自觉觉他、尊佛成佛等佛教道德思想的核心内容。其中，尊佛成佛强调的是不要一味借助他力、依赖崇拜对象，而要学会净化自身、认识自身不足、强化内在约束力，通过谦虚精进到达修行的彼岸。③ 有学者在探讨隋唐时期的道德理论与德育实践时指出，以关心德育实绩著称的慧能大师，从未把佛作为崇拜的精神偶像，而是注重与佛的平等，将宗教信仰由外而内位移，强调通过治心达到主观觉悟，实现自身成佛。④ 佛教注重发挥教徒在领悟具有隐喻性质的动作与言语时的主观感受力，主张唯有凭借深刻的自身感受才能获得觉悟。借用禅宗的语言，就是人不会因外在灯灭而灭心灯，而是学会在外在灯熄灭的刹那点燃心中的佛灯。这里，灯烛之类的物象即是隐喻的佛性。⑤ 佛性隐喻的背后折射的是邪正、美丑、好坏以及恐惧、担忧等道德观，通

---

① 张世欣．佛教的社会德育思想辨析［J］．浙江师大学报，1995 (2)：46 − 49.

② 罗炽，简定玉，李太平，等．中国德育思想史纲［M］．武汉：湖北教育出版社，1998：215.

③ 赵辉，明成满．中国古代德育的佛教环境研究［J］．齐齐哈尔大学学报（哲学社会科学版），2018(3):43−46.

④ 冯克诚，等．中华道德五千年：隋唐时期的道德理论与德育实践［M］．北京：中国文史出版社，1998：19 − 20.

⑤ 周裕锴．禅宗语言［M］．上海：复旦大学出版社，2017：235.

过这些生动具体的隐喻，可以达到引发人的道德行为与道德修养之目的。

佛教在传入我国的初期是拒绝偶像崇拜的，佛陀身上所体现出来的伟岸与神圣形象，是经历了一番历史塑造过程而最终实现的。在佛教文化变迁过程中，以人的形象表现佛陀，深受希腊雕塑的影响，目的是用直观艺术的佛陀塑像来吸引、记录并宣传佛教教义。[①] 佛教中的偶像与隐喻是人们借以自修自悟的形式，人们道德精神境界的提升或者智慧的解脱，最终还是要靠自身的修为和觉解。[②] 佛教采用“玄妙文化形式”隐喻了“实际的文化内容”，这与庄子的寓言方式极为相似；不过，宗教的隐喻不能囿于表面理解，必须进入现实的生活世界方可清楚看到佛教所隐喻的人生内涵。[③] 德育的追求在于用理想的道德人格塑造学生。[④] 而佛教的普度众生观就是旨在教化众生，并将其“度”到觉悟的彼岸、道德的彼岸，以实现开发人的道德文明、救度众生之目的。[⑤] 每一个人都有向善的表现状态，所采取的各种行善方式都是其生命之智慧德相的表现。[⑥] 新时期，有学者根据佛教觉悟程度将人的理想人格划分为佛、菩萨、僧侣三个不同层次，认为，觉行圆满、趋于神性保护之最上层的道德典范是佛陀；第二个层次是贴近人生、趋于德性、保护百姓的菩萨，通过生动具体的形象贴近民众生活，使枯燥难懂的佛教演变成易于理解的德教，神圣的宗教偶像也走向了非神化、道德化与世俗化；第三个层次是出世修行、自我解脱的僧侣，通过出家了却人间俗累，在完善自我道德追求

---

① 北京电影学院《艺术概论》编委会．艺术概论［M］．北京：中国电影出版社，2016：273.

② 唐爱民．佛教文化的道德精神及其道德教育的当代价值［J］．教育理论与实践，2010（7）：30－33.

③ 苏树华．品味佛家智慧［M］．济南：齐鲁书社，2015：136.

④ 张建新．儒家和佛教德育目标的比较［J］．现代大学教育，2009（1）：78－81.

⑤ 苏树华．大话佛家智慧［M］．济南：齐鲁书社，2005：27.

⑥ 江万秀，李春秋．中国德育思想史［M］．长沙：湖南教育出版社，1992：207－212.

上为终极信仰献身。[①]

总言之，佛教“偶像与隐喻”结合的德育内容是趋于内隐的本知本觉，是在有形与无形中的守道成德。借助生动、深刻的各种佛教偶像与隐喻，引导信众学会超脱现实，追求永恒；通过偶像与隐喻，启发信众点燃心灯、觉解醒悟，学会在生命的本体与运行的过程中体会有明与无明，在摆脱无限错乱的万相中达到随场域而安本心之理想境界。

## 三、佛教“摄度”统一的德育方法

中国传统德育思想体系的一个重要方面，就是积淀形成了一套独具中华文化特色的形式多样、行之有效的德育方法。中国传统德育方法注重潜移默化、榜样示范、道德践履、修心育德、寓教于乐、自我修养，强调保持心态平衡，通过自我觉悟实现道德修养。佛教德育方法是一种典型的觉悟道德修养方法，特别注重通过潜移默化达到修心育德之目的。“摄度”统一，是佛教德育方法的核心表征。“摄度”统一的德育方法尤其提倡布施与忍辱，体现了佛教对世俗社会生活的关切与重视，蕴涵着丰富的道德意蕴与道德教育价值，对提升人的品性与境界有一定的启示作用。[②] 有学者认为，内在于人性和人心是佛教的道德，佛教提倡自净本心、见自本性，在这一过程中德育目标通过人自身的觉悟得以实现。佛教特别注重内在自觉的德育方法，强调用真正的智慧消除内心的妄念。[③] 佛教的德育对世俗德育具有一定的借鉴与启示价值。

---

① 张世欣．道德教育的四大境界：中国古代德育学派的比较研究［M］．杭州：浙江教育出版社，2003：234－236.

② 唐爱民．佛教文化的道德精神及其道德教育的当代价值［J］．教育理论与实践，2010(7)：30－33.

③ 蔡氏柳．佛教德育对世俗德育的启示［D］．武汉：华中师范大学，2010：20.

小乘佛教主张修戒学、定学、慧学，强调通过修习戒律实现止恶修善之目的，通过修习禅定实现息虑澄心，通过修习智慧实现破惑正道。而大乘佛教则主张“六度”“四摄”；“度”指的是到达彼岸，“六度”指的就是六种法门,借助“六度”由生死此岸到达涅槃彼岸。向他人施舍财物、体力、智慧等是“布施”的度；持守戒律是“持戒”的度；安于苦难、忍受耻辱是“忍辱”的度；修善断恶、不懈怠、去染转净是“精进”的度；修心见性是“禅定”的度；以“假有性空”之念去观察并认识一切现象是“智慧”的度。[①] 有学者分析了佛教的“六度”“四摄”法在《六度集经》中的内涵及其德育价值,认为“六度”是修行方法,每一“度”都有明确的德育目标；“四摄”是四种化导众生的方法，体现着积极的德育思想。[②] 佛教强调实现个人道德上的超越，劝人敬畏神明，遵守宗教规范，修身自省，唤起人心中的道德惩戒力量。[③] 这对学校德育有一定的借鉴价值。

因佛教意识到教育效果的催化剂是赋予受教者以尊重感，因此，佛教德育的核心是寻找道德教化的恰切的心理支点。佛教不仅淡化佛与众、圣与凡、教与受的界限，而且特别强调宣传以受者为中心的第一人称表达——即“我心即佛”“我外无佛”，以此来构建人与环境友好相处的心理场，通过渲染浓烈的尊重氛围调动受者的直接感受，进而实现引导、感染、化悟之目的。[④] 这种方法在新加坡的学校德育体系中得到借鉴运用。为使学生潜移默化地感受公民义务感和社会责任感，新加坡的学校德育在不忽略宗教教育的基础上，推行五个方面的结合：各科教学与道德课的结合；道德

---

① 朱瑞玟 . 佛教成语［M］. 上海 : 汉语大词典出版社 , 2006 : 80 － 81.

② 赵辉 , 明成满 . 中国古代德育的佛教环境研究［J］. 齐齐哈尔大学学报 ( 哲学社会科学版 ), 2018 (3) : 43 － 46.

③ 张凤池 , 胡守钧 . 道德教育的方法与实践［M］. 上海 : 上海社会科学院出版社 , 2019 : 11.

④ 张世欣 . 道德教育的四大境界 : 中国古代德育学派的比较研究［M］. 杭州 : 浙江教育出版社 , 2003 : 203.

教育与宗教教育的结合；理论学习与活动训练的结合；学校与家庭的结合；晓理与奖惩教育的结合。[①]这种多层次、多渠道的德育方法收到了良好的效果。

## 四、佛教出家修行与在家孝亲结合的德育途径

佛教思想中的一个重要内容是佛经中的孝亲观。在中国，佛教是以孝为中心展开佛教伦理道德学说的。[②]自传入中国之后，经过数次改造，孝亲之道已成为中国佛教思想的有机组成部分，甚至将其放在修行的第一位。佛教主张，拥有孝顺之德，便可孝顺成佛。佛教对孝亲思想的重视及对孝道的推崇，是佛教传入中国之后形成的佛教道德标准和行为规范，其发展也是伴随着佛教中国化、世俗化的过程发展而来。[③]诚如有学者论断："中国佛教宣传最多的伦理道德观念是'孝'，孝道成了中国佛教德育思想的核心。"[④]佛教推崇出家修行，但同时主张在家孝亲，二者可以并行不悖。有学者认为，推崇孝道是佛教德育思想的核心，从佛教道德价值尺度看，出家修行是更高的孝行，是荣亲耀祖；如若不能养亲事亲，即成为虚幻的尊严与荣耀；佛教的孝高于儒家的孝，除了组织孝行佛教活动外，佛教还注重把佛事活动与人的孝行结合起来，营造奉行孝道的浓郁气氛，以更重视尊崇孝道。[⑤]佛教的孝是世俗血缘关系的伦理原则，这是佛教宣扬孝的目的；儒家则强调为忠而孝，二者归宿不同，但又相互关联。[⑥]

---

① 李本友．校长怎样抓德育创新［M］．天津：天津教育出版社，2009：136.

② 方立天．佛教与中国伦理（续）［J］．五台山研究，1987（2）：4－9＋43.

③ 吴福秀．论佛经中的孝亲观及其中国化［J］．襄樊学院学报，2008（4）：9－12.

④ 江万秀，李春秋．中国德育思想史［M］．长沙：湖南教育出版社，1992：212.

⑤ 罗炽，简定玉，李太平，等．中国德育思想史纲［M］．武汉：湖北教育出版社，1998：221.

⑥ 王月清．论中国佛教伦理化的契机［J］．江苏社会科学，1991（1）：103－108.

佛教提倡孝养父母要以修净心、唤醒爱心、提升觉悟，这其中就蕴含儒家修身之德；孝敬父母与佛菩萨的精神价值与利益也是一致的。儒家所倡导的为己修行、为人行德若得不到信奉，可直接视同为佛教修行，这更易被接受，也易于落实。[①] 随着佛教中国化步伐的加快，佛教吸收了中国传统文化特别是儒家孝道文化的诸多道德观，试图以更宽广的宗教情怀阐述其独特的道德教化观与孝道观，主张践行孝亲之道不仅要求在衣食上孝养父母，而且要设法使父母远离忧虑恐惧，处于清净安详的状态，行持善业，享受精神愉悦。[②] 佛教宣扬的出家修行与在家孝亲结合的德育途径，对学校德育而言具有一定的借鉴价值。它至少可以开阔学校德育多元途径的思路，树立一种全程德育、全环境德育的意识。当代，学校德育的途径更加具体化、立体化、可操作实施化，一个德育内容可对应一条途径，也可对应多条途径。[③] 研究佛教关于出家修行与在家孝亲结合的德育途径的意义还在于，基于佛教孝道观念、孝道意识和孝道行为的探讨，可以为弘扬中华传统孝道文化、树立新时代的家庭亲子关系、深化佛教德育思想研究，提供某种基于历史文化与宗教哲学的反思。

## 五、禅宗的德育思想

佛教历经了从“在中国的佛教”到“中国的佛教”之转变，佛教自小乘佛教发展到大乘佛教后形成了多种派别，如本无宗、心无宗、华严宗、天台宗等等，禅宗是其中之一，是佛教中的一种宗派。[④] 禅者，静虑也；

---

① 陈坚．佛教修行：诸恶莫作，众善奉行：兼与儒家“克己复礼”的比较［J］．湖北大学学报（哲学社会科学版），2014 (6)：32 － 37 ＋ 152.

② 朱小蔓，金生鈜．道德教育评论 2010［M］．北京：教育科学出版社，2011：106.

③ 詹万生．詹万生德育文选：第 3 卷 (2001−2005)［M］．北京：首都师范大学出版社，2018：178.

④ 胡凯．心灵关怀的人文密码［M］．长沙：岳麓书社，2012：43.

坐禅成佛是佛教修行的重要方式。隋唐时期佛教中国化进程加速，禅宗得以产生。禅宗是印度佛教中国式的宗派，完完全全是中国的产物。[①] 作为中国佛教重要宗派的禅宗，宣扬佛性、顿悟，强调通过唤醒本体意识与本心的认识获得智慧与解脱，以成德成佛。[②] 有学者认为，禅宗采用特有的德性修养方法，主张通过存养、剥落的德育过程可以整体提升道德水平。汲取佛教禅宗的思想，在道德教育实践中静坐内省，运用直觉主义的方法，可以达到恢复本心、陶冶身心之效。[③] 这种禅定修行的方法与儒家一贯倡导的慎独修养，有异曲同工之妙，佛教禅宗倡导的静坐观心与儒家教育的自我完善极为神似。[④] 另有学者认为，“生活禅”做人的基本态度是将信仰落实于生活，要求皈依佛法、深信因果、开启良知、提升道德。[⑤] 这种修行境界不能以学科知识积累的多寡来量化，而是一种“洞明”，是艺术化的体悟；它不是理性概念中的意识，而是沉浸于直观模糊冲动中的道德体验。[⑥]

目前，专门研究禅宗德育思想的文献相对较少，但从传统哲学、道德哲学、宗教哲学角度探讨禅宗的精神实质及其教育意蕴的研究并不少见。有学者从禅法智慧与人格和谐的大学教育之视角，论述了禅慧之于大学生生命教育的道德价值。[⑦] 还有学者从因禅悟教之实践角度，探讨了禅宗教

---

① 冯克诚，等．中华道德五千年魏晋南北朝的道德理论与德育实践［M］．北京：中国文史出版社，1998：80.

② 詹万生．詹万生德育文选：第5卷 2011—2017［M］．北京：首都师范大学出版社，2018：431.

③ 檀传宝，王啸．中外德育思想流派［M］．北京：人民教育出版社，2015：67 − 68.

④ 刘铁铭．曾国藩德育思想论［M］．湘潭：湘潭大学出版社，2016：19.

⑤ 段玉明．积善成佛：一种生活禅的实修路径［J］．宗教学研究，2015 (3)：113 − 118.

⑥ 孙迎光．诗意德育［M］．上海：上海三联书店，2011：165.

⑦ 陈燕．禅法智慧与人格和谐及其对大学生教育的价值［J］．长春师范大学学报，2017 (7)：21 − 23.

育智慧的道德教育价值及启示。[①] 作为具有中国特色的禅宗，并非哲学的附庸（黑格尔），亦非如基督教认为的哲学从属于宗教，其德育思想研究颇类似于禅宗所谓的“山只是山水只是水”的隐喻，它兼容并蓄了智慧与慈悲，属于宗教哲学对人类困境的某种解答。这就是为什么禅宗既不是绝对知识也不是上帝拯救，而是自我觉悟的原委所在。在禅宗的自我觉悟中，不管是人、动物、植物还是万物，每一个存在都既在其个体性上显示了自身，又都与其他存在相互交融，和谐并存。人类的生命与活动必须建立在禅定觉悟之上方有意义。禅宗的目标在于永远把握生命中活泼泼的实在，而不是单凭理性分析把握世界；它虽然超越了人的理性，但并没有排除理性。

禅宗的教育意义在于，只要怀抱一颗赤诚之心，因应世事变化，就会认识本然的光明与自己的良知，就会在念与习性中观知真正的自我，在宽恕如心的“放下”中疗治自我，在暂时与永恒、个别与普遍中体悟并放下事与理之间的对峙紧张。当代社会，人的生存完全贯穿于事与理的紧张对峙中，正因如此，人类不得不意识到自身就是一个问题——这就是人之生存命运的实质所在。而事与理的用法本源于佛教，在佛教那里，“事”意指现实、现象、个别、暂时和差别，“理”意指理想、本体、普遍、永恒和无差别。禅宗不依赖于任何经典，也不为任何信条所束缚，它直指人心。在禅宗那里，“人心”就是一切经典的源泉，是任何教义得以成真、成立的基础。这也是禅宗之道德价值、德育价值的本质所在。

综上所述，烙有鲜明时代特征的佛教德育思想，强调佛教精神与道德文化精神的融合统一，主张在继承中发扬、在顺应中发展。佛教德育思想以多重并举、内外兼修、多元包容为特征，它适应不同层次、不同境遇下人们的不同道德需求，以佛教善美理念来调解和化导个人、家庭、社会、自然乃至国际之间的关系，从功利论、义务论和德性论层次导向人的生活

---

① 镇涛，李晓蕾．因禅悟教，适意洒脱：谈禅宗教育智慧的德育启示［J］．中学政治教学参考，2020 (32)：78－80.

世界与生命活动，从人间佛教立场诠释关于人与自身，人与人，人与家庭、社会、自然等各种关系，以期发展更深刻的入世道德影响力，更广的应世、普世、化世效果。在多元价值并存的当代社会，宗教的道德修养、道德实践价值不断引起人们的关注。从古至今，人类心中的宗教情结从未泯灭，人们依旧保留着对某种完善或完美的理想，就此而言，宗教所能提供的信念资源也是现代道德所需要的。佛教德育思想的实质，就在于“运用宗教信念摒除来自内部情欲的干扰与外界物质世界的诱惑，使其按照佛教教义所规定的言行思维、动作，去恶从善，由痴而智，转迷启悟；从昏昧到‘清净’，最后走向洒脱，走向‘涅槃’的彼岸世界”。[①] 尽管佛教的唯心主义世界观是其致命的缺陷，但其重视道德修行方法、提高生活境界与精神品质的思想，对现代德育理论与实践的革新，具有独特的历史与文化价值。

① 张锡生．中国德育思想史［M］．南京：江苏教育出版社，1993：426.

# 第九章
# 中国传统德育研究的港台及海外图景

中国传统德育，作为中华传统文化最具符号表征性的内容，一直构成港台及海外学者特别是海外汉学家兴趣不减的研究主题。对中国传统德育思想、德育智慧的探讨，一度成为港台及海外学者的研究热点。随着中华民族伟大复兴之历史任务的确立，这种研究的热度持续不减。

## 第一节　港台地区中国传统德育思想研究概观

作为构成中华文化圈并不断向外进行文化延展与传播的香港和台湾地区，以其独特的文化优势与地理位置，在中国传统德育思想的海外研究、传播、交流过程中发挥了独特作用，对海外中国德育思想研究贡献良多。处在东西方文化交流碰撞前沿的香港和台湾地区，既没有走文化复古的老路，也没有走全盘西化的歧路，而是探索并走出了一条融汇中西的新的现代化道路。港台现代新儒家（亦称新儒学）即是这一道路的助推者。所谓现代新儒学是指："在本世纪 20 年代产生的以接续儒家'道统'为己任，以服膺宋明儒学为主要特征，力图用儒家学说融合、会通西学以谋求现代化的一个学术思想流派。"[①]港台新儒学虽然是一种哲学文化思潮，但却一直秉持重新审视中国儒家文化、努力接续中华传统道德文明血脉之使命。

## 一、关于中国传统德育特点的研究

现代新儒家基于反思现代性与唯科学主义之立场，重视中华传统文化谱系中的人文精神与道德价值，在中华传统文化研究过程中跳出了传统文化与现代化互不相容的藩篱，意在重新审视儒家价值与全球伦理、环境伦理、生命伦理的关系，给人们带来了多方面的思想启示。[②]通观现代新儒学伦理道德思想之脉络，在中国传统德育思想研究方面呈现三个特点。

### （一）坚持以儒家道德学说为主体

港台新儒学恪守民族主体性原则，将儒家伦理道德学说视为中国传统文化的主流，以发扬儒家学说、儒学道德思想为使命，尤其对先秦和宋明儒学著述探赜入微，这也是港台新儒学的立学之本。为回击全盘否定中华传统文化的论调，港台新儒学在承继正统儒家学说的基础上，重新阐释儒家伦理思想的意涵，试图重新搭建儒家道德学说的理论体系，并直面儒家传统道德学说与现代化的内在关联问题，重新梳理儒家道德学说的思想脉络、内容体系及时代意蕴，尝试以现代人可接受的方式诠释儒家传统道德思想中的现代因子。新儒学的这一价值立场，贯穿于其对中国传统道德思想、道德教育思想及教育哲学思想等领域的探讨中。

---

① 柴文华．有关港台新儒家价值评判的几个问题［J］．求是学刊，2008（6）：23－28.

② 郭齐勇．综论现当代新儒学思潮、人物及其问题意识与学术贡献：兼谈我的开放的儒学观（上）［J］．探索，2010（3）：47－56.

### （二）吸收传统道德文化的合理因素

某种程度上，港台新儒学持有文化决定论的历史观，认为中国近代以来积贫积弱的民族危机归根结底是文化没落所致，落后挨打的根源在于文化的失落与落后。因而，必须建构发达的文化体系，方能实现民族复兴与强盛；而推动中国文化繁荣最主要的任务是承续并发展儒家传统文化。文化的发展不是孤立的、封闭的发展，而是主动的、开放的发展。港台新儒学站在儒家文化的立场，试图调和朱熹理学与陆九渊心学之间的裂罅，倡导主动吸取并热情拥抱其他先秦诸子思想中的合理成分，以促进儒家思想的新发展，实现儒家传统道德思想的返本开新。新儒学试图将儒学中的心学和理学予以整合，以诸子来改造孔孟，同时适度吸收墨家、道家两家思想的营养成分，对墨家的救世精神与道家豁达的人生哲学予以褒扬、肯定。新儒学的这种主张，旨在通过重新梳理传统儒家思想、重构儒家的道德本体论，以解决儒家传统道德思想与现代化思潮相互冲突的问题。

### （三）借鉴西方道德文化中的现代性因子

港台新儒家多数都是学贯中西、通晓古今的思想大家。比如，被称为“儒学三大家”之一的马一浮精通多种外语并有西方留学经历；张君劢精通西方哲学体系；第二代港台新儒学之代表人物中的方东美、冯友兰、贺麟诸等亦有留学经历；即使没有出国的牟宗三亦对康德哲学等西方经典著作造诣精深；新生代中的杜维明、刘述先、林安梧等对西方文化也都有深刻独到的见解。新儒学的思想家对现代社会进程中的诸多社会思潮予以深度评析，深知单凭一己之力难以光大传统儒学，于是试图通过借力的方式来实现这一使命——即将西方现代思想系统中的合理因素与传统儒家道德思想的因子相结合。新儒学既抱持浓厚的民族中心主义和儒家本位主义立场，又对西方社会道德思想中的合理因子敞开怀抱，期望取长补短，在传统儒学思想体系的花枝上授西方民主科学之粉，以此迎来儒家传统文化的新生。[1]

## 二、关于中国传统德育内容的研究

20 世纪七八十年代，港台有关儒学的研究主要集中在高等院校的中国文学系、历史系、哲学系、教育系；到了 90 年代，科研院所也开始系统研究儒家传统思想。高等院校与科研院所围绕儒家传统道德思想开展了深入研究，举办了一系列儒学学术会议。与此同时，部分社会团体也加入到了儒学研究队伍之中。比如鹅湖月刊社，其创办者主要是唐君毅及牟宗三的门人，目的是研究并发展新儒学，在儒学与现代社会的关系、儒学与西方哲学的比较等方面建树颇多；再如“汉学研究中心”，也出版了《汉学研究》《汉学研究通讯》等学术期刊，倾力邀请并大力支持海外汉学家到港台开展传统儒学研究，并主办了具有一定影响力的学术会议，深受人们关注。这些学者在中国传统德育内容方面，多有系统而深刻的思考。比如，方东美系统研究了以“仁”为核心范畴的儒家道德教育思想体系。他在《原始儒家道家哲学》中指出，基于现实生活的实践活动是儒家生命价值观的本质所在，儒家试图通过构建一个道德思想体系来维系社会秩序，并将其视为个体生存发展的基础；个人的人格修养是其在生活世界中安身立命的根基所在，亦是确保人与人之间和谐相处、实现社会生活安定有序的保障。因此，儒家将“仁”视为最核心的价值元素，这与道家的道德主张不同，道家虽然也承认道德在维护社会生活秩序中的作用，但这种价值是人所认定的，而不是世间的最高准则，道家追寻“寥天一”的精神境界，认为只有这样才能发觉最高价值为何物。[2]

牟宗三深入探讨了儒家“内圣外王”的道德体系。他在《中国哲学

---

① 王泽应．现代新儒家伦理思想研究［M］．长沙：湖南师范大学出版社，1997：46 － 49.

② 方东美．原始儒家道家哲学［M］．北京：中华书局，2012：11.

十九讲》中指出："什么是'内圣'呢？就是内而治己，作圣贤的工夫，以挺立我们自己的道德人品。'外王'就是外而从政，以行王道。"[①]如果说"内圣"是每个人在自己身上下工夫就可达到的，那么，"外王"则要脱离人的意志而建立一个有益于人们做"内圣"工夫的良好政治形态。在牟宗三看来，儒释道三家皆以智的直觉来统摄现象界和本体界以达臻无限的道德自由，这一自由的实现，既需要个人的道德自觉与追求，也需要构建适合共同道德发展的外部环境，这就要求构建一种良好的政治制度以促进主体寻找人生的意义，实现人生的价值。

徐复观对道家代表人物庄子的道德观与儒家道德观作了系统比较。他在《中国人性论史·先秦篇》中指出，"道"与"德"在庄子哲学中占据重要地位，万物皆是得道而生，道存于天地之间，在任何一处空隙间都有着道的踪迹。他说："道由分化、凝聚而为物：此时超越之道的一部分，即内在于物之中；此内在于物中的道，庄子即称之为德。"[②]"德"内在于物之中，与物一同存在。可见，庄子所言之"德"其实就是物对于道的回应，每一物皆有其本有之德。儒家的道德主要表现为由实践活动所体现的仁义，依仁义而行是人的自发活动，是人们纯乎不已的天性之自然所流露。因此，儒家的道德观更侧重于实践活动，并以此来建立良善社会的伦理秩序。

还有学者通过梳理儒家伦理的基本范畴来阐释其教育意义。袁保新在其《孟子三辨之学的历史省察与现代诠释》中指出，孟子"三辨"（即人禽、王霸、义利之辨）是贯彻其伦理思想体系的关键范畴，并以此为逻辑线条对关于孟子伦理思想的一些争议性问题进行了重新解释。认为，"孟子是'本善论者'而不是'向善论者'；孟子的民本说与民主思想存在密切的关

---

① 牟宗三．中国哲学十九讲［M］．上海：上海古籍出版社，2005：309.

② 徐复观．徐复观全集：中国人性论史·先秦篇［M］．北京：九州出版社，2014：336.

系；孟子的‘义’不是功利，因而不是‘功利主义者’等。”[①] 杨儒宾在其《论管子白心、心术上下、内业四篇的精气说与全心论》《德之行与德之气》等著述中，梳理了从孟子、思孟后学至荀子的“体—气—心”思想的传承与演变理路，并通过几种不同类型予以详细讨论。[②]

此外，当代新儒学研究者也探讨了儒家道德思想及其教育意蕴。如李明辉在其《儒学与现代意识》及《康德伦理学与孟子道德思考之重建》中，讨论了牟宗三对康德哲学的发展，并与各种反对牟宗三的观点进行了论辩，极大地丰富了儒家思想的德育内容。[③]

## 三、关于中国传统德育思想影响的研究

港台新儒家既是 20 世纪中国传统德育思想研究的重要力量，也对 21 世纪中国传统道德与道德教育思想的研究产生了重要影响。从纵向影响看，现代新儒学的伦理道德思想构成了 20 世纪中国传统儒家思想体系的重要内容；从横向影响看，其影响范围从中国大陆、港台地区辐射到海外华人文化圈及汉学研究阵营，大有演变为一种国际学术流派之势，从而不断引发国内外学者的广泛关注。

### （一）重新确立了中国文化的道德自觉

现代新儒学经过港台新儒家改良与发展之后，与传统儒学有较大差异。新儒学通过重新梳理中华传统道德思想体系，尝试构建了以道德本体论为核心，与西方民主科学精神相融通的现代儒学思想体系。这是在传承传统

---

① 钟彩钧．台湾地区近五年来的儒学研究［M］∥国际儒学联合会．国际儒学研究：第 2 辑．北京：中国社会科学出版社，1996：289.

② 同①.

③ 同① 292－293.

儒学合理因子的基础上，与西方现代文化相结合的结果，其演变过程都与地域环境相融合，实际上已成为适应地域经济文化的一种新思潮。现代新儒学不再强调以往的具有浓厚封建色彩的等级制度、专制王权思想和依附性道德体系，而是将规整、抽绎之后所保留的仁爱、诚信、忠孝等道德精神和伦理观念与现代化相融合，并以现代人接受的方式使其重新成为调整人与人之间利益关系的一种道德规范。现代新儒学将传统儒家具有自我意志的道德理性在人与社会中展开，贯通了人与自我的内心、自我与他人、他人与他人之间的交互关系，具有道德实践理性的特征。随着现代新儒学的细致论证及其传播，这一思想逐渐为其他各界所接受，成为调节人们日常生活与职业生活的伦理规则与道德准则，为推动经济社会发展特别是华人社会的和谐发展，提供了强大精神力量。

### （二）推动了中华传统道德文化的创新性发展

传统文化是一个民族永续发展的基因。儒家道德思想和中国传统文化的基本价值并没有随着人类社会的发展而褪色，相反，每当现代社会发展的“病症”复发之时，人们总会抽身回望，试图从传统文化中寻求“方剂”与精神滋养。在我国港台地区，快速发展的现代化并未削弱中华优秀传统文化的影响，儒家传统伦理是学校德育的主体内容。台湾地区德育、语文、历史等课程，都注重引用儒家思想的核心观点、经典名言或故事片段，以实现传统文化的道德浸润作用。香港虽然国际化程度很高，但儒家传统伦理与道德规范始终是贯穿中小学德育的一条主线。港台地区在现代化发展过程中，坚持民族文化传统，不断建立自身得以立足的文化认同。[①] 面对西方多元现代思潮的冲击，港台新儒家通过吸收中国传统道德思想和西方文化体系中的合理因素，对传统伦理与道德文化进行了现代性诠释，将中

---

① 冯增俊，王学凤，等．亚洲“四小龙”学校德育研究［M］．福州：福建教育出版社，2019：283－284.

华传统文化中重视道德伦理和人文创造的文化特性呈现出来。比如，唐君毅提出的道德自我的展开，牟宗三试图将康德哲学与儒学予以会通、以重建儒家道德形而上的致思等，都是对中华传统道德文化创新发展的有益探索，在学界影响深远。

### （三）增强了中华传统道德文化的认同感与凝聚力

港台新儒家对中华优秀传统文化抱持深沉的敬意姿态，反对西方世界的“中国文化无用论”，竭力为中华文化的人类价值、时代价值辩护。认为，面对日益纷繁复杂的人类社会发展路向及错综复杂的国际局势，中华传统文化依然富有强劲生命力且大有可为；中国文化的生命力足以应对人类社会未来发展的机遇与挑战，每一个中国人都应毫不犹豫地将自己视为中华文化共同体的一分子。正如唐君毅所说：“若为华夏子孙，则虽海枯石烂，亦不忘其本。由是而我之生命存在之意义与价值，即与数千载之中华民族、历史文化、古今圣贤，如血肉之不可分。民族主义的深层心理结构就是顽强的寻根意识，特别是当民族文化受到内外冲击的时候，文化上的民族主义就会自然地生长出来，并表现得顽强有力。”[①] 此外，西方社会的发展也不是一帆风顺的，西方近代文化在现代化道路上所暴露出的种种危机，也不断促使人们重新审视中国传统文化的价值，以寻求在中西文化交流互鉴基础上创建中国新文化的发展之路。包括港台新儒家在内的文化民族主义者，无一例外地都是中国传统价值理念的积极维护者，他们试图通过一种现代性的转换，接续中国文化传统的一线血脉 。[②] 儒家传统文化特别是道德与道德教育文化，为身处现代社会发展境遇中备受煎熬的人们提供了精神家园。港台新儒家经历了种种文化变迁与社会冲击，却始终坚持中华文化传统特别是儒家道统的现代性转化与创新性发展，极大地增

① 唐君毅．中华人文与当今世界［M］．桂林：广西师范大学出版社，2005：14.

② 柴文华．有关港台新儒家价值评判的几个问题［J］．求是学刊，2008 (6)：23 − 28.

强了中华传统道德文化的认同感和凝聚力，也为中华传统文化的时代价值赢得了尊严。

## 第二节　海外中国传统德育研究的整体状况

人们一般把海外学人以域外的视角来研究中国文化的范式称为海外汉学。海外汉学作为对中国知识的域外表述，传递了不同文化间的学术形态，体现出显著的真实性、历史性、变异性特征。[①] 海外汉学的研究涉及中国文学、哲学、历史学、政治学等不同领域，中华传统道德文明、道德教育虽不是其研究的主流，但任何相关研究没有也不可能绕过构成中华文明精神谱系的道德与道德教育范畴。"在接触中华文明较早、深受儒家文化影响的日本、韩国、越南等亚洲国家，'汉学'在许多场合是儒学的代名词，还可以被广义地理解为中国学术研究的全部。"[②] 孝悌忠信、礼义廉耻的荣辱观念，崇德向善、见贤思齐的社会风尚，修齐治平、天下为公的崇高追求，仁者爱人、以民为本的仁政思想，都彰显了中华道德文明独一无二的理念、智慧、气度与神韵，亦是东方文明不同于西方文明的一个主要表征。莱布尼茨在其《中国近况》中指出："如果拿欧洲与中国比较，'在日常生活以及经验地应对自然的技能方面，我们是不分伯仲的'，而'在思考的缜密和理性的思辨方面，显然我们要略胜一筹'，但在'时间哲学，即在生活与人类实际方面的伦理以及治国学说方面，我们实在是相形见绌了'。"[③] 莱氏之见，并非虚言。

和平与发展是今日世界之主题。维护世界和平、促进人类发展，是包

---

① 张西平，郭景红．海外汉学（中国学）研究模式探究［J］．国际汉学，2019 (1)：5 − 12.

② 何培忠．当代国外中国学研究［M］．北京：商务印书馆，2006：2.

③ 安乐哲．中国传统文化的当代意义［J］．马克思主义与现实，2008 (4)：6 − 8.

括儒家在内的中国传统文化的主题。这一主题与人类社会面临的和平与发展的主题是高度契合的。日本近代汉学家五来欣造认为："中国有三大学派，一儒家之伦理学说，二道家之自然说，三墨家之功利说，儒家之伦理说，影响中国政治尤巨，盖儒家之学说，立脚于见在之点，而以过去之善恶，为将来之法戒，因其立脚（足）于见在，故时时思谋社会之安宁，因其以过去法戒将来，故事事皆含有教化之用意。"[①] 当代著名汉学家安乐哲亦指出："今天的世界需要儒家道德传统，因为就人的成长、国家发展、国与国关系而言，儒家着眼的是家庭、和睦、道德，儒家的这种智慧和价值，有助于建设一种新兴文化秩序。"[②] 这些论述比较客观地分析了中国传统道德文化在当今世界文明进程中的重要价值。

海外关于中国传统道德、德育思想的研究由来已久。从 1949 年到 1978 年，海外中国德育思想的研究限于民间学术研究与文化交流层面，研究主题多集中于对孔子、孟子、荀子等儒家德育思想及对道家、墨家德育思想的研究；改革开放之后至党的十八大时期，海外中国德育思想的研究迎来了学术创新、繁荣发展与思想对话的时期，一大批有分量的海外中国思想的经典译介与文献评析引入中国，海外中国传统德育思想的研究进入系统探讨与交流的繁盛时期，研究主题涉及中国传统道德与道德教育的各个流派；2012 年之后，随着中华民族伟大复兴中国梦之历史任务的提出，特别是构建人类命运共同体之命题的出现，以创造性转化、创新性发展为使命的中华文化走出去战略不断深入实施并呈方兴未艾之势，关于中国传统德育思想的专题研究与思想交流不断深化，以尼山世界文明论坛、世界儒学大会等为阵地的国际性思想研讨，进一步助推了包括儒家道德与道德教育思想在内的中华优秀传统德育思想的海内外交流与传播，展现了中国

① 五来欣造．儒教政治哲学［M］．胡樸安，郑啸厓，译．太原：山西人民出版社，2015：90.

② 安乐哲，乔燕冰．儒学的"家""孝"观念改变世界文化［N］．中国艺术报，2016－03－02 (3).

力量、中国精神。

海外学者所关注的中国传统道德教育，是一种关于中国文化与教育的知识体系。就其主流观点而言，中国传统道德教育是基于支撑中华文明价值谱系及其历史进程的伦理道德知识体系，这一体系与西方文明的进路大异其趣。中国传统道德教育的载体主要是“四书”（《论语》《孟子》《中庸》《大学》）、“五经”（《诗》《书》《礼》《易》《春秋》）及《道德经》《庄子》《淮南子》《墨子》等流传两千多年的经典著述，这些经典承载并呈现了我国传统道德教育的基本规范。这些传统道德规范与教育通过海外汉学家的译介与研究，在世界各地广泛传播，影响深远。海外汉学关于中国传统德育的研究也多以“四书”“五经”等文本为基本文献资源。

海外中国德育思想的研究在儒家文化圈特别是长期深受中华传统文化浸润的日韩等周边国家持续兴盛，成果丰硕，并因地缘优势而频繁互动交流。比如，自公元前 11 世纪周代时起，中国文化便影响了朝鲜，朝鲜历代统治者都非常重视儒学经典；到了李氏王朝时期，由于推行“排佛尊儒”国策，儒学的研究与普及达到高潮，直至日本占领韩国以前，儒学价值观教育内容在韩国学校课程中仍占相当大的比例；战后，韩国仍将重振儒学作为文化与教育重建的重要任务。再如，日本一直是海外中国德育思想研究的重镇。中日文化交流早在西汉时期就已开始，早期汉唐儒学在传入日本后引发了日本从古朴道德意识向反思性、民族性道德意识的转变；10 世纪前后，日本从早期单纯移植模仿中国传统道德思想与教育思想阶段，进入创造性吸收发展并予以民族性转化阶段，德川幕府时期的朱子之学压倒禅宗、神道教，取得了正统的官方思想地位；明治维新之后，日本对儒家道德思想体系的研究进入了一个重大变革时期，开始有选择性地将儒家的忠孝等思想与西方的民主科学思想予以结合，提出了“和魂洋才”的思想文化战略，推动了日本现代文明的勃兴。

中国传统德育思想与德育智慧的研究，在欧美诸国也有一定影响。欧洲与中国的文化交流很早就开始了，交流主体涵盖了旅行家、传教士、军人、外交官、学者等。“欧洲学者对中国传统道德经典与教育思想的诠释大体经历了三个不同的汉学发展时期：一是游记汉学时期，从《马可·波罗游记》到1583年耶稣会入华之前；二是传教士汉学时期，从1583年利玛窦进入中国大陆到19世纪初；三是专业汉学时期，从1814年雷穆沙在法兰西学院开设汉语课至今。”[①]而且，“这三个时期大体可对应于基督文化框架内的诠释、西方文化话语视角下的诠释、基于中国文化视角的诠释三个阶段。”[②]随着欧洲学者对中华经典认识的深化，中国传统道德教育的经典著作不再是依附于西方基督文化的宗教典籍，而成为不断彰显中国传统思想和智慧的经典，并对西方文明产生了深远的历史影响，这种影响伴随着中华民族伟大复兴的历史进程而不断彰显。

接下来，我们就循序对日韩、欧美之中国传统德育思想的研究作一总体概括，以从中寻绎并把握海外中国传统德育思想研究与传播的整体图景。

## 第三节　日韩关于中国传统德育思想研究概观

中国与日本、韩国作为隔海相望、一衣带水的邻邦，自古以来就保持着频繁的文化交流。作为儒家文化圈的重要组成部分，日韩深受儒家传统文化特别是儒家道德文化体系与价值观的浸染。随着中日韩相互往来日益频繁，儒家思想逐渐进入社会各个阶层，同日韩原生的政治、经济、文化、教育相结合，产生了适合日韩社会与文化发展需要的、本土化改造的儒家伦理道德思想，并融入人们的日常生活世界之中。

---

① 张西平，叶向阳．他乡有夫子：汉学研究导论［M］．北京：外语教学与研究出版社，2005：160－161.

② 张西平，郭景红．海外汉学（中国学）研究模式探究［J］．国际汉学，2019（1）：5－12.

## 一、关于中国传统德育特点的研究

### （一）注重对儒家修己治人德育目的的研究

传统儒家德育思想的一个宗旨即修己治人，日本学者宇野哲人认为：“孔子教之目的，不外修己治人之二端。而孔子毕生之事业，亦不出此二途。孔子有非凡之资性，自志学始而终归于从容自适之域，充分达其修己之目的焉。”[①] 儒家修己治人之途径有二：家庭内部以“孝”为主；家庭外部以“仁”为要。日本学者汲取儒家德育思想，认为君臣关系就是家长与家庭成员之间的关系，家庭内部以“孝”为主的家庭道德就可以调节绝大部分生活秩序。“上古朴素之世，君主即氏族之酋长，臣民即其弟子。申言之，则君臣之关系，只家长与家族之关系耳。故其所教，只家庭道德已足矣。其后渐次发达进步……社会的关系，亦渐复杂，于家庭道德之外，不得不加以社交道德及国家道德，自然之势也。”[②] “夫孝，德之本也，教之所由生也”。（《孝经·开宗明义章》）“孝”是道德思想和道德行为的根源，也是教化的出发点。

韩国也深受儒家德育思想的深刻影响，认为“为父当慈、为子当孝”[③] 乃思想道德文化之基石。在韩国，“有大约 90% 的国民认为，孝是人类的一种生生不息的亲情，也是家和万事兴的基础。在家中能够尽孝，在工作中才会有敬业的态度，对国家才能尽到责任。”[④]

当氏族扩大而“孝”所衍生的家庭礼节不能调节社会关系时，家庭之外的“仁”便发挥重要作用，“伊藤仁齐解释仁曰：慈爱之德，远近内外，

---

① 宇野哲人．孔子［M］．陈彬苏，译．太原：山西人民出版社，2015：31.

② 同①47.

③ 한은주 . 중한유가문 이념 비교 연구 [D] . 서울 : 중앙민주대학교 , 2006.

④ 조중항 . 한중수양교육 비교——유가사상으로 [D]. 서울 : 한서대학교 , 2012.

充实通彻，无所不至，之谓仁。此盖为最稳当（恰当）之解释也”。[①] 有学者认为“仁”可超越家庭而无所不至。“佛陀与耶稣是出世的，孔子是入世的；佛与耶之教为宗教，而孔教为伦理也。虽同说仁爱，然佛与耶说纯粹之平等博爱，……万人平等，为神之子，万人皆同胞，故无论何人须同样爱之。孔子之所谓仁，与此差异，不承认绝对之平等博爱，主张依内外亲疏而其爱有差别。”[②] 日本学者宇野哲人认为，儒家的“仁”不是博爱，而是根据亲疏关系有所差别。“孔子并称智仁勇之三德。但就仁智之二者言之，则安仁胜利仁；就仁勇之二者言之，则仁者胜勇者也。至子思祖述之，则云智仁勇三者，天下之达德也。此三德甚类似康德之知情意三分法：知者智也，情者仁也，意者勇也。”[③]

韩国儒学大家崔英辰认为，韩国社会中的家族意识，强调儒家思想五伦中的“父子有亲”和“夫妇有别”，孝和悌在家族意识中便是实践儒家最高的目的机制；国家出现之后，由仁爱而生发的共同体意识、勤勉、诚实等美德开始支配人们的潜在意识。[④]

由此可知，日本与韩国将修己治人作为儒家德育思想中的重要目的进行了深入研究。

### （二）强调儒家德育思想的普适性价值

对于日韩而言，儒家道德文化东传的影响是全面而持久的。“唯斯道之传入日本也。独能承接周汉遗风。本天地之大道。成悠久之王道。国家之经纶。民物之发育。蒸蒸日上。记纪二书（古事记及日本书纪所载）具

---

① 宇野哲人．孔子［M］．陈彬苏，译．太原：山西人民出版社，2015．34.

② 同 ① 35.

③ 同 ① 46.

④ 최영친，한국 유학사상 연구［M］．베이징：동방 출판사，2008.

见其体制之坚实宏伟。”① 岛田虔次认为：“以儒教为主轴的中国文明，如果能够用使任何人都能直观地马上明白的例子来说的话，那就是它具有可以像中国绘画那样所直接表现出来的那种优越的先进性。”② 儒家德育思想在进入日韩之后，经过本土化改造很快便落地生根，日本学者北村泽吉在其《儒学概论》中指出：“吾国先儒于孔孟之道则直接承其大精神而不取阳武放代之迹。于宋学则专用其大义名分之论而不陷于心性之理窟。于王守仁则主其知行合一而不堕于致良知之窠臼。其所以有活泼生动之趣者在此。”③ 日本在借鉴儒家道德文明过程中有选择地接受，促进了道德文明因子的活化。韩国亦是如此，来自中国的道德文化在韩国地方化过程，不断生根发芽，融入其主流道德体系之中。韩国学者李顺连在《孔子的人生哲学及其在韩国的影响》中，从孔子之“道”与“仁”、孔子的天命之道、孔子的社会之道诸方面，阐述了韩国化后的儒家思想在韩国社会的广泛影响，认为韩国儒学已成为一种使人们心有所依的国民精神。④

### （三）突出对儒家伦理教化德育思想的研究

作为中国的近邻，日韩受中国传统文化与教育的影响尤甚。儒家道德教育思想传入日本后，首先在宫廷内部传播，7 世纪圣德太子革新推行的《十七条宪法》就包含了儒家道德伦理思想，对民众教化影响甚大。江户时期，朱子之学被奉为“官学”，广建“藩校”，在全国范围内开展国民道德伦理教育。明治天皇于 1890 年颁布的《教育诏书》，将培养忠于天皇的臣民和孝敬父母的孝子作为教育目的，这一教育政策一直推行至 20 世纪

---

① 北村泽吉．儒学概论［M］．太原：山西人民出版社，2015：14.

② 岛田虔次．中国近代思维的挫折［M］．甘万萍，译．南京：江苏人民出版社，2010：210.

③ 同①22.

④ 이연순．공자의 인생 철학 및 그는한국에서 있는 영향［J］．화중사범대학교 학보，2003 (2)：74－82.

40 年代，主要目标也是以儒家道德教育思想为学校德育内容。后来日本学校德育建设的纲领性文件《学生指导要领》中的道德教育目标，也深受“仁义礼智信、温良恭谨让”等儒家思想的影响。[①] 直至今日，日本人的道德理念与行为仍与儒家德育思想有着紧密的关联。韩国道德教育在改革过程中多次把中国传统道德思想当作蓝本，儒家伦理道德的思想痕迹十分明显。在韩国，所有类型学校的教学科目中道德教育都占据核心地位，儒家传统伦理与道德思想成为学校道德课程的重要内容，并以此为基础构建了符合韩国现代化道路的德育体系。韩国的中小学道德课由“个人生活”“家庭邻里学校生活”“社会生活”“国家 · 民族生活”四部分构成，每部分都有中国儒家传统伦理与道德的内容。比如，在初中道德课第一册中，传统道德教育中的“历史人物”模块，就专辟孔子教育思想内容，并以“传统生活习俗”形式呈现，较为详细地介绍了孔子伦理思想中关于孝悌、敬老等内容；在“现代社会与传统道德”部分，则涉及中国传统道德的基本精神、传统道德的发生发展以及传统道德在现代社会的历史变迁等内容。[②] 儒家传统道德规范成为韩国学校道德课程的重要讲授内容，对于日后韩国人民形成爱国报国、奋发有为的民族精神具有积极的推动作用。

## 二、关于中国传统德育内容的研究

日本对于儒家传统德育的研究，大致分为早期的汉唐儒学、中期的朱子儒学、明治维新之后的阳明儒学三个阶段。[③] 关于早期汉唐儒学在传入日本后的研究情况，日本第一部正史《日本书纪》和第一部历史文学著作

---

① 廉成 . 日本学校德育研究及其启示［D］. 牡丹江：牡丹江师范学院，2013 : 8.

② 张鸿燕，王培培 . 韩国道德教育现代化进程的文化透析［J］. 教育探索，2014 (2) : 155 － 157.

③ 王凌皓 . 中日近代道德教育理念比较研究［D］. 长春：东北师范大学，2002 : 30 － 41.

《古事记》中均有记载。儒家道德思想、道德教育思想在日本的传播研究，丰富了其国民德育的国际视野。“日本伦理思想是在中国伦理思想的刺激下，结合本民族原始信仰和习俗发展起来的。”[①]7 世纪初，圣德太子制定了《冠位十二阶》，将儒家提倡的德、仁、礼、信、义、智作为政府官员的基本道德要求，并以儒家道德思想体系中的“和”为基础，将佛教的“慈悲”精神融入其中，改造为对上的“忠”和“义”即“和合”观念。[②]成书于 8 世纪的日本现存最早的汉诗集《怀风藻》，认为儒学伦理具有“调风化俗”“润德光身”之德育功能。有学者指出：“早期日本儒学，是日本儒学发展史上不可或缺的一个重要阶段，它对日本文化的影响程度虽不及江户时代的儒学，但却超过了其他时代的儒学。”[③]12 世纪末，朱子理学传入日本并得到传播，日本也从早期单纯移植模仿中国传统儒学阶段进入创造性转化与吸收发展阶段。藤原惺窝是江户时代朱子理学的开创人，他用日语将“四书”“五经”中的朱子观点进行深入阐释，将“理”解释为伦理道德的“义理”。藤原惺窝的弟子林罗山也努力宣扬儒家义理之学，并力图将朱子理学从佛教中独立出来，认为“孝”乃“父家之私事”，为“轻”；“忠”乃“君国大事”（即公事），谓“重”。由此形成了以重视主从关系为基础的伦理道德教育思想，[④]对后世影响甚巨。阳明学派最初以朱子学派分支的形式在日本得以推广，并对日本的学校德育产生了重要影响，但影响力尚不如早期孔孟儒学和朱子学说，也未获官方正统学说的认可。日本学界一般倾向于认为，中江藤树是日本阳明学派的主要传承人，他所著的《大学解》是对阳明学说的发

---

① 李萍．东方伦理思想简史［M］．北京：中国人民大学出版社，1998：184.

② 梁忠义．日本教育［M］．长春：吉林教育出版社，2000：30－52.

③ 关松林．吸收与改造：儒学在日本的传播与发展［J］．辽宁大学学报（哲学社会科学版），2004 (2)：63－66.

④ 丸山真男．日本政治思想史研究［M］．王中江，译．北京：生活·读书·新知三联书店，2000：12.

展。[1]

韩国对儒家传统道德与道德教育思想予以有选择地研究、吸收与转化，并赋予其时代价值。韩国的道义教育、国民伦理教育几乎将儒家道德教育思想全盘纳入。在韩国，儒学的研究与推行主要通过两大运动进行：一是“实学运动”。16 世纪后期韩国对中国传统儒学的研究只注重空洞理论，较少考虑经济社会发展的需要，这引发了对朱子儒学空洞思辨价值取向的批判，在此过程中发展出经世致用学派、利用厚生学派、实事求是学派等不同儒家思想研究派别。这些研究学派结合韩国的实际，重新解释了儒家道德思想体系中蕴含的生民、利用与厚生的内容，强化了实证精神与实践情怀；二是“开化运动”。18 世纪后期西方列强借助武力优势瓜分朝鲜半岛，随之而来的是西方的文化、技术、价值观等的涌入，韩国国内求变图强呼声日渐高涨，“开化派”将儒家道德思想体系与西方先进的科学知识视为一个独立国家所需的最重要的两个因素。“实学运动”在吸收儒家传统伦理与道德思想精华的基础上，试图克服坐而论道的弊端；“开化运动”力图将平等、民主、人权、法制等西方现代因子注入儒家伦理道德思想体系之中。[2]正是儒家道德思想的浸染和渗透，孕育了特色鲜明的韩国德育精神。这种精神不但传承了儒家传统伦理道德的主要思想，还将其融入韩国公民道德发展与国家道德体系建设之中，发挥了巨大的思想引领作用。

## 三、关于中国传统德育思想影响的研究

通观日韩的发展史不难发现，中国传统文化对两国的影响十分明显。古代的日韩曾一度全方位借鉴中国模式与中国思想，无论是思想层面、物

① 王凌皓．中日近代道德教育理念比较研究［D］．长春：东北师范大学，2002：42.

② 冯增俊，王学风，等．亚洲“四小龙”学校德育研究［M］．福州：福建教育出版社，2019：82－89.

质层面还是制度层面，都流溢出中华传统文化的深深印痕。在中华传统文化的思想层面，儒道佛思想均有涉及，而影响最大的当属儒家传统文化。儒家思想在日韩不断传播发展，与其本土思想不断融合，落地生根，推动了日韩社会的转型与发展。

### （一）形成了“忠孝一体”的政治观

儒家道德学说进入日本后，在很长时间内都是学校教育的主要内容，也成为统治阶级进行政治修养的方法，并为政治改革提供了思想支撑。在日本“大化革新”时期，儒家传统德育观念如“为政以德”“仁”“天命观”等就曾引领其改革方向，成为改革派的革新理念。比如，圣德太子、中臣镰足、中大兄皇子等改革派领导人就把儒家道德学说的一些观念融入政治与教育改革实践中，推动了日本社会的发展。中国儒家道德思想中的仁、义、礼等德目成为统治阶级修身养性的目标，并以立法的形式将和为贵、礼为本等儒家伦理观念列入法律中，在诸如《十七条宪法》《大宝律令》《养老律令》中以法令方式予以推行。[①] 日本学者北村泽吉认为：“教与礼相成。而其职亦相辅以行。然教化寓诸礼乐。自古已然。”[②] 在韩国，最早的国家正统思想就是儒家道德思想。在其国旗、国徽的设计中，也以中国古代太极图为核心元素构思，这一国家行为本身就具有很强的德育价值。韩国家族主义政制的形成也得益于儒家道德与道德教育思想的普及与推广，得益于以“三纲五常”忠孝一体的伦理关系为基础构建的课程体系，是儒家道德思想与高丽民族社会与文化发展有机融合的本土化改造。这种本土化改造使得韩国较长时期维持了稳定的社会秩序，构建了家庭之间、民族之间的信任关系，对于抵御外来侵略、推进国家建设发挥了积极作用。

---

① 白浩强．孔子道德说对日本德育传统与体系的贡献［D］．福州：福建师范大学，2013：45.

② 北村泽吉．儒学概论［M］．太原：山西人民出版社，2015：5.

### （二）塑造了"经合致用"的经济观

儒家道德思想在日本传播发展过程中的一个显著特征是与经济社会发展的巧妙融合。著名企业家涩泽荣一曾长期研究《论语》，并撰写了详细的读书体会，向企业员工传播儒家道德思想。他认为，当一个企业秉持为社会或群体做贡献的价值观时，其获得的经济利益就会转化为社会效益与国家利益，"利"就转化为"义"。日本许多企业文化，诸如"诚信为本""经商以和""长期雇佣""年功序列""士魂商才"等都是儒家伦理思想在日本学以致用、本土改造、生根发芽的结果。[①] 日本的一些汉学家将儒家道德伦理与资本主义经济发展伦理相关联，形成了"儒学 + 算盘"的文化模式，这一模式运用于企业发展过程中，有力地促进了资本主义工商业的发展。在韩国，儒家道德思想发挥了强大的民族团结、文化纽带作用，儒家传统伦理观把韩国全国上下紧密团结起来，每个公民都下意识地承担了光大民族、复兴国家的使命。韩国政府基于这一道德基础和伦理意识提出了经济自立、经济爱国、企业精神等发展战略，成功地筑牢了个人、企业、政府三方合作体，激发了民众不畏辛苦、不计报酬、奋发努力的精神，提高了韩国的国家经济实力，增强了其国际竞争力。

### （三）确立了德育为主的教育观

儒家德育思想东传日本后，很长时间内被当作德育的直接素材并加以传承。据史料记载，百济王任曾以《论语》和《千字文》为德育教材给日本皇子远道稚郎子授课。隋唐时期日本派出的大量遣隋使、遣唐使都曾长期在中国接受系统完整的儒家教育，回国后相当大的一部分人成为教师，以教育的方式在日本广泛推广儒家道德与德育思想。具有浓厚日本色彩的

---

① 白浩强．孔子道德说对日本德育传统与体系的贡献［D］．福州：福建师范大学，2013：46.

武士阶层就曾长期接受儒家道德教育，形成了独具日本民族特色的武士道精神。比如，忠、孝、礼、仁、勇就被当作武士主要的道德修养内容并成为武士道精神的核心。武士身上所体现的遵守义理和道德、具备宽容精神、行事以礼为范等精神，都具有儒家伦理思想的深深印痕。在韩国，儒家经典就是学校教育的主要内容，开设的五经、三史等课程以及“三纲”“五常”“十三经”等科目，更是承袭了儒家伦理与道德思想的精髓。李朝出于政治目的一度制定了“排佛尊儒”的国策，儒学在韩国也随之登上顶峰，关于儒学的政治、伦理、文化、教育等研究流派一度昌盛。可以说，韩国社会生活的方方面面都留有儒家道德与教育的影子。“二战”后，重新恢复的韩国学校教育的德育课程仍然以儒家伦理思想与道德规范为主要内容。后来推行的“道义教育方案”及其他改革，也都以儒家思想体系为主。韩国著名儒学研究专家琴章泰指出：“儒教作为朝鲜民族精神的动力，具有广泛的功能，它不单纯作为某个时代的社会制度和伦理规范发挥功能，而且通过传统社会形成朝鲜人的意识结构，体现朝鲜人的文化方式的创造性源泉。”[①]这一断语是十分中肯的。

## 第四节　欧美汉学关于中国传统德育思想研究概观

欧美世界研究中国文化的历史由来已久。在研究主体方面，研究者既有民族身份的不同，也有职业身份的差别；在研究主题方面，关涉中国传统文化、哲学、伦理、道德、教育等诸多领域，可谓丰富多彩。经过长时期的积累，最终形成了一个特殊的研究群体——汉学家。不过，欧洲各国语种丰富，同一时期对汉学的同一主题往往有多个语种的探讨；欧美学者

① 蔡旭群．韩国民族精神教育探略［J］．教育评论，2009(6)：155－157.

研治汉学又各有其自身的立场和学术脉络；关于中国传统德育的研究又多散见于道德、伦理、教育等领域。因而，详尽搜集欧美汉学界关于中国传统德育研究的文献实属不易，还原文本背后的语境则更为困难。这里，我们仅就有限的文献，初步概括欧美汉学关于中国传统德育思想研究的大致轮廓。

## 一、关于中国传统德育特点的研究

### （一）研究内容注重中国传统道德思想的价值

欧美汉学家认为中国传统德育思想具有某种世界影响。如同荀子在《性恶》中的“言之千举万变，其统类一也”，这是一种在不同的历史脉络中都可以演绎出来的不受时空限制的普遍性行为准则。儒学并非只存在于中国的文明进程或儒学文化圈中，而是对人类的道德行为规范与价值体系都有所裨益的思想体系。《论语》尽管是记录 2500 年前孔子及其弟子对话的总集，但其中的人物、事件、意义具有超越历史时空的某种世界影响，而且完全可以从中抽绎出人类行为的价值指引。就是说，儒学经典中具有“历史叙述”与“普遍理则”相互渗透的传统。[①] 中国传统道德文化中的“孝”虽有生于中国的特定含义，但是又可推之于四海而皆准，这也是欧美汉学家所研究的可以运用于西方社会与文化的“可携式传统”（portable tradition）之一。

### （二）研究视角聚焦中国传统道德思想的跨文化互通性

中国传统德育思想具有某种普遍适用价值。这意味着其与相异的文化之间不会存在交流互动的障碍。当代社会，儒学已经成为世界文明谱系的

---

① 黄俊杰. 中国经典诠释传统（一）通论篇［M］. 台北：台大出版中心，2015：429 – 431.

重要一环，影响范围已从中国波及海外华人世界、儒学文化圈及世界各地，并在一定程度上发挥了重要的道德指引作用。有学者认为：就像柏拉图的思想能够从古雅典城邦传播到现代的上海一样，美国的基督徒也会对成为一个儒家学者感兴趣甚至引以为豪。有学者曾对复杂的儒家学说能否进行跨文化的传播并被学习领会持怀疑态度，因为欧美的环境、语言、文化与中国相比都是存在巨大差异；但是，对于基督信仰在中国的传播及由此可能产生的"汉语神性"却没有人去怀疑。中国传统道德思想中的"己所不欲、勿施于人"与基督教文化中的"你要他人怎样待你，就要这样对待他人"具有同样的道德意蕴，这就需要我们从西方学术框架中走出来，搁置东西方对立的思维，进行平等而富有意义的对话交流。[①]对中国传统德育思想的研究，亦应坚持此种立场。

### （三）研究方法提倡不同道德思想间的求同存异

中西文化是既有差异又存在共同点的人类文明的两种重要形态。中西文化的差异性，是基于不同文明形态与文化地域的客观事实，并在思维方式、思想观点、表现形态方面呈现出不同的特点。这种差异性为中西文化的交流互鉴、互通有无预置了条件。承认中西文化的差异性，也有利于防止产生非此即彼的对立思维模式，有利于抵制各种形态的文化霸权主义。欧美汉学家研究、评析中国传统文化与传统教育的价值，多采取求同存异的立场，有的则对中国传统教育思想与教育智慧赞赏有加。比如，有的欧美汉学家认为，保持中西不同道德文化友好交流的智慧来自于荀子"礼"的思想，荀子以"礼"为核心范畴，诠释了其综合批判的功能，创造了不同社会阶层同处一个时空却相安无事的局面。[②]正如荀子所言"制礼义以

---

① 南乐山．在上帝面具的背后［M］．辛岩，译．北京：社会科学文献出版社，1997：31.

② 张西平，李雪涛．西方汉学十六讲［M］．北京：外语教学与研究出版社，2011：147－162.

分之”，则可以“养人之欲，给人之求”；况且，礼具有某种区分功能，能够使男女老少有所不同，即《礼记·礼运》中所讲的“老有所终，壮有所用，幼有所长”。德国学者莱布尼茨曾指出：“一位在欧洲一直盼望的具有普遍慈爱之心的、公正的、有知识和智慧的政治家在中国已经出现了。而他给欧洲人开出的药方就是，盛赞中国的伦理道德，呼吁中国派传教士来欧洲挽救基督教世界的没落。”[①] 莱布尼茨将孔子学说奉为伦理道德的圭臬。无独有偶，法国哲学家拉摩特·勒瓦耶（La Mothe Le Vayer）亦认为：“由于孔子和希腊的苏格拉底几乎是同时代人，他们在世上两大古老民族中都备受尊重，特别是由于孔子与苏格拉底一样都使伦理道德具有了威望，所以人们完全可以视孔子为中国的苏格拉底。”[②] 在全球化进程日益加速的今天，这也提醒我们要重视不同文化形态的存在价值，学会在不同道德文明交流中妥善处理异同关系，以促进人类道德文明的发展。

## 二、关于中国传统德育内容的研究

在欧美国家，汉学是一个包括政治、文化、道德、宗教、教育、法制等领域的综合学科，而关乎中国传统道德文明、道德教育的研究多杂糅于相关研究之中。因而，了解欧美汉学关于中国传统德育思想的研究，最好的方式是通过其对中华传统文化（比如儒学）的研究予以归纳。比如，“德国把儒学研究纳入 Sinology（汉学）中，波鸿大学（Ruhr-Universität Bochum）东亚研究学院汉学系、慕尼黑大学（Ludwig Maximilians-Universität München）汉学研究所、科隆大学（Universitä tzuKöln）哲学系

① 莱布尼茨．中国近事：为了照亮我们这个时代的历史［M］．梅谦立，杨保筠，译．郑州：大象出版社，2005：6.

② 张西平，李雪涛．西方汉学十六讲［M］．北京：外语教学与研究出版社，2011：191－192.

等均有儒学研究团队”[1]；法国法兰西学院专门设置“汉语及满语的语言和文献讲座”；美国波士顿神学院院长南乐山发起的查尔斯河南岸的“荀子的儒家”流派，以及查尔斯河北岸的以杜维明等人为首的“孟子的儒家”流派等。西方汉学家以不同的研究范式对中国传统道德文明进行了深入系统的研究。这里，我们仅以美、英、法、俄汉学家对中国传统道德与德育思想的研究概括，作一初步介绍。

### （一）美国汉学家关于中国传统德育内容的研究

美国汉学家关于中国传统德育内容的研究，主要集中在儒家伦理思想及其政治教化意义方面。著名汉学家费正清（John King Fairbank）认为，中国传统社会在政治上是高度集中的集权政治和与之相适应的官僚体制，儒家思想则是这种体制的思想理论纲领。儒家伦理观念赋予君、臣、父、子各自不同的角色定位，秩序森严，不可逾越，形成了等级明显的政治伦理。“中国历代王朝实现集权统治的重要手段是由皇帝亲自任命下至县官的所有官吏。这就使所有官吏都体会到他们都要仰赖天子皇恩，负有向他个人效忠的义务。这种层递和环环相扣的行政运作，在中国长期沿袭不变，使集权制维系着金字塔的恒式构架，因而儒家思想的伦理准则事实上就已对中国社会稳定不变问题提供了一项伟大的历史答案。”[2]

另一位汉学家倪德卫（David S. Nivison）在论述中国封建王朝的正当性时指出，每个朝代的建立都得到了中国人所说的“天”的同意。“王朝的缔造者在上天看来，就是统治天下和爱护子民的最佳人选，他比任何人都更具有‘德’的品质。王朝缔造者的‘德’就是整个王朝的德,代代相传，

---

① 赵展．近年德国儒学发展及活动概况［C］∥颜炳罡，李琳．国际儒学发展报告(2016-2017). 济南：山东友谊出版社，2019：244 － 255.

② 陈宇．费正清中国研究的文化视角［J］．福建师范大学学报（哲学社会科学版），1999 (4)：126 － 130.

直到王朝灭亡时为止。最后一位统治者在耗尽王朝残余之‘德’后，上天会发现具有‘德’之品质的新典范，并赐予其缔造新王朝的神圣‘天命’。唐纳德 · 蒙罗（Donald J. Munro）认为，儒家的‘自我’是一种克制自我或失去自我的人格，‘无我的人格总是心甘情愿地把他自己的，或他所属的某个小群体（如一个村庄）的利益服从于一个更大的社会群体的利益’。”[①]在他看来，儒家在道德上努力的目标就是灭绝个体性。

安乐哲（Roger T. Ames）提出，“儒家并不主张将所有人的思想完全集中于国家利益和君主意志，因为在儒家传统中，齐家是治国的基础，等差之爱将家庭关系与家庭教育置于首要地位，礼义观念强调的是个人的直接参与和仁的具体表现，而不是一般的法则和普遍的意志。”[②]

“儒家强调以特定的方式尊重人，承担个人责任和互相支持，这对现代人权的法条主义解释方式具有补充作用。”[③]狄百瑞对儒家学者有很高的评价，“中国之所以能够为世界文明做出贡献，就是因为有这样一批饱经忧患、自强不息学者”的主动担当。[④]在一个以善为行为准则的国度，人与人之间的关系是和睦友好、与人为善的，这一思想可以补充西方思想的某些缺漏。

哈佛大学教授杜维明开展了一项长达十年之久的研究，旨在探讨儒家道德伦理与东亚现代化的关系。他主编的《东亚现代性中的儒家传统》（哈佛大学出版社，1996 年）收录了一些重要成果，比如芝加哥大学社会学系爱德华 · 希尔斯（Edward Shils）认为，儒家信奉读了圣人之书的知识分子

---

① 施忠连 . 美国对儒学的新认识［J］. 社会科学，1997 (8)：28 – 32.

② 施忠连 . 近十年美国儒学研究之进展［M］// 上海中西哲学与文化比较研究会 . 中西文化与 20 世纪中国哲学 . 上海：学林出版社，1998：227 – 241.

③ 邓琳 . 中国文明的价值：美国汉学家狄百瑞论“新儒学”［J］. 国际汉学，2021 (3)：11 – 15 + 203.

④ DE BARY W T. Confucian Tradition and Global Education［M］.New York: Columbia University Press, 2007：110.

有责任在道德和知识上指导统治者，使其行为合乎礼与道德要求。为防止官吏追求一己私利或帮助君主为非作歹，孔孟为他们制定了终生修身养性、己所不欲勿施于人的道德准则，如果统治者不听从劝告，则士人应该辞官以明志。①

美国汉学界一度对孔子思想的核心产生分歧。一种观点认为，孔子道德思想体系中的最高范畴是仁，礼是仁在现实社会中实现道德目的的途径，因此将之归为孔子的人道主义思想；另一种观点则认为，用以维护宗法等级制度的礼才是孔子思想的核心，礼规定了包括仁在内的一切道德准则，并据此将孔子归入保守思想家行列。两派各执己见，互不相让。加州大学伯克利分校学者舜广洛（Kwong-loi Shun）试图通过内容与形式的辩证关系来解决这一难题，努力将二者有机联结为一体。

美国学者利文森（Joseph Levenson，1920—1969）在《儒教中国及其现代的命运》一书中，阐述了他对儒家学说的认识："将中国漫长的历史年代划分为'传统'与'近代'两大阶段，前者是指公元前 3 世纪直至 19 世纪初，中国处于一种以儒家道德学说为准则建立起来的体制之中，是一种和谐和平衡的状态；后者是指 19 世纪西方文明对中国产生系统影响之后，他认为这两者是截然不同的两个阶段，儒家的人文主义只能造成一种固定的、静态的世界秩序，与为科学理性所支配的现代社会格格不入。根本性的变化不可能从中国社会结构自身中产生，只能源于外界的刺激。"② 这种看法将儒家道德文化看成是中国从传统社会向现代社会过渡的障碍，片面强调了儒家道德秩序对社会的影响，没有看到儒家道德文化中的现代因子，因而是偏颇的。

著名汉学家卫三畏（Samuel Wells Williams，1812—1884）对儒家传统

① 施忠连．近十年美国儒学研究之进展［M］//上海中西哲学与文化比较研究会．中西文化与 20 世纪中国哲学．上海：学林出版社，1998：15.

② 张西平，李雪涛．西方汉学十六讲［M］．北京：外语教学与研究出版社，2011：387.

道德教育中的思想精髓礼与仁有比较深刻的认识，认为“儒家道德文化中的一个很大的特点是对尊长的服从，以及温和正直地与同辈人交往。这在现实世界中形成一种约束力。从子女对父母的责任、荣誉和服从出发，儒家道德学说进而向人们灌输妻子对丈夫、臣民对君主、大臣对国王的责任，以及其他社会责任”。[①]这种道德传统对中国人的内心文化与心理结构产生了深远且持久的影响，这也是儒家传统道德文化与其他民族文化区别的重要标志。

### （二）英国汉学家关于中国传统德育内容的研究

英国汉学家关于中国传统德育内容的研究，主要集中于对中国传统道德规范与道德教育的哲学探究。葛瑞汉（Angus Graham）曾对孟子的人性论及其教育意蕴进行了哲学探讨，并赋予其事实性和规范性双重范畴。他认为，“人性既是一个事物自然发展的方式，又是一个事物应该有的发展方式，人性善既是对人性天然状态的事实性描述，又是依据一定的价值标准对人性展开过程的规范。”[②]这种讨论包含了对自然与人为、自发性与道德规范等关系的讨论。艾琳 · 布鲁姆也认为 ：“孟子的人性论是对性善论的揭示，这是人性中相同的、共性的地方，孟子以‘人皆有不忍人之心’来反驳‘性可以为善，可以为不善’及‘有性善，有性不善’（《孟子 · 告子上》）两种观点。”[③]孟子的主张是对人性之道德倾向的深刻阐释。这也证明了孟子对人性的道德禀赋的肯定 ：“人之有是四端也，犹其有四体也。”（《孟子 · 公孙丑上》）这表明，人性中的道德萌芽像外在的肢体一样实在和坚强。[④]

英国汉学家胡司德通过中国古人对待食物的态度，对“礼仪”之教进

---

① 张西平，李雪涛 . 西方汉学十六讲［M］. 北京 : 外语教学与研究出版社，2011 : 392.

② 施忠连 . 美国对儒学的新认识［J］. 社会科学，1997 (8) : 31.

③ 同 ② 32.

④ 艾琳 · 布鲁姆 . 孟子关于人性之辩［J］. 东西方哲学，1994 (1) : 32.

行了探讨，认为宴飨是评判人的道德品质、展示社交技巧与政治手段的重要场所。古人举行宴飨是为了考察客人的品行，判断其未来的祸福吉凶。如果拒绝或不参加与自己身份地位不符合的宴会，便能反映出君子的个人修养和外交才能。宴飨的实质其实就是礼。良好的餐桌礼仪还有尊敬长者、培养孝道之用。在丧祭礼仪中，斋戒可以向公众展示一个人的道德修养。斋戒期间应当主要食流食；禁食肉表明了礼仪的纯洁和对道德的忠诚；在许多礼仪、斋戒以及尤为重要的服丧期间，食肉要被减少到最低限度；但这亦非绝对观念，如果服丧者生病，那么就可以饮酒食肉。[①] 这也是中国传统德育中的以人为本及仁爱思想的体现。英国汉学家胡司德认为，一个施行仁政的国家，必然要为老者、弱者提供肉食和酒；在关于仁政的一些理想化的规定中，也包含了分享祭肉这种仁慈宽爱的行为，并以仪礼的形式反映出来。[②]

英国汉学家艾约瑟在研究“孟子批墨”这段文言经典时指出，兼爱与孝亲并不矛盾，只是墨子的目标是超越血缘的局限，将爱作为一种普遍原则而推广。墨子提倡兼爱，强调的是范围，即要对所有人平等，所以兼爱比儒家仁爱更切实可行，理应得到弘扬。1861 年，英国来华传教士理雅各（James Legge，1815 — 1897）在其英译本《孟子》中详细阐述了墨子的人格思想，将《兼爱》上中下三篇译为英文，以比较兼爱与博爱之异同，对墨子无差别之爱的兼爱思想钟爱有加。“在 1860 年代前后，来华传教士跳出‘仁爱’的局限，开始摆脱儒家道德思想的藩篱而关注到兼爱的平等、普遍内涵，开启了‘儒抑墨扬’之儒墨关系研究新范式。”[③] 理雅各认为，

---

① 胡司德．早期中国的食物、祭祀和圣贤［M］．刘丰，译．杭州：浙江大学出版社，2018：33 － 40.

② 同①31.

③ 褚丽娟．从清末来华传教士“发现兼爱”谈儒墨关系的演变及启示［J］．贵州社会科学，2017 (3)：69 － 75.

儒家的孝道是一种祖先崇拜，孝道是儒教的教导，应得到称许；基督教十诫的第五条“honor thy father and thy mother”之精神与儒教观点相一致；只不过基督教讲的是支持（support），儒家讲的是荣耀（honor），后者在人生觉悟上要高一些，且显得健康而真实。[①] 英国汉学家对中国传统儒家孝道之教的论述，体现了儒家道德精神及教育价值的某种世界范围的影响。

### （三）俄罗斯汉学家关于中国传统德育内容的研究

俄罗斯汉学家侧重于对儒家经典中蕴含的道德精神予以探讨。俄罗斯汉学家阿列克谢耶夫在译介《聊斋志异》时指出：“宗法是中国的主要美德，许多宗教式的敬老（孝）的例子丰富了聊斋故事，它是全部儒家道德的基础，它既规定了家庭制度，也规定了社会制度，因为孝也延伸到对最大家庭的父亲——国君的尊敬。”[②] 他在 1907 年中国之行的日记中，对儒家道德的孝道基础及其对家庭和国家秩序的作用作了比较系统、准确的阐释。他认为，中国的教师一定程度上有父亲的影子，传统教育中有严格的尊师重道的习俗，这在某种程度上也是对“孝”这一传统道德的发扬，“一日为师终身为父”的观念不断得以传承。

俄罗斯汉学家比丘林翻译了“四书”等儒家经典和《三字经》等蒙学读物。在其 1829 年翻译的《三字经》中，为准确传达原文的意涵，力争使译文在形式上最大程度接近原文，采用三个俄语实词来对应翻译《三字经》，以呈现汉语文本之思想凝练、寓意深刻的特点。“该译作还做了百余条注释，努力发掘并解释原文中蕴含的中国传统道德教育思想。他认为，《三字经》不仅体现了中国的历史发展进程，还宣扬了中国的哲学及道德思想

① 岳峰．架设东西方的桥梁：英国汉学家理雅各研究［D］．福州：福建师范大学，2003：77.

② 李逸津．阿列克谢耶夫俄译《聊斋志异》对中国民间信仰与崇拜的介绍和阐释［J］．东北亚外语研究，2013 (2)：30 － 36.

精髓。此书也成为恰克图汉语学校、喀山大学和圣彼得堡大学的教科书。”[①] 比丘林与同时代的俄国文化精英确立并保持着良好的个人和学术交往，尤其是与普希金的交往一度传为文坛佳话。普希金正是在与比丘林的交往中了解了中国并激发了前往中国的愿望。法国汉学家儒莲尊比丘林为“欧洲最权威的汉学家之一”。比丘林的译作也成为俄国侨民了解中国文化的重要读本。

在俄罗斯，相关学术机构对中国传统道德教育的研究也较为深入。自1724年圣彼得堡科学院成立开始，俄罗斯就对中国传统文化有关的手稿、书籍进行有针对性的收集研究，之后的两百多年间恰克图汉语学校、喀山大学、圣彼得堡大学、海参崴东方学院等都在中国传统文化与教育研究方面做了大量卓有成效的工作。1934年俄罗斯科学院东方学研究所中国室成立，“该室开展了中国文化普适性的大规模研究，在由古至今的历史背景之下，注重中国文化普适性在世界发展和与他种文明的相互影响中的演进过程，分析中国文化中独特而重要的范畴‘德’的内涵，认为‘德’与‘道’这一对范畴是整个远东地区历史形态的基础。”[②] 东方学研究所对儒家文化的思想体系、社会价值研究颇深，运用历史主义立场对新儒家思想的一些重要范畴作了分析研究，对明清时期新儒家思想的发展、世界各国对新儒家哲学的评价作了探讨，出版了俄译中国典籍和研究著作，如《大学》俄译本、专著《中国新儒家哲学》《19世纪、20世纪之交的儒家思想与欧洲思想：政治与伦理问题》等。这些著述在研究成果、规模和质量等方面都引起了学界的极大兴趣，也奠定了俄罗斯汉学大国的地位。

---

① 崔佳雯．中俄文化交流的使者：汉学大师比丘林［J］．读与写（教育教学刊），2014（3）：8－9．

② 张西平，李雪涛．西方汉学十六讲［M］．北京：外语教学与研究出版社，2011：370－371．

### （四）法国汉学家关于中国传统德育内容的研究

拉摩特·勒瓦耶（La Mothe Le Vayer）被称为欧洲第一位研究孔子的汉学家，1641 年出版的《论异教徒的美德》在欧洲引起巨大反响，并被迅速翻译为多国文字传播至欧洲各地，他在书中专门研究了儒家的道德观念，将孔子称为中国的苏格拉底。他认为，“孔子给中国带来了道德、政治和宗教的稳定局面，只有赋予儒教和孔子本人被中国人所给予的那种尊崇和景仰，才能达到使中国人皈依基督教的目的。孔子与苏格拉底是两大文化体系中举足轻重的人物，特别是由于孔子与苏格拉底一样都使伦理道德具有了威望，所以人们完全可以把孔子看作东方的苏格拉底。”[①] 从中国传统道德教育的家庭、社会功能看，拉摩特·勒瓦耶的观点无疑是解决当时法国社会动荡不安的一剂良药。

法国汉学家汪德迈（Leon Vandermeersch）对儒家礼仪观及礼治主义思想作了探讨。他在翔实剖析儒家礼仪观基础上指出，儒家伦理及其教育的基础是礼仪而非宗教。“在古代中国，宗教仪式被精心地、有意识地、智慧地同其他宗教基础分离开来，经过改头换面而系统地用于日常行为，礼仪便是为保证个体行为顺应自然法则而设的形式系统。礼仪的目的不是达到某种目的或目标，而是寻求个体行为之间以及个体行为与自然界万事万物的生息机制的合一，即形式的和谐。”[②] 他认为，“儒家的礼治主义与西方的法制传统显然是对立的，但是事实上，在汉文化圈国家，虽然建立起了一套必需的法律机制，但礼治精神并没有消散，与其说礼仪处于一种边缘的位置，毋宁说它在深层结构中起作用，在那些为制度所规定的异常有生命力的日常习俗中起作用，无论是自由政体还是社会主义国家，社会

---

① 张西平，李雪涛．西方汉学十六讲［M］．北京：外语教学与研究出版社，2011：191－192.

② 汪德迈．新汉文化圈［M］．陈彦，译．南昌：江西人民出版社，1993：122.

生活都同样地十分礼仪化。”[1] 汪德迈特别强调这样一种观点：“在中国，自由的概念是无法得到确切的表述的，因为自由思想是典型的个人主义，群体主义的心态无法予以阐明。自由的全部含义只能在法制而不是礼教传统中得到体现。”[2] 但他又指出，“礼治主义中‘自然’的概念起着与‘自由’同样的作用，在礼治主义中还有另外一个概念起着自由在法制主义中同样的作用，这即是‘自发’（中文称自然）。自发同礼教规则不可分，就如同自由概念与法的概念不可分一样。这个‘自然’（自发）就是事物本质的动力，这是由礼仪的性质决定的。”[3] 汪德迈还对中国儒家传统经典“五经”及其核心要义——“礼”进行了专门研究，阐述了“礼”在维系社会秩序、调节社会矛盾方面的功能。

## 三、关于中国传统德育思想影响的研究

由于政治经济文化等多方面的差异，中国传统德育思想在欧美国家的影响与东亚国家相比有较大不同，“美国有不少杰出的儒家思想学者，确信儒学传统既是一种学术的探讨，也是一种个人一体化的形式”。[4] 我们拟从学术与实践两个维度对欧美关于中国传统德育思想影响的研究予以初步概括。

### （一）拓展了道德教育学术研究的领域

随着中欧美道德文化交流的深入，欧美国家陆续出现一系列研究中国

① 汪德迈 . 新汉文化圈［M］. 陈彦，译 . 南昌：江西人民出版社，1993：126.

② 同① 128.

③ 同① 129.

④ 杜维明 . 与部长们的谈话［M］//杜维明 . 杜维明文集：第 2 卷 . 武汉：武汉出版社，2002：202.

传统德育思想的机构、期刊及知名学者，推动了欧美关于中国传统德育思想的研究。许多研究机构，如欧洲汉学学会、美国哈佛大学汉学研究中心、波士顿儒学中心，德国儒学学会、慕尼黑大学汉学系、不来梅中国学院[①]，法国汉学研究所、法国国立东方语言文学学院、巴黎第八大学汉学综合研究所等，都对中国传统道德及教育主题予以不同角度的探讨；一些知名期刊，如欧洲汉学学会出版的《欧洲汉学研究时讯》，欧洲汉学研究会出版的《欧洲汉学研究纵览》，汉堡亚洲文化研究院主办的《当代中国》，圣奥古斯丁中国中心所出版的《今日中国、中国宗教和基督宗教的消息》，波恩大学主办的《袖珍汉学》，美国夏威夷大学世界儒学联合会创办的《东西方哲学》及《中国书评》等，辟专栏推出中国传统道德与教育的相关成果。一些著名汉学家在研究、宣传中国传统道德与教育思想方面发挥了积极作用。比如杜赫德（Jean-Baptiste Du Halde，1674—1743），尽管从未到过中国，甚至也不认识汉字，但他通过入华耶稣会士寄回的大量著述、译作和信件等珍贵的文献资料，编撰了在海外汉学界具有广泛影响的《中华帝国全志》，该书被欧美学界视为 18 世纪全面论述中国最重要和最具影响的著作。马克斯·韦伯（Max Weber）认为儒家德育思想可以培育适应社会规则与秩序的民众，“儒教纯粹是俗世内部的一种俗人道德……儒教所要求的是对俗世及其秩序与习俗的适应，归根结底，它只不过是为受过教育的世人确立政治准则与社会礼仪的一部大法典”。[②] 韦伯从宗教与社会学视角，在肯定儒家思想的伦理属性及其在政治与社会生活领域所具有的德育价值的同时，指出了中西德育模式的某些区别。[③] 约瑟夫 · 列文森在其《儒教中国及其现代命运》中指出，随着 20

① 魏思齐 . 德国汉学研究的历史与现况［J］. 世界汉学，2006 (1)：37 － 66.

② 马克斯 · 韦伯 . 儒教与道教［M］. 洪天富，译 . 南京：江苏人民出版社，2005：125 － 126.

③ 魏冰娥 . 儒家德育的普世品质与实践模式［J］. 深圳大学学报（人文社会科学版），2018 (4)：12 － 21.

世纪 70 年代前后亚洲“四小龙”的崛起，儒家道德思想的时代价值开始引起西方国家的重新审视，“对儒家思想的兴趣和他们对道德教育、对在更大的社会集团里达成一致意见的可能性的兴趣互相联系着”。① 杜维明先生指出：“如果要想重建人文精神，必须从人类根本性处下手，才能引发真诚做人的源头活水。狄百瑞相信儒学在这方面可以提供一个很好的线索。因此，讲中国的特别是儒家的自由传统，既能点出宋明大儒建立人格独立的终极关切，又能提醒西方自由人士正视道德修养的庄严意义。”② 儒家德育思想中重视人文道德修养的传统，可为美国的自由教育提供普遍性的借鉴。这些研究在对西方学术研究方向和范围产生深远影响的同时，也有力地推动了中华文化的海外传播，促进了世界文明的交流融合。

### （二）推动了道德教育实践的变革

众所周知，西方文化传统与中国文化传统存在很多差异，但这并未影响中国传统德育思想之于欧美社会的历史影响。中国传统德育思想与德育智慧已逐渐成为联结中西文化交流的重要中介。1696 年，法国传教士李明在其《关于中国目前状况的新观察报告》中指出：“孔子的顺世随俗而不失庄重和美的态度，其严格的禁欲生活、轻视人世的富贵，尤其是在古圣贤中所罕见的物质——即他的礼让与谦卑，使孔子成为由理性所训练成功之纯粹的哲学家。”③ 在当时神学文化一统天下的格局之下，传教士公开赞扬一种异文化，无疑是对神学信仰的动摇。这表明中国文化曾经作为一种与欧洲中世纪神学统治不相同的文化，参与了冲决欧洲封建秩序的斗争，

---

① 杜维明．儒家思想的核心价值［M］// 杜维明．杜维明文集：第 2 卷．武汉：武汉出版社，2002：26.

② 杜维明．儒学在美国的初机［M］// 杜维明．杜维明文集：第 1 卷．武汉．武汉出版社，2002：511.

③ 严绍（汤玉）．从欧美近代文化的形成看中国文化的价值［J］．民主与科学，1992（1）：43 － 46.

并在尔后形成的西方近代文化中留下了思想的光辉。在美国建国之初，众多开国元勋为了在美国建立“新美德”，曾大范围借鉴推广儒家德育思想，有研究表明：“美国精神的创立者本杰明 · 富兰克林（Benjamin Franklin，1706—1790）曾庄严声明，儒家道德哲学对全人类大有价值；《独立宣言》主要起草人托马斯 · 杰斐逊（Thomas Jefferson，1743—1826）在 1801 年总统就职演说中，大力倡导儒家道德原则。”① 唐君毅指出：“儒家德育思想与欧美德育思想的文化母体有差别，中国文化是重德文化，西方文化是重智重科学之文化。”② 中国传统德育思想重视对人的情理合一的培养，欧美的重智德育注重对技能的培养，韦伯就曾将德国的教育目标主要限定为传授专门化的知识。然而，“德育本身，也是要情与智的培养并重，两者如车之两轮，缺一不可，否则德育之车亦难以前进”。③ 因而，欧美德育从儒家德育思想中引入“情”的教育作为补充，美国德育的发展历程可以证明这一点。20 世纪以前，美国德育都是基于基督教信仰的品性教育模式。这一模式通过对上帝的信仰情感，教导儿童成为服膺“光荣上帝”的人。直到杜威的进步主义教育思想出现后，人们才开始对上述权威主义德育提出批评。哈桑等人的实证研究也表明，品性教育对孩童在实际生活中诚实和利他主义水平的提高及内化并无明显效果。④ 道德在一定程度上失去了客观标准，成为只具有客观相对意义的个人主观情感的反映。尤其是 20 世纪 60 年代美国出现了嬉皮式青年现象，青年人举止随意，缺乏责任心和合作

---

① 王小良 . 孔子与美国建国：美国开国元勋以儒家道德哲学建立新美德的努力［J］. 管永前，郭玉红，余倩虹，译 . 国际汉学，2018 (3)：113－121.

② 唐君毅 . 人文精神之重建［M］//唐君毅 . 唐君毅全集：卷 5. 台北：台湾学生书局，1991：89－110.

③ 刘国强 . 全球化中儒家德育的资源［M］. 台北：台湾学生书局，2011：157.

④ MAY M A. Studies in the nature of character［M］. New York: Macmillan; Kohlberg. L. & Turiel. E., 1971 : 410－465.

意识，被认为是这一阶段道德教育失效的结果。[①] 儒家德育思想强调家国情怀，重视以情感为基础培养学生的道德情操，并且始终将道德主体置于真实的道德情境之中，这在一定程度上对美国从重智慧为主向后来以情智双修为重的德育实践转变，产生了积极影响。

如前所述，中西方文明形态旨趣相异。中国传统思想与西方历史是异质文化的两种不同文明："不管是文明的什么组成部分——民族或文化特征——只要已进入中国，它们就都并入具有中国特色的生活方式，受其土地和土地利用方式的哺育、制约与限制。"[②] 中西之间的和谐相处需要以相互谅解为基础，但谅解又须以理解对方的风俗、思想及自我表现方式为基础。包括中国传统德育思想在内的中国传统文化与西方文化具有质的不同，这也导致了欧美汉学家在中国传统德育研究方面存在的难以克服的不足与缺陷。比如，研究成果水平不一，研究内容比较琐碎，研究过程缺乏完整的历史观等。这些问题，都需要在中西文明深入交流互鉴过程中不断得以系统探讨与解决。

---

① 魏冰娥.儒家德育的普世品质与实践模式[J].深圳大学学报(人文社会科学版),2018(4):12－21.

② 王颖慧.费正清中国史观论析[D].吉林:北华大学,2008(4):18.

# 主要参考文献

## 一、中文文献


[1] 白志刚，刘波，尤国珍，等．国际视野下的公民道德建设研究［M］．北京：知识产权出版社，2015.

[2] 北村泽吉．儒学概论［M］．太原：山西人民出版社，2015.

[3] 毕诚．儒学的转折：阳明学派教育思想研究［M］．北京：教育科学出版社，1992.

[4] 边慧民，边懿．中国传统“践行”德育思想研究［M］．北京：中国人民公安大学出版社，2018.

[5] 边慧民，孙玉杰．朱熹“力行”德育思想及其现代价值［M］．济南：山东大学出版社，2010.

[6] 滨田耕作．东亚文化之黎明［M］．汪馥泉，译．太原：山西人民出版社，2015.

[7] 蔡方鹿，等．新视野 新诠释：朱熹思想与当代社会（上）［M］．成都：四川大学出版社，2007.

[8] 蔡元培．中国伦理学史［M］．北京：中国画报出版社，2010.

[9] 曾长秋，周含华．中国德育通史简编［M］．长沙：湖南人民出版社，2011.

[10] 陈德安．中国道家道教教育思想史［M］．北京：社会科学文献出版社，2008.

[11] 陈东原．中国教育史［M］．福州：福建教育出版社，2009.

[12] 陈谷嘉，朱汉民．中国德育思想研究［M］．杭州：浙江教育出版社，1998.

[13] 陈国代，姚进生，张品端．大教育家朱熹：朱熹的教育历程与思想研究［M］．北京：中国社会科学出版社，2010.

[14] 陈景磐．孔子的教育思想［M］．武汉：湖北人民出版社，1957.

[15] 陈来．儒学美德论［M］．北京：生活・读书・新知三联书店，2019.

[16] 陈青之．中国教育史［M］．福州：福建教育出版社，2009.

[17] 陈水胜，李伟群．海外华文教育研究报告（2018）［M］．北京：社会科学文献出版社，2019.

[18] 陈学恂 . 中国教育史研究（明清卷）[M]. 上海：华东师范大学出版社，2009.

[19] 陈瑛，温克勤，等 . 中国伦理思想史 [M]. 贵阳：贵州人民出版社，1985.

[20] 崔华前 . 先秦诸子德育方法思想研究 [M]. 北京：中国社会科学出版社，2008.

[21] 崔宜明，王正平，郁振华，等 . 中国传统哲学与教育[M]. 上海：上海教育出版社，1995.

[22] 岛田虔次 . 中国近代思维的挫折 [M]. 甘万萍，译 . 南京：江苏人民出版社，2010.

[23] 杜时忠，等 . 德育研究 [M]. 福州：福建教育出版社，2019.

[24] 杜维明 . 杜维明文集 [M] 武汉：武汉出版社，2002.

[25] 杜赞奇 . 从民族国家拯救历史：民族主义话语与中国现代史研究[M]. 王宪明，等，译 . 南京：江苏人民出版社，2009.

[26] 樊建武 . 先秦道家德育思想探微 [M]. 徐州：中国矿业大学出版社，2014.

[27] 方东美 . 原始儒家道家哲学 [M]. 北京：中华书局，2012.

[28] 方光华，曹振明 . 张载思想研究 [M]. 西安：西北大学出版社，2014.

[29] 费正清 . 美国与中国 [M]. 北京：商务印书馆，1987.

[30] 费正清 . 中国传统与变迁 [M]. 北京：世界知识出版社，2001.

[31] 冯友兰 . 中国哲学史 [M]. 北京：中华书局，2014.

[32] 冯增俊，王学风，马建国，等 . 亚洲“四小龙”学校德育研究 [M]. 福州：福建教育出版社，1998.

[33] 郭齐家，顾春 . 陆九渊教育思想研究 [M]. 南昌：江西教育出版社，1996.

[34] 郭齐家 . 中国教育思想史 [M]. 北京：教育科学出版社，1987.

[35] 郭齐勇 . 中国文化精神的特质 [M]. 北京：生活・读书・新知三联书店，2018.

[36] 韩愈 . 韩愈文集汇校笺注[M]. 北京：中华书局，2017.

[37] 何培忠 . 当代国外中国学研究 [M]. 北京：商务印书馆，2006.

[38] 侯怀银 . 德育传统的当代价值 [M]. 武汉：湖北教育出版社，1996.

[39] 胡厚福 . 德育学原理 [M]. 北京：北京师范大学出版社，1997.

[40] 胡适 . 中国古代哲学史 [M]. 南京：江苏文艺出版社，2013.

[41] 胡司德 . 早期中国的食物、祭祀和圣贤 [M]. 刘丰，译 . 杭州：浙江大学出版社，2018.

[42] 黄济 . 教育哲学通论 [M]. 太原：山西教育出版社，2005.

[43] 黄明喜，于述胜 . 中国教育哲学史：第 2 卷 [M]. 济南：山东教育出版社，2000.

[44] 黄绍箕，柳诒徵 . 中国教育史 [M]. 福州：福建教育出版社，2011.

[45] 黄钊 . 儒家德育学说论纲 [M]. 武汉：武汉大学出版社，2006.

[46] 黄钊 . 中国古代德育思想史论（下）[M]. 北京：中国社会科学出版社，2011.

[47] 江万秀，李春秋 . 中国德育思想史 [M]. 长沙：湖南教育出版社，1992.

[48] 姜琦 . 德育原理 [M]. 重庆：柏庵书屋，1944.

[ 49 ] 蒋拙诚 . 道德教育论［ M ］. 上海 : 商务印书馆 , 1920.
[ 50 ] 堺屋太一 . 知识价值革命［ M ］. 黄晓勇 , 等译 . 北京 : 生活·读书·新知三联书店 , 1987.
[ 51 ] 李萍 . 东方伦理思想简史［ M ］. 北京 : 中国人民大学出版社 , 1998.
[ 52 ] 李绍崑 . 墨子 : 伟大的教育家［ M ］. 长沙 : 湖南教育出版社 , 1985.
[ 53 ] 梁忠义 . 日本教育［ M ］. 长春 : 吉林教育出版社 , 2000.
[ 54 ] 莱布尼茨 . 中国近事 : 为了照亮我们这个时代的历史［ M ］. 梅谦立 , 杨保筠 , 译 . 郑州 : 大象出版社 , 2005.
[ 55 ] 蓝莉 . 请中国作证 : 杜赫德的《中华帝国全志》[ M ］. 徐明龙 , 译 . 北京 : 商务印书馆 , 2015.
[ 56 ] 林毓生 . 中国传统的创造性转化［ M ］. 北京 : 生活 · 读书 · 新知三联书店 , 1988.
[ 57 ] 刘国强 . 全球化中儒家德育的资源［ M ］. 台北 : 台湾学生书局 , 2011.
[ 58 ] 楼宇烈 . 中国文化根本精神［ M ］. 北京 : 中华书局 , 2016.
[ 59 ] 罗炽 , 简定玉 , 李太平 , 等 . 中国德育思想史纲［ M ］. 武汉 : 湖北教育出版社 , 1998.
[ 60 ] 罗国杰 , 甘葆露 . 中国伦理学百科全书 ( 德育伦理学卷 )［ M ］. 长春 : 吉林人民出版社 , 1993.
[ 61 ] 罗国杰 , 张岂之 . 东方伦理道德与青少年教育［ M ］. 上海 : 上海教育出版社 , 1994.
[ 62 ] 罗国杰 . 中国伦理思想史［ M ］. 北京 : 中国人民大学出版社 , 2008.
[ 63 ] 罗荣渠 . 现代化新论 : 世界与中国的现代化进程［ M ］. 北京 : 商务印书馆 , 2003.
[ 64 ] 马克斯 · 韦伯 . 儒教与道教［ M ］. 洪天富 , 译 . 南京 : 江苏人民出版社 , 2005.
[ 65 ] 毛礼锐 , 瞿菊农 , 邵鹤亭 . 中国古代教育史［ M ］. 北京 : 人民教育出版社 , 1979.
[ 66 ] 毛礼锐 , 沈灌群 . 中国教育通史［ M ］. 济南 : 山东教育出版社 , 1987.
[ 67 ] 潘富恩 , 徐余庆 . 程颢程颐理学思想研究［ M ］. 上海 : 复旦大学出版社 , 1988.
[ 68 ] 钱穆 . 宋明理学概述［ M ］. 北京 : 九州出版社 , 2010.
[ 69 ] 邱椿 . 古代教育思想论丛 ( 中 )［ M ］. 北京 : 北京师范大学出版社 , 1985.
[ 70 ] 沈善洪 , 王凤贤 . 中国伦理学说史 ( 下 )［ M ］. 杭州 : 浙江人民出版社 , 1985.
[ 71 ] 史景迁 . 改变中国 : 在中国的西方顾问 [ M ］. 温洽溢 , 译 . 桂林 : 广西师范大学出版社 , 2014.
[ 72 ] 宋五好 . 中国人伦德育思想变迁研究［ M ］. 西安 : 陕西师范大学出版总社 , 2015.
[ 73 ] 孙培青 . 中国教育简史［ M ］. 北京 : 中国人民大学出版社 , 2021.
[ 74 ] 孙培青 . 中国历史上的育德·中国教育家和教育思想研究［ M ］. 上海 : 上海教育出版社, 2023.
[ 75 ] 孙少平 . 新中国德育 50 年［ M ］. 福州 : 福建教育出版社 , 2002.
[ 76 ] 孙迎光 . 传承与超越 : 儒家德育思想与现代学校德育［ M ］. 北京 : 人民出版社 , 2002.

[77] 孙中原 . 墨学与现代文化［M］. 北京：中国广播电视出版社，1998.
[78] 檀传宝，王啸 . 中外德育思想流派［M］. 北京：人民教育出版社，2015.
[79] 唐君毅 . 唐君毅全集（卷五）［M］. 台北：台湾学生书局，1991.
[80] 唐君毅 . 中华人文与当今世界［M］. 桂林：广西师范大学出版社，2005.
[81] 涂爱荣 . 宋明理学家德育方法思想研究［M］. 武汉：湖北人民出版社，2007.
[82] 瓦·米·阿列克谢耶夫 .1907 年中国纪行［M］. 阎国栋，译 . 昆明：云南人民出版社，2001.
[83] 丸山真男 . 日本政治思想史研究［M］. 王中江，译 . 北京：生活·读书·新知三联书店，2000.
[84] 汪德迈 . 新汉文化圈［M］. 陈彦，译 . 南昌：江西人民出版社，1993.
[85] 汪凤炎 . 中国传统德育心理学思想及其现代意义［M］. 哈尔滨：黑龙江教育出版社，2002.
[86] 王凤喈 . 中国教育史［M］. 福州：福建教育出版社，2011.
[87] 王啸 . 中国传统德育与德育现代化［M］. 北京：教育科学出版社，2012.
[88] 王学风 . 多元文化社会的学校德育研究：以新加坡为个案［M］. 广州：广东人民出版社，2005.
[89] 王泽应 . 为有源头活水来：中国优秀传统德育思想的开发与现代转化研究［M］. 北京：中国社会科学出版社，2004.
[90] 王泽应 . 自然与道德道家伦理道德精粹［M］. 长沙：湖南大学出版社，1999.
[91] 王正平，朱敏彦 . 善的智慧：中国传统道德论探微［M］. 上海：复旦大学出版社，1996.
[92] 王正平 . 中国传统道德论探微［M］. 上海：上海三联书店，2004.
[93] 吴从祥 . 王充经学思想研究［M］. 北京：中国社会科学出版社，2012.
[94] 五来欣造 . 儒教政治哲学［M］. 胡樸安，郑啸厓，译 . 太原：山西人民出版社，2015.
[95] 徐敏 . 王充哲学思想探索［M］. 北京：生活·读书·新知三联书店，1979.
[96] 许建良 . 先秦道家的道德世界［M］. 北京：中国社会科学出版社，2006.
[97] 燕国材 . 中国教育心理思想史［M］. 济南：山东教育出版社，2004.
[98] 杨启亮 . 道家教育的现代诠释［M］. 武汉：湖北教育出版社，1996.
[99] 叶飞 . 现代性视域下的儒家德育［M］. 北京：北京师范大学出版社，2011.
[100] 于钦波 . 中国德育思想史［M］. 长春：吉林教育出版社，1993.
[101] 于述胜，于建福 . 中国传统教育哲学［M］. 南京：江苏教育出版社，1996.
[102] 于述胜 . 朱熹与南宋思潮［M］. 济南：山东大学出版社，1996.
[103] 余家菊 . 孟子教育学说［M］. 上海：中华书局，1935.
[104] 余家菊 . 中国伦理思想［M］. 上海：商务印书馆，1946.

[105] 余文武 . 王阳明教育思想研究 [M]. 成都 : 西南交通大学出版社 , 2008.
[106] 宇野哲人 . 孔子 [M]. 陈彬苏 , 译 . 太原 : 山西人民出版社 , 2015.
[107] 张岱年 , 程宜山 . 中国文化精神 [M]. 北京 : 北京大学出版社 , 2015.
[108] 张岱年 , 方克立 . 中国文化概论 [M]. 北京 : 北京师范大学出版社 , 1993.
[109] 张岱年 . 中国伦理发展规律的初步研究 [M]. 北京 : 科学出版社 , 1957.
[110] 张岱年 . 伦理中国 : 中华六家道德学说精要 [M]. 北京 : 中国书籍出版社 , 2019.
[111] 张怀承 . 无我与涅槃 : 佛家伦理道德精粹 [M]. 长沙 : 湖南大学出版社 , 1999.
[112] 张君劢 . 新儒家思想史 [M]. 北京 : 人民出版社 , 2006.
[113] 张立文 . 朱熹评传 [M]. 南京 : 南京大学出版社 , 1998.
[114] 张鸣岐 . 董仲舒教育思想初探 [M]. 长春 : 吉林教育出版社 , 1988.
[115] 张世欣 . 道德教育的四大境界 : 中国古代德育学派的比较研究 [M]. 杭州 : 浙江教育出版社 , 2003.
[116] 张西平 , 李雪涛 . 西方汉学十六讲 [M]. 北京 : 外语教学与研究出版社 , 2011.
[117] 张锡生 . 中国德育思想史 [M]. 南京 : 江苏教育出版社 , 1993.
[118] 郑航 . 中国近代德育课程史 [M]. 北京 : 人民教育出版社 , 2004.
[119] 郑金洲 , 瞿葆奎 . 中国教育学百年 [M]. 北京 : 教育科学出版社 , 2002.
[120] 朱小蔓 , 金生鈜 . 道德教育评论 .2010 [M]. 北京 : 教育科学出版社 , 2011.
[121] 朱小蔓 . 道德教育论丛 : 第 2 卷 [M]. 南京 : 南京师范大学出版社 , 2002.
[122] 朱义禄 . 儒家理想人格与中国文化 [M]. 沈阳 : 辽宁教育出版社 , 1991.
[123] 中国社会科学院哲学研究所伦理学研究室 . 道德与道德教育 [M]. 上海 : 上海人民出版社 , 1981.
[124] 佐藤慎一 . 近代中国的知识分子与文明 [M]. 刘岳兵 , 译 . 南京 : 江苏人民出版社 , 2006.
[125] 柴文华 . 有关港台新儒家价值评判的几个问题 [J]. 求是学刊 , 2008 (6).
[126] 陈来 . 从道德的"抽象的继承"转向"创造的继承": 兼论诠释学视野中的文化传承问题 [J]. 文史哲 , 2017 (1).
[127] 陈景磐 . 论孔子的道德教育思想 [J]. 北京师范大学学报 , 1980 (4).
[128] 陈宇光 . 中国传统道德教育内容的核心概念及其特征浅说 [J]. 苏州教育学院学报 , 2000(4).
[129] 邓子纲 . 中国传统德育思想的现代演化 [J]. 湖南师范大学教育科学学报 , 2004 (4).
[130] 丁纯 . 论墨家思想的当代德育价值 [J]. 天府新论 , 2008 (2).
[131] 丁钢 . 先秦道家的教育思想 [J]. 华东师范大学学报 ( 教育科学版 ), 1987 (2).
[132] 丁晓东 . 儒墨关于交往的道德教育思想研究 [J]. 教育评论 , 2007 (1).

[ 133 ] 杜成宪 . 张载的教育思想 [ J ] . 华东师范大学学报 ( 教育科学版 ), 1985 (4).
[ 134 ] 杜时忠 . 传统德育中的道德理想主义论评 [ J ] . 现代教育论丛 , 1998 (1).
[ 135 ] 杜时忠 . 论传统德育的时代意义 [ J ] . 教育研究与实验 , 1992 (1).
[ 136 ] 杜维明 . 儒家传统的现代转化 [ J ] . 浙江大学学报 ( 人文社会科学版 ), 2004 (2).
[ 137 ] 方璐萍 . 传统德育方法的现代借鉴 [ J ] . 当代教育论坛 , 2005 (22).
[ 138 ] 冯契 . 论黄宗羲的“工夫所至即是本体”说 [ J ] . 浙江学刊 , 1985 (2).
[ 139 ] 高时良 . 孔子德育思想评估 [ J ] . 福建师大学报 ( 哲学社会科学版 ), 1984 (2).
[ 140 ] 葛新斌 . 传统伦理的特征与当今道德教育问题 [ J ] . 华东师范大学学报 ( 教育科学版 ), 1997(1).
[ 141 ] 龚抗云 . 论张载的道德教育思想 [ J ] . 河北学刊 , 1994 (4).
[ 142 ] 顾春 . 陆九渊“心学”教育思想的特质及其历史命运 [ J ] . 江西教育科研 , 1995 (5).
[ 143 ] 郭齐家 . 古代教育家论道德教育的作用 [ J ] . 教育评论 , 1985 (2).
[ 144 ] 郭齐家 . 论儒家道德教育思想 [ J ] . 高等师范教育研究 , 1989 (6).
[ 145 ] 郭齐家 . 评朱陆之争 [ J ] . 北京师范大学学报 , 1990 (6).
[ 146 ] 郭齐家 . 宋明理学道德教育思想散论 [ J ] . 北京师范大学学报 , 1984 (3).
[ 147 ] 郭齐家 . 颜之推的道德教育观 [ J ] . 中小学管理 , 1994 (11).
[ 148 ] 韩秀丽 . 儒家“任人唯贤”的人才观及现代意义 [ J ] . 北京联合大学学报 , 2001(2).
[ 149 ] 黄济 . 中国伦理道德传统述要 [ J ] . 中国教育学刊 , 2005 (7).
[ 150 ] 黄仁贤 . 先秦诸子德育思想辨析 [ J ] . 教育评论 , 1986 (1).
[ 151 ] 黄书光 . 儒家德育范式的理论建构 [ J ] . 河北师范大学学报 ( 教育科学版 ) , 2009 (5).
[ 152 ] 黄钊 . 墨家的道德理论述评 [ J ] . 湘潭大学学报 ( 哲学社会科学版 ), 1998 (6).
[ 153 ] 姜婕 , 邓子纲 . 中国传统德育思想的原则和方法 [ J ] . 湖湘论坛 , 2003 (6).
[ 154 ] 李贵洁 . 略论我国古代蒙学的伦理教育特点 [ J ] . 教育研究 , 1998 (5).
[ 155 ] 李国榕 . 孔子的教育心理学思想 [ J ] . 齐鲁学刊 , 1984 (2).
[ 156 ] 李贤荣 . 种德 · 养德 · 考德 : 王守仁的德育理论与实践 [ J ] . 教育研究 , 1997 (3).
[ 157 ] 刘峻杉 . 老子教育思想研究的中西比较及其方法论启示 [ J ] . 教育研究 , 2012 (8).
[ 158 ] 刘颖 . 孔子道德教育思想及其启示 [ J ] . 中国教育学刊 , 2003 (4).
[ 159 ] 鲁洁 . 试评我国古代教育家有关德育过程的论述 [ J ] . 南京师大学报 ( 社会科学版 ), 1980 (3).
[ 160 ] 吕锡琛 , 龙振军 . 道家的道德教化思想简论 [ J ] . 船山学刊 , 1996 (2).
[ 161 ] 吕锡琛 . 论道家的道德教育方法 [ J ] . 道德与文明 , 1996 (5).
[ 162 ] 毛礼锐 . 论董仲舒的教育思想 [ J ] . 北京师范大学学报 ( 社会科学版 ), 1963 (1).
[ 163 ] 毛礼锐 . 论儒家的道德教育思想 [ J ] . 北京师范大学学报 , 1980 (3).

[ 164 ] 梅汝莉 . 中国传统德育现代价值刍议 [ J ] . 教育研究 , 1998 (6).
[ 165 ] 沈韬 . 儒家道德教育与人格塑造 [ J ] . 教育评论 , 2013 (4).
[ 166 ] 沈壮海 . 中国传统德教方法论及其现代意义 [ J ] . 教育研究 , 2003 (10).
[ 167 ] 孙培青 . 论孔丘的道德教育原则 [ J ] . 教育评论 , 1985 (4).
[ 168 ] 谭维智 . 试论老庄道德教育的“减法”原理 [ J ] . 教育学报 , 2008 (2).
[ 169 ] 檀传宝 . 简论中国德育传统的多元性 [ J ] . 教育评论 , 1994 (3).
[ 170 ] 檀传宝 . 论儒家德育思想的三大特色与优势 [ J ] . 教育研究 , 2002 (8).
[ 171 ] 檀传宝 . 政治信仰与道德教育 : 中国古代和现代的两种抉择 [ J ] . 清华大学教育研究 , 1999 (1).
[ 172 ]唐爱民 . 佛教文化的道德精神及其道德教育的当代价值[ J ]. 教育理论与实践 , 2010 (7).
[ 173 ] 唐爱民 . 孔子的做人教育思想及其时代意义 [ J ] . 学术论坛 , 2001 (2).
[ 174 ] 唐爱民 . 先秦儒家的乐教思想探微 [ J ] . 齐鲁学刊 , 2000 (3).
[ 175 ] 唐凯麟 . 简论王夫之的道德教育论和道德修养论 [ J ] . 郑州大学学报 ( 哲学社会科学版 ), 1988 (2).
[ 176 ] 唐凯麟 . 清初颜李学派道德教育思想述评 [ J ] . 求索 , 1993 (3).
[ 177 ] 唐炜 . 传统德育思想的现代借鉴 [ J ] . 成都大学学报 ( 社会科学版 ), 2006 (4).
[ 178 ] 王炳照 . 批判继承古代道德教育思想遗产 [ J ] . 北京师范大学学报 , 1984 (3).
[ 179 ] 王洪亮 . “兴天下之利 , 除天下之害” : 谈墨子功利主义的教育思想 [ J ] . 江西社会科学 , 2006 (4).
[ 180 ] 王家骅 . 日本儒学的特色与日本文化 [ J ] . 日本问题 , 1988 (2).
[ 181 ] 王小良 , 管永前 , 郭玉红 , 余倩虹 . 孔子与美国建国 : 美国开国元勋以儒家道德哲学建立新美德的努力 [ J ] . 国际汉学 , 2018 (3).
[ 182 ] 王泽应 . 论中国传统德育思想的基本特征 [ J ] . 湖南师范大学社会科学学报 , 2005 (3).
[ 183 ] 王泽应 . 中国优秀传统德育思想的开发与现代转化 [ J ] . 教育科学研究 , 2006 (10).
[ 184 ] 魏思齐 . 德国汉学研究的历史与现况 [ J ] . 世界汉学 , 2006 (1).
[ 185 ] 吴慧芳 . 中国传统德育近代转型探析 [ J ]. 山东师范大学学报 ( 人文社会科学版 ), 2007 (5).
[ 186 ] 吴玉生 . 墨子教育思想初探 [ J ] . 内蒙古民族师院学报 ( 社会科学汉文版 ), 1982 (2).
[ 187 ] 徐朝旭 . 论先秦礼的德育功能 [ J ] . 教育研究 , 2007 (4).
[ 188 ] 鄢建江 . 朱熹《大学章句》道德教育理论的当代启示 [ J ] . 伦理学研究 , 2006 (4).
[ 189 ] 严绍 ( 汤玉 ). 从欧美近代文化的形成看中国文化的价值 [ J ] . 民主与科学 , 1992 (1).
[ 190 ] 杨建兵 . 素丝作画 : 墨家“染”德育方法体系诠议 [ J ] . 理论月刊 , 2014 (1).
[ 191 ] 杨启亮 . 论先秦道家的自然主义教育观 [ J ] . 南京师大学报 ( 社会科学版 ), 2001 (6).

[192] 杨启亮 . 先秦道家德育思想辨析 [J] . 教育科学 , 1995 (1).
[193] 杨启亮 . 中国传统道德精神与 21 世纪的学校德育 [J] . 教育研究 , 1999 (12).
[194] 杨鲜霞 . 墨子德育思想及其当代意义的探析 [J] . 东北农业大学学报 ( 社会科学版 ), 2008 (1).
[195] 杨友庭 . 墨子教育思想新探 [J] . 厦门大学学报 ( 哲学社会科学版 ), 1987 (1).
[196] 易连云 . 传统道德教育研究的范式转换 [J] . 教育研究 , 2010 (4).
[197] 易连云 . 儒家文化与世纪之交的学校道德教育改革定位 [J] . 西南师范大学学报 ( 哲学社会科学版 ), 2000 (1).
[198] 游柱然 . 中国传统德育哲学的认识与思考 [J] . 中国德育 , 2022 (5).
[199] 张鸿燕 , 王培培 . 韩国道德教育现代化进程的文化透析 [J] . 教育探索 , 2014 (2).
[200] 张嘉敬 . 孔子德育思想初探 [J] . 西北师大学报 ( 社会科学版 ), 1990 (5).
[201] 张书丰 . 论中国传统道德教育的理论体系 [J] . 当代教育科学 , 2006 (11).
[202] 张卫良 .《墨子》之于当代思想品德教育的价值 [J] . 大学教育科学 , 2015 (3).
[203] 张西平 . 改革开放以来中国海外汉学 ( 中国学 ) 研究的进展与展望 (1978–2019) [J] . 国外社会科学 , 2020 (1).
[204] 张西平 . 海外汉学 ( 中国学 ) 研究模式探究 [J] . 国际汉学 , 2019 (1).
[205] 赵志毅 . 论传统德育方法论的现代转换 [J] . 教育研究与实验 , 1996 (3).
[206] 周德昌 . 程颢、程颐德育思想论略 [J] . 华南师范大学学报 ( 社会科学版 ), 1991 (3).
[207] 朱永新 . 中国古代教育家论道德情感与道德意志 [J] . 苏州大学学报 , 1989 (2–3).
[208] 邹苏 . 中国传统德育实践思想及其现代启示 [J] . 人民论坛 , 2013 (32).
[209] 蔡氏柳 . 佛教德育对世俗德育的启示 [D] . 武汉 : 华中师范大学 , 2010.
[210] 范树成 . 德育过程论 [D] . 长春 : 东北师范大学 , 2004.
[211] 郭凤志 . 德育文化论 [D] . 长春 : 东北师范大学 , 2005.
[212] 贺韧 . 儒家传统道德教育思想探析 [D] . 长沙 : 湖南师范大学 , 2006.
[213] 廉成 . 日本学校德育研究及其启示 [D] . 牡丹江 : 牡丹江师范学院 , 2013.
[214] 宋五好 . 道德教育中人伦价值的重构 [D] . 西安 : 陕西师范大学 , 2010.
[215] 谭维智 . 道德减法 [D] . 上海 : 华东师范大学 , 2008.

## 二、外文文献

[1] 최영친 , 한국 유학사상 연구 [M] . 베이징 : 동방 출판사 , 2008.
[2] 조중항 . 한중수양교육 비교——유가사상으로 [D] . 서울 : 한서대학교 , 2012.
[3] 한은주 . 중한유가문 이념 비교 연구 [D] . 서울 : 중앙민주대학교 , 2006.
[4] MAY M A. Studies in the nature of character [M] . New York: Macmillan; Kohlberg. L. &

Turiel. E., 1971

[ 5 ] CAPUTO J D. Radical Hermeneutics: Repetition, Deconstruction, and the Hermeneutic Project[M]. Bloomington and Indianapolis: Indiana University Press, 1987.

# 后　记

2020年初秋的一天，我因公务到上海出差，在从上海虹桥高铁站赶往华东师范大学宾馆的路上，接到了时任全国德育学术委员会理事长、北京师范大学檀传宝教授的微信。在微信中，檀老师邀请我参与由他与华中师范大学杜时忠教授联袂主编的《中国德育研究大系》(以下简称《大系》)之《中国传统德育研究》一书的撰写工作。这是对我莫大的信任与鼓励！然而，考虑到我当时正在全力准备国家社科基金项目“我国学校德育变革的社会基础”烦琐的结题及书稿撰写工作，丝毫不敢疏忽大意；同时，我正负责组织、撰写一本教育部教指委教材，时间紧、任务重；而更为棘手的是，我当时还主持曲阜师范大学教育学院党政工作，正在准备教育部第五轮学科评估及申报国家一流本科专业和山东省“高峰学科”工作，不容闪失，身不由己；况且，我对中国传统德育思想虽有些粗浅的思考和论述，但毕竟在此方面尚乏功力与能力。思忖再三，为不影响《大系》的整体进程，我很委婉地向檀老师表达了我的歉意，并请檀老师聘任更适合的同仁担纲。可是，晚间就接到了由檀老师、杜老师共同落款的不容推脱的回信：经研究一致确定，仍由你负责《中国传统德育研究》的撰写。这使我左右为难。不过，我内心清楚，我必须勉力承担这项工作了。

任务领受之后，棘手的问题马上就来了。面对散见在不同学科中浩如烟海的中国传统德育思想研究成果，单是文献索引一项工作就足以令人生畏，更不用说要恰切地把握中国传统德育智慧的主旨及基本学术脉络了。

国庆长假，我把自己关起来，全身心构思本书的结构，绞尽脑汁，反反复复，几经掂量，拿出了一个初步研究框架。这个框架除了包括中国传统德育研究的价值、特点、发展阶段等内容外，重点构思了中国传统德育研究的主题、演进脉络、儒墨道佛诸家的德育思想及其主要成果、传统德育研究的海外图景等论题。为不流于德育思想史的研究范式，在拟定框架结构时，特别突出了抽绎、凝练独具中华文化特色与话语体系的德育智慧、德育思想，以凸显民族特色与传统文化自信，也想体现一点“创新性发展”的意味。构思的过程非常胶着，常常是为敲定哪个范畴、命题更恰当而自我纠缠，难以定夺。初步框架完成之后，又请从事中国思想史、教育史、教育哲学研究的同仁多次研讨，并于 12 月底在华中师范大学召开的丛书研讨会上接受诸位同仁的修改意见后，最终确定了目前的研究纲目。

纲目确定之后，我又迅速地组织相关青年教师和专业人员进行协作分工，并不间断地进行多次不同范围的研讨。各部分的分工如下：

导论、第一章、第二章第五节、余论由唐爱民撰写；第二章由王浩撰写；第三章第一至四节由陈霞娜撰写；第三章第五至八节由马晓倩撰写；第四章由陈祥龙撰写；第五章第一、二节由任炜华撰写；第五章第三、四节由刘新龙撰写；第六章由李永梅撰写；第七章由董泽贤撰写；第八章由韩芝菲撰写；第九章由王永超撰写。

需要说明的是，本研究过程中征引的主要文献时限为 1949 年以来特别是 1978 年以来到 2021 年的成果；以原创性研究成果为主，涉及本领域的重要成果则征用最具代表性的文献；力求通过多种途径查阅文献，尽可能不遗漏核心文献。

初稿完成之后，我负责对所有文稿进行了长时段字斟句酌的调理、通顺、改写，并对一些文献进行核对、补缺，几番周折，耗时颇多。尽管如此，仍有一些地方尚显粗糙、浅陋，其间存在的问题应由我负责。

本书的完成，要衷心感谢《大系》总主编檀传宝教授和杜时忠教授，要不是二位老师的信任与敦促，本书将难以如期付梓；曲阜师大教育学院广少奎教授与徐瑞教授、孔子文化研究院宋立林教授、南京师大孙彩平教授等好友，提出了诸多中肯、可行的建议；山东省社科重点研究基地“美德山东建设研究基地”、田家炳现代德育研究院的各位同仁也提出了一些意见；湖北教育出版社的编辑作了极为耐心、专业的编校工作，并就部分框架、文献予以精确调整与完善。在此，一并表达诚挚的谢意！书中参阅了大量先贤与同仁的研究成果，有的可能融入论述中未一一标识，这里，也一并表达我们真诚的歉意！

希望本书能够对中国传统德育思想的深入研究、对中华优秀传统文化与优秀德育智慧的弘扬、对我国学校德育的内涵性变革，发挥滴水之功与绵薄之力。

是为跋。

唐爱民

2022 年 12 月 7 日一稿

2023 年 7 月 9 日二稿

于孔子故里·耕心斋